AUFERSTEHUNG JESU –
AUFERSTEHUNG DER CHRISTEN

QUAESTIONES DISPUTATAE

Begründet von
KARL RAHNER UND HEINRICH SCHLIER

Herausgegeben von
HEINRICH FRIES UND RUDOLF SCHNACKENBURG

105

AUFERSTEHUNG JESU –
AUFERSTEHUNG DER CHRISTEN

AUFERSTEHUNG JESU – AUFERSTEHUNG DER CHRISTEN

DEUTUNGEN DES OSTERGLAUBENS

INGO BROER
PETER FIEDLER
HILDEGARD GOLLINGER
INGRID MAISCH
JOHANNES M. NÜTZEL
LORENZ OBERLINNER
DIETER ZELLER

HERAUSGEGEBEN VON
LORENZ OBERLINNER

HERDER
FREIBURG · BASEL · WIEN

Herstellung: Freiburger Graphische Betriebe 1986
ISBN 3-451-02105-6

ANTON VÖGTLE

zum 75. Geburtstag
am 17. Dezember 1985
von seinen Schülern
in Dankbarkeit und Verehrung

Inhalt

Vorwort

Es ist eine nicht nur in der Exegese, sondern in der gesamten Theologie gültige Grundüberzeugung, daß der Glaube an die Auferwekkung Jesu die Mitte der neutestamentlichen Christusverkündigung bildet und auch das Zentrum der christlichen Glaubensverkündigung sein muß. Bei genauerem Nachfragen zeigt sich jedoch bisweilen eine nicht unerhebliche Differenz zwischen dem biblischen Zeugnis und der in der Glaubensüberlieferung ausgebildeten Bestimmung des Wesens und des Inhalts dieses Osterglaubens. Soll solche Glaubenstradition nicht eine sowohl von der biblischen Begründung her als auch ihrem Inhalt nach problematische Eigenexistenz entwickeln, die sich die jeweiligen Fragen und zugleich die entsprechenden Antworten selbst schafft, bedarf es des je neuen Bedenkens der Osterbotschaft von ihrem biblischen Fundament her.

Es ist allerdings gleich das Zugeständnis anzufügen, daß auch exegetisch-wissenschaftliches Bemühen um die Texte des Neuen Testaments weit davon entfernt ist, im Blick auf die mit der Botschaft von der Auferweckung Jesu zusammenhängenden zentralen Fragen der Theologie, Christologie und Soteriologie sowie der damit verbundenen historischen Probleme übereinstimmende Antworten und Lösungen zu bieten, und daß solches auch in Zukunft kaum erwartet werden kann. Die inhaltliche Vielfalt und die theologische Vielschichtigkeit dieser Verkündigung vom außerordentlichen und für Gegenwart und Zukunft des Menschen entscheidenden Handeln Gottes am gekreuzigten Jesus lassen immer nur eine ausschnitthafte und auf den Kontext der Christusverkündigung angewiesene Behandlung der neutestamentlichen Texte zu. Wir können aber zugleich nicht auskommen ohne den immer wieder neu zu wagenden Versuch einer „Übersetzung“ des biblischen Osterzeugnisses. Die eine Osterbotschaft in der Vielfalt der je verschieden gestalteten biblischen Verkündigung zur „Sprache“ zu bringen, ist das Anliegen der Beiträge dieses Bandes.

Wer sich mit der Osterbotschaft des Neuen Testamentes beschäftigt, der hat es notwendigerweise zu tun mit der Begründung des christologischen Bekenntnisses, damit aber auch mit der Thematik von „verkündendem Jesus und verkündigtem Jesus ‚Christus'". Man kann mit Bestimmtheit feststellen, daß gerade Anton Vögtle u.a. zu diesen Themenbereichen – Fragen zum „historischen Jesus", zu seiner Wort- und Tatverkündigung; das Problem der Entstehung des Osterglaubens und seine Bezeugung in der neutestamentlichen Tradition; die Jesusüberlieferung in ihrem Verhältnis zum nachösterlichen Christuskerygma – entscheidende und für die Exegese und die Theologie insgesamt wegweisende Ergebnisse erarbeitet hat.

Die in diesem Gemeinschaftswerk vorgelegten Beiträge greifen einmal mit den mehr historisch orientierten Fragen zur Entstehung des Osterglaubens und dessen alttestamentlichen Voraussetzungen die Bedeutsamkeit von Ostern unter dem Aspekt eines „offenbarenden Geschehens"auf, während dann in der exegetischen Analyse der Bezeugung dieses Glaubens in der erzählerischen Entfaltung der Evangelien in gewissem Sinne die „Wirkungsgeschichte" dieses fundamentalen Glaubenssatzes von der Auferweckung Jesu exemplarisch dargestellt wird (s. *A. Vögtle,* Offenbarungsgeschehen und Wirkungsgeschichte, Freiburg i.Br. 1985).

Dieser Band ist als Zeichen des Dankes seiner Schüler dem verehrten Lehrer und väterlichen Freund Anton Vögtle gewidmet, der die Verpflichtung auf die unbestechliche und in die Verantwortung stellende Autorität des biblischen Textes unermüdlich gelehrt und unbeirrbar gelebt hat. Mit den Glückwünschen zu seinem 75. Geburtstag verbinden die Autoren die Hoffnung, es möge Anton Vögtle für die nächsten Jahre mit der Freude auch die Kraft zu weiterer, vorbildhafter Arbeit am Neuen Testament geschenkt sein.

Wir danken den Herausgebern der „Quaestiones disputatae" – namentlich Herrn Professor Dr. Rudolf Schnackenburg, der die biblischen Beiträge vertritt – für die Aufnahme in diese Reihe sowie dem Verlag Herder für die Veröffentlichung. Danken möchten wir auch dem Erzbischöflichen Ordinariat Freiburg im Breisgau für die Beihilfe zur Drucklegung. Zu danken habe ich schließlich meinen Mitarbeitern, vor allem Frau Ingeborg Walter für zuverlässige Erledigung der Schreibarbeiten sowie Frau Carola Diebold und Herrn Gerd Häfner für umfassende bibliographische Vorarbeiten.

Lorenz Oberlinner

I

„Wenn einer stirbt, lebt er dann wieder auf?“ (Ijob 14,14)

Zum alttestamentlich-jüdischen Hintergrund der Deutung der dem Kreuzestod nachfolgenden Erfahrung der Jünger mit dem Bekenntnis zur Auferweckung Jesu

Von Hildegard Gollinger, Heidelberg

Vorbemerkung

Die Erforschung alttestamentlicher Voraussetzungen für die neutestamentliche Botschaft von der Auferweckung bzw. Auferstehung[1] Jesu stellt den neutestamentlich geprägten Bearbeiter vor Probleme inhaltlicher wie methodischer Art; er muß sich zunächst freimachen von der allzu vertrauten Argumentation mit Aussagen, die zwar in neutestamentlicher Zeit in der rabbinischen wie frühchristlichen Exegese als Beweise für die Auferstehungshoffnung gelten, ihrer ursprünglichen Intention nach aber diesen Gedanken nicht beinhalten. Eine Vielzahl von (insbesondere Psalm-)Texten enthält hebräische Äquivalente für Auferstehung/Auferweckung, Errettung aus dem Tod, Wiederbelebung, ewiges Leben u.ä.; doch ist dabei die durch die literarische Form bedingte, vielfach hyperbolisierende poetische Sprache zu berücksichtigen, so daß einer Wortstatistik von vornherein wenig Beweiskraft zukommt. Hinzu treten Datierungsprobleme, Textvarianten, ungesicherte Lesarten des Urtextes und die sachbedingte Schwierigkeit, daß unser Themenbereich nicht Gegenstand nachweisbarer und beschreibbarer Erfahrung, sondern menschlicher Hoffnung jenseits aller Erfahrung ist und sich so jeder logisch schlüssigen Beweisführung oder Definition entzieht. Last

---

[1] Beide Begriffe begegnen im Alten wie im Neuen Testament. Traditionsgeschichtlich älter ist die Auferweckungsaussage, die das ausschließliche Handeln Gottes betont; da ein Wirken über den Tod hinaus nach biblischer Vorstellung aber grundsätzlich Gott vorbehalten ist, können beide Begriffe im folgenden vermischt gebraucht werden.

not least gilt es zu bedenken, daß die Auferstehungshoffnung kein ursprüngliches Kernthema des Alten Testaments, sondern eine relativ späte theologische Schlußfolgerung darstellt, die mit Sicherheit erst in der Makkabäerzeit nachweisbar ist.

Im folgenden kann daher nur versucht werden, einzelnen Ansätzen zu einer Hoffnung über den Tod hinaus nachzuspüren, wobei sich die unausgeglichene Vielfalt unterschiedlicher Entwürfe jeder Systematisierung widersetzt. Der Zielsetzung des Beitrags entsprechend, wird auf Einzelanalysen weitgehend verzichtet zugunsten einer Übersicht über die allmähliche Entfaltung einer postmortalen Hoffnung, wobei auf die – teilweise kontroversen – Forschungsergebnisse der letzten Jahrzehnte dankbar zurückgegriffen wird.

„So legt der Mensch sich hin, steht nie mehr auf ...“
(Ijob 14,12)

Wer das Alte Testament nach einer jenseitigen Existenzmöglichkeit befragt, stößt zunächst einmal auf die illusionslose Hinnahme des Todes: „Wir müssen alle sterben“ (2 Sam 14,14) ist eine banale Selbstverständlichkeit, die weder als Strafe noch als Anlaß zu Resignation oder Verzweiflung, sondern als natürliche Folge der Geschöpflichkeit und Rückkehr des Menschen zu seinem Ursprung (Erde, Staub) gesehen wird [2]. Am Sterben der Erzväter wird beispielhaft deutlich, daß der Tod eines Menschen, der mit (vor) Gott lebt, kein furchterregender Abbruch, sondern die Erfüllung und Vollendung eines langen Lebens ist [3]. Nicht der Tod an sich ist Gegenstand menschlicher Furcht, sondern allenfalls der Zeitpunkt oder der Ort:

---

[2] Vgl. Gen 3,19; Ijob 10,9; 34,15; Koh 3,20; 12,7. Erst Weish 2,23f leitet aus der Gottebenbildlichkeit des Menschen seine ursprüngliche Unsterblichkeit ab und führt den Tod auf den Neid des Teufels (Sir 25,24 auf die Sünde der Frau) zurück in deutlicher Anspielung auf Gen 3.

[3] Sie sterben „alt und satt an Tagen“ bzw. „Jahren“: Gen 25,8; 35,29; Ijob 42,17; die in Mesopotamien schon seit dem 3. Jahrtausend v. Chr. belegte Vorstellung vom Tod im hohen Alter als Erfüllung des Lebens hat zur Folge, daß sich die Endzeithoffnungen noch bei Trito-Jesaja nicht auf die Abschaffung, sondern lediglich auf ein Hinausschieben des Todes richten (Jes 65,19f vgl. Sach 8,4) – eine Vorstellung, die sich bis in apokalyptische Texte des zweiten vorchristlichen Jahrhunderts hinein hält: äthHen 10,17; 25,6; Jub 23,15.27f.

ein früher Tod versagt die Erfüllung des Lebens und gilt ebenso als Strafe Gottes wie das Sterben außerhalb des Landes[4].

Wenn Endlichkeit und Begrenztheit den Menschen von Gott unterscheiden, so ist es nur folgerichtig, daß der *Tod endgültig und unwiderruflich* ist. Ijobs rhetorische Frage: „Wenn einer stirbt, lebt er dann wieder auf?“, ist schon im voraus negativ beantwortet: „So legt der Mensch sich hin, steht nie mehr auf ...“ (Ijob 14,14.12; vgl. 7,9f). Israel teilt lange Zeit die Meinung anderer antiker Völker, wonach die Toten in einer Art Bewußtlosigkeit (Koh 9,5f.10b) oder Schlaf (Jer 51,39.57; Ijob 14,12; Ps 76,6) ein Schattendasein in einem unterirdischen Totenreich (Scheol) führen, aus dem es keine Rückkehr gibt[5]. Allerdings bleiben die Vorstellungen von Tod und Totenreich im Vergleich zur Umwelt auffallend unscharf; jede Verbindung zwischen Lebenden und Toten wird bestritten und alles, was eine eigenständige Macht der Scheol insinuieren könnte (Vergöttlichung des Todes, Totenkult oder -beschwörung), entschieden zurückgewiesen[6].

Solche Tabuisierung des Todes und aller Totenrituale[7] entspringt dem Bekenntnis zur kompromißlosen Einzigkeit Jahwes als Bundespartner Israels, dem allein das Volk sein Leben verdankt[8], und der

---

[4] Vgl. Jes 38,10–14; Ps 102,25 (vorzeitiger Tod); Jer 20,6; 22,11f.26; 42,16f; Ez 12,13; 17,16; Am 7,17 (Tod im fremden Land; von der herodianischen Zeit bis ins 4. Jahrhundert hinein ist der Brauch bezeugt, die Gebeine der im Ausland Verstorbenen nach Israel zu überführen, weil „die Toten außerhalb des Landes nicht wieder aufleben“ [bKet 111a]; vgl. *G. Stemberger,* Art. Auferstehung 447).

[5] Vgl. besonders *L. Wächter,* Der Tod im Alten Testament (Arbeiten zur Theologie II/8) (Stuttgart 1967) 181–198, und *O. Kaiser/E. Lohse,* Tod und Leben (Kohlhammer TB 1001) (Stuttgart 1977) 25–48 (unter besonderer Berücksichtigung religions- und kulturgeschichtlicher Aspekte).

[6] Vgl. z.B. Lev 19,31; 20,6.27; Dtn 18,11; Jes 8,19f. Auch die Tabuisierung der Berührung eines Toten (Num 19,11 u.ö.: „unrein“) ist in diesem Zusammenhang zu sehen. Das in 1 Sam 28,3ff geschilderte Beispiel einer Totenbeschwörung ist singulär und erweist zugleich die Absurdität dieses Brauches: der Geist des toten Samuel vermag Saul nicht mehr zu sagen als zuvor schon der Lebende. Der Sinn solcher Verbote erhellt am deutlichsten aus Jes 8,19: „Wenn man euch sagt: Befragt die Totengeister und Zauberkundigen ... (dann erwidert:) Soll ein Volk nicht lieber seinen Gott befragen?“ Trotz der offiziellen Ablehnung hält sich die Vorstellung, daß die Totengeister über besonderes Wissen verfügen, hartnäckig im Volksglauben und wirkt bis in die rabbinische Literatur hinein; Belege bei *L. Wächter,* Tod (s. Anm. 5) 191 mit Anmerkungen.

[7] Einzelbelege s. bei *H. Kessler,* Sucht den Lebenden 48 Anm. 10.

[8] Ezechiel faßt diesen Sachverhalt in ein beschwörend-anrührendes Bild: „... am Tag deiner Geburt hat man dich auf freiem Feld ausgesetzt ... Da kam ich an dir vorüber

allein ihm durch seine Tora Leben verbürgt[9]. Einhaltung oder Mißachtung des Bundes bedingen daher das Geschick des Volkes: „Wer nicht rechtschaffen ist, schwindet dahin, der Gerechte aber bleibt wegen seiner Treue am Leben.“[10]

In bewußter Abgrenzung zu den Göttern der Umwelt wird Jahwe ausschließlich als Gott der Lebenden, als lebendiger und lebenspendender Gott profiliert[11], der nach den ältesten Überlieferungen mit Tod und Totenwelt nichts zu tun hat. Dennoch kann der Tod von Gott her definiert werden: als Zustand, in dem Gott nicht mehr an den Menschen denkt, ja der Mensch seiner Hand entzogen ist (Ps 88,6) und Gott nicht mehr loben kann (Ps 6,6; 88,12f; 115,17; Jes 38,18; Sir 17,27f). Sterben bedeutet also den Verlust jeglicher Verbindung mit Jahwe, umgekehrt wird Leben von der Gottverbundenheit her gedeutet und ihr geradezu gleichgesetzt.

Auch wenn in diesem Denken zunächst einmal jede transmortale Hoffnung ausgeschlossen ist, so impliziert es doch einige Elemente, die unter veränderten Lebensbedingungen zum Weiterdenken über den Tod hinaus anregen müssen:

– Die Vorstellung von der Scheol als Schattenreich schließt eine totale Vernichtung des Menschen im Tod aus; ein Rest menschlicher Identität bleibt zurück, an den spätere Hoffnung anknüpfen kann.

– Tod und Totenreich gelten als von Gott abgeschnitten, ohne ihrerseits über Eigenständigkeit zu verfügen; so bleibt ein Machtvakuum, das bei einer Weiterentwicklung der Gottesvorstellung (von der Allmacht Gottes her) ausgefüllt werden kann.

– Die Deutung des Lebens als Gemeinschaft mit Gott, der „Quelle des Lebens“ (Ps 36,10 vgl. Jer 2,13; 17,13), insinuiert die Frage, wer außer Gott diese Lebensgemeinschaft abbrechen könnte. Sobald der Tod des einzelnen nicht mehr so selbstverständlich hin-

---

und sah dich in deinem Blut zappeln; und ich sagte zu dir, als du blutverschmiert dalagst: Bleib am Leben!“ (Ez 16,5f).

[9] Vgl. Dtn 30,15–20; Am 5,4.6; Jes 7,9; 28,16 u.ö.

[10] Hab 2,4 (um 600 v.Chr.), auf das Volk bezogen. In nachexilischer Zeit wird diese Überzeugung im Zuge einer Individualisierung des Denkens durch die Weisheitslehrer auf den einzelnen angewandt: vgl. Spr 10,27 und die ausführliche Thematisierung in den Weisheitspsalmen 1 und 37.

[11] Vgl. Jos 3,10; 2 Kön 19,4; Hos 2,1; Jer 2,13; 17,13; Ps 36,10; 103,4; 133,3.

genommen wird wie in der frühen Zeit, entsteht daraus das Problem der Treue Gottes.

– Diese Frage stellt sich verstärkt unter ethischem Aspekt. Die Gleichung ‚Frömmigkeit = Wohlergehen und langes Leben' und ihre Umkehrung geht „von einer immanent gesetzlichen Wirkkraft des Bösen ebenso wie des Guten"[12] aus. Solch unmittelbarer Zusammenhang zwischen Tun und Ergehen bestimmt zwar jahrhundertelang das Denken Israels, vermag aber auf Dauer der gegenteiligen Lebenserfahrung nicht standzuhalten; schon im Buch Ijob, insbesondere aber in der seleukidischen Verfolgung (168–165 v. Chr.) wird das Drängen nach einer neuen Antwort unausweichlich – nicht um der Menschen, sondern um des Gottesbildes willen!

„Wenn sie in die Totenwelt einbrechen:
meine Hand packt sie auch dort!" (Am 9, 2)

Über die vorgenannten Implikationen hinaus, lassen sich schon in vorexilischer Zeit einige Impulse für eine spätere Auferweckungshoffnung ausmachen.

1) Bei den im Elija- und Elischazyklus erzählten *Totenerweckungen* (1 Kön 17, 17–24; 2 Kön 4, 32–37 vgl. 8, 1.5)[13] handelt es sich zwar vom Kontext her um eine Rückkehr der Auferweckten ins irdische Leben zur Vollendung der normalen Lebensdauer[14] und um Episoden, die gerade wegen ihres Ausnahmecharakters berichtet werden, aber sie bezeugen doch die Macht Gottes (und des in seiner Kraft handelnden Menschen) auch über den Tod.

2) Nachhaltiger als die Totenerweckungen tragen die – ebenfalls alten – Überlieferungen von der *Entrückung* Henochs (Gen 5, 21–24) und der Himmelfahrt Elijas (2 Kön 2, 11 f, später in Sir 48, 9 ebenfalls als Entrückung gedeutet) dazu bei, die Unausweichlichkeit des

[12] *G. von Rad,* Weisheit in Israel (Neukirchen-Vluyn 1970) 171.
[13] Die „Totenerweckung" aus 2 Kön 13, 21 kann hier außer Betracht bleiben; zwar bezeugt auch sie die Möglichkeit einer Wiederbelebung, doch geht diese auf eine eher zufällige Berührung mit Elischas Leichnam zurück.
[14] Vgl. *F. Nötscher,* Auferstehungsglauben 129. (Der Neudruck Darmstadt 1970 war mir leider nicht zugänglich.)

Todes zu relativieren. Die literarische Gestalt beider Texte ist unterschiedlich: bei Henoch handelt es sich um eine kurze Notiz, die in späteren (auch frühchristlichen) Schriften mehrfach zitiert wird[15]; dagegen ist die Himmelfahrt Elijas (untergeordneter) Bestandteil eines prophetischen Berufungsberichts[16] mit dem Ziel der Legitimation Elischas als Nachfolger seines Meisters[17]. Trotz unterschiedlicher Form und Terminologie[18] stellen diese beiden (vorexilischen) Überlieferungen „einen wichtigen Markstein innerhalb des Jahweglaubens dar, weil hier der Gedanke anklingt, daß herausragende Menschen nicht der Scheol verfallen“[19]. Deshalb wurden beide Gestalten zu Hoffnungsträgern für spätere Generationen: die Erwartung einer Wiederkunft Elijas ist bis in das NT hinein vielfach bezeugt[20], und die knappe Notiz über Henoch regt apokryphe Schriften zu ausführlichen Darstellungen seiner Aufnahme in den Himmel (äth Hen 70; 71; Jub 4,23) und seines Lebens in Gemeinschaft mit den Engeln an (äthHen 108,5; Jub 4,21). Die weite Verbreitung der Entrückungsvorstellung im alten Orient und in Griechenland fördert die Übertragung dieses Gedankens auch auf andere vorbildliche Fromme[21]; der Autor des Weisheitsbuches sieht darin geradezu ein Paradigma für den Gerechten (Weish 4,10f).

---

[15] Vgl. Sir 44,16; 49,14; Weish 4,10f (hier verallgemeinernd auf die Gerechten bezogen); Jub 4,23; Test Isaak 4,2 u.ö. Weitere Belege bei *G. Lohfink*, Die Himmelfahrt Jesu (StANT XXVI) (München 1971) 55. Eine ausführliche Untersuchung der Henoch-Tradition und ihrer Wirkungsgeschichte bietet *A. Schmitt,* Entrückung 152–192.

[16] So *A. Schmitt,* Entrückung 129; zur Gesamtinterpretation und Nachwirkung vgl. ders. 47–151.

[17] Vgl. *G. Lohfink,* Himmelfahrt Jesu (s. Anm. 15) 57.

[18] Zur unterschiedlichen Terminologie vgl. *G. Lohfink,* Himmelfahrt Jesu (s. Anm. 15) 73.

[19] *A. Schmitt,* Entrückung 344f.

[20] Vgl. im AT: Mal 3,23f, aufgenommen in Sir 48,10f; im NT: Mk 8,28 parr; 9,11ff par; Mt 11,14; Joh 1,21.25.

[21] Dies gilt insbesondere von Mose, Esra und Baruch, doch sind diese Traditionen sehr differenziert zu beurteilen: vgl. dazu *G. Lohfink,* Himmelfahrt Jesu (s. Anm. 15); 59–69; *U. Kellermann,* Auferstanden 10 mit Anm. 4–7; *G. Stemberger,* Problem, bes. 285f; *F. Nötscher,* Auferstehungsglauben 121–128; *H. Kessler,* Sucht den Lebenden 70f; Belege für eine zeitweilige Entrückung s. bei *A. Schmitt,* Entrückung 310–324.

K. Berger weist darauf hin, daß der Tod nach späterer (apokalyptischer) Vorstellung auch den Entrückten nicht erspart bleibt; vielmehr werden sie nach 4 Esra 7,28f am Ende der Zeit zusammen mit dem Messias erscheinen und nach Beendigung seines Reiches ebenso wie der Messias selbst sterben, weil der vom Apokalyptiker erwartete neue Äon den Tod aller, die dem alten Äon entstammen, voraussetzt; im neuen Äon

3) Ebenfalls aus früher vorexilischer Zeit stammt ein Text, der der in Ps 88,6 geäußerten Auffassung, daß die Bewohner der Scheol Gottes Hand entzogen sind, direkt widerspricht: „Wenn sie in die Totenwelt einbrechen: meine Hand packt sie auch dort ..." (Am 9,2). Dahinter steht ein moralischer Aspekt der Jenseitsvorstellung: das Fehlen einer Verbindung Gottes zur Scheol darf nicht als Begrenzung seiner Macht und damit als Freibrief für die Sünder mißdeutet werden. Die Überzeugung, daß Gott den Menschen überall erreicht, weil seine *Macht keine Grenzen kennt,* ist über Amos hinaus vor- wie nachexilisch vielfach belegt[22], während die gegenteilige Behauptung von Ps 88,6 singulär bleibt.

Zwar wird die Beziehung Jahwes zur Totenwelt hier negativ bestimmt, aber es ist nur eine Frage der Zeit, wann die Aussage, „Jahwes Gericht über die Ungerechten transzendiert die Todesgrenze"[23], ins Positive gewendet und auf Gottes Verhältnis zu den Frommen bezogen wird. Jedenfalls ist die Scheol als absolut unüberwindliche Grenze in Frage gestellt.

4) Eine ähnliche Tendenz verfolgt eine Textgruppe, die den Gedanken von Gott als der *„Quelle des Lebens"* (s.o.) auf seine Implikationen für das Todesverständnis hin weiterdenkt. Wenn Gott den Lebensodem verleiht, so ist er es auch, der ihn wieder entzieht (Ps 104,29; vgl. Koh 12,7) und so den Tod „verursacht". Zwar betont noch Weish 1,13, daß Gott den Tod nicht gemacht und keine Freude am Untergang der Lebenden hat (vgl. auch Ez 18,23), aber wenn Israel dem Tod Eigenmächtigkeit abspricht und ihn lediglich als Entzug des gottgeschenkten Lebensatems zu deuten vermag, so beinhaltet dies doch die ausschließliche Verfügung Gottes über Leben *und* Tod: „Ich bin es, der tötet und lebendig macht ..." (Dtn 32,39), oder gar auf die Scheol ausgedehnt: „Der Herr macht tot und lebendig, er führt zum Totenreich hinab und führt auch herauf"

---

erhalten dann alle ein neues Leben. Ziel der Entrückung ist nach dieser Vorstellung nicht die Bewahrung vor dem Tod, sondern das Miterleben der messianischen Heilszeit (vgl. auch Lk 2,30). Vgl. dazu ausführlich: *K. Berger,* Auferstehung, bes. 43. 300 mit Anm. 190.

[22] Z.B. Jes 7,11; vgl. Ps 139,7–12; Hos 13,14; Ijob 26,6; Spr 15,11; Tob 13,2; Weish 16,13–15; 2 Makk 6,26.

[23] *H. Kessler,* Sucht den Lebenden 54.

(1 Sam 2,6). Die Macht über Leben und Tod wird geradezu zum Unterscheidungsmerkmal zwischen Gott und Mensch: „Bin ich denn ein Gott, der töten und zum Leben erwecken kann?" (2 Kön 5,7).

Der jeweilige Kontext sowie die literarisch bedingte teils parallelisierende, teils hyperbolisierende Redeweise verbietet vorschnelle Schlußfolgerungen hinsichtlich einer Auferstehungshoffnung[24]. Jede gravierende Beeinträchtigung oder Gefährdung des Lebens weckt den Gedanken an den Tod, und das Bekenntnis zur Verfügungsgewalt Gottes über Leben und Tod beinhaltet jahrhundertelang nicht die Überwindung des Todes; dennoch ist das Bekenntnis zu seiner Macht auch über Tod und Scheol eine unabdingbare Voraussetzung für jede Art von Jenseitshoffnung. Darüber hinaus implizieren die zitierten hyperbolischen Formulierungen die Möglichkeit einer wörtlichen Deutung in späterer Zeit und tragen so zumindest indirekt zur Vorbereitung des Auferstehungsglaubens bei.

„Ich hole mein Volk aus den Gräbern herauf" (vgl. Ez 37,12)

Ältere Werke, v.a. aus der systematischen Theologie, berufen sich für die Auferstehungsvorstellung gerne auf drei prophetische Texte aus verschiedenen Zeiten:

1) *Hos 6,1f:* „Kommt, wir kehren zum Herrn zurück! Denn er hat (Wunden) gerissen, er wird uns auch heilen; er hat verwundet, er wird auch verbinden. Nach zwei Tagen gibt er uns das Leben zurück, am dritten Tag richtet er uns wieder auf, und wir leben vor seinem Angesicht". Nur wer V. 2 isoliert liest, kann ihm eine wirkliche Auferstehungsvorstellung entnehmen. Unter Berücksichtigung des Kontexts wird deutlich, daß „von Auferstehung ... der Situation

[24] So ist der Gegensatz „töten – lebendig machen" schon in Dtn 32,39 durch den anschließenden Parallelismus „ich habe verwundet; nur ich werde heilen" relativiert; auch in 2 Kön 5,7 wird aus dem Kontext ersichtlich, daß es sich um eine Heilung (vom Aussatz) handelt. Der Beter, der Gott vorwirft, er habe ihn „ins tiefste Grab gebracht" (Ps 88,7), betet nicht etwa aus der Scheol heraus, sondern artikuliert damit seine – vielleicht lebensbedrohende – Krankheit, und wenn der Mensch Gott dankt: „Du hast mein Leben dem Tod entrissen" (Ps 116,8; vgl. V. 3), so bezieht sich diese Formulierung allenfalls auf die Errettung aus Todesnot. *F. Nötscher,* Auferstehungsglauben 135, betont demnach mit Recht, daß „heraufführen aus der Scheol" (mit Ausnahme von Weish 16,13) in der Regel nur „Befreiung aus Krankheit und Not" meint.

nach nicht die Rede" ist[25]. Vielmehr warnt der Prophet vor allzu leichtfertiger Erwartung einer Rettung durch Gott, wobei lediglich diskutiert werden kann, ob als Bildhintergrund für die Formulierung „das Leben zurückgeben" an eine Totenerweckung oder eher an eine Heilung zu denken ist[26].

Die Bedeutsamkeit von Hos 6,1f im Hinblick auf unser Thema liegt weniger in der ursprünglichen Aussage als vielmehr in ihrer Wirkungsgeschichte: Septuaginta und Targum deuten den Text im Sinne einer Auferstehung, und die spätere jüdische Tradition leitet daraus den dritten Tag als „Tag der Auferstehung" ab[27], so daß die neutestamentliche Osterbotschaft für die Datierung der Auferstehung Jesu auf einen geprägten Topos zurückgreifen kann.

2) Die Relevanz des vierten Gottesknechtsliedes *Jes 52,13 – 53,12* für die Deutung des Todes Jesu als stellvertretendes Sühneleiden ist allgemein anerkannt. Darüber hinaus sehen einzelne Autoren in Jes 52,13 (Erhöhung) und 53,10 (Leben nach dem Tod) eine postmortale Existenz angedeutet[28], doch die überwiegende Mehrheit entscheidet sich mit guten Gründen für eine innerirdische Rehabilitierung des Gottesknechts im Sinne einer göttlichen Rettung des im

---

[25] *A. Deissler,* Zwölf Propheten. Hosea – Joel – Amos (Würzburg 1981) 32.

[26] *F. Nötscher,* Auferstehungsglauben (s. Anm. 14) 138–146, läßt die Entscheidung nach ausgiebiger Diskussion offen, während *U. Kellermann,* Auferstanden 9 A. 1, *H. W. Wolff,* Dodekapropheton 1. Hosea (BKAT XIV/1) (Neukirchen-Vluyn [2]1965) 151, und *G. Fohrer,* Die Propheten des Alten Testaments. Band 1 (Gütersloh 1974) 88, lediglich von einer Hoffnung auf Heilung ausgehen.

[27] *G. Stemberger,* Problem 285, unter Berufung auf P. Grelot. Der Hintergrund dieser Datierung ist nicht mehr sicher zu erheben. Unstrittig ist lediglich, daß sie eine kurze Zeit bezeichnet; die Herleitung des „dritten Tages" aus kanaanäischen Kultriten vom Sterben und Auferstehen der Natur und ihrer Götter bleibt nach *F. Nötscher,* Auferstehungsglauben 140–142, offen, ist aber nach *G. Stemberger,* Leib 66f Anm. 16 (vgl. auch *ders.,* Problem 284f, sowie *ders.,* Art. Auferstehung, bes. 444), sehr wahrscheinlich: „Somit ist nicht auszuschließen, daß sich in diesem Text aus Oseas kanaanäischer Auferstehungsglaube spiegelt, verwendet zum Ausdruck nationaler Hoffnung, später aber wieder im Sinn der eigentlichen Auferstehung verstanden" (Problem 285). Dagegen sieht *H. W. Wolff,* Dodekapropheton 1 (s. Anm. 26) 151, die Zeitbestimmung „allenfalls sprichwörtlich gebraucht".

Zur Typologie des „dritten Tages" und ihrer Übertragung auf das Schicksal Jesu vgl. das Standardwerk von *K. Lehmann,* Auferweckt am dritten Tag nach der Schrift (QD 38) (Freiburg i. Br. 1968).

[28] *U. Kellermann,* Auferstanden 85, spricht z. B. unter Berufung auf K. Baltzer von einer „himmlischen Rehabilitierung des Märtyrerpropheten"; vgl. dagegen *L. Wächter,* Tod (s. Anm. 5) 194 A. 63.

Exil verstreuten Volkes[29]. Dabei mag, wie A. Deissler vermutet, „das babylonische Kultritual vom leidenden, todverfallenen und wiederauflebenden König ... auf die Profilierung israelitischer Traditionselemente eingewirkt" haben[30].

3) Auch *Ez 37,1–14* bietet vom Autor her „keinen Beleg für eine frühe Form des Auferstehungsglaubens"[31]. Vielmehr konkretisiert der Prophet die Zukunftshoffnung des ins Exil verbannten Volkes in zwei Bildern: als Wiederbelebung der Totengebeine (37,1–10) und als Öffnung der Gräber und Herausführung der dort Begrabenen zu neuem Leben (V. 12–14). Die literarische Form der Vision wie der Kontext (V. 12: „ich bringe euch zurück in das Land Israel"!) verbieten eine wörtliche Deutung als Auferweckung einzelner Menschen aus dem Tod. Der Autor spricht von der Hoffnung auf Wiederherstellung und Befreiung des politisch „toten" Volkes aus dem Exil unter Berufung auf den Schöpfergott, "der Macht hat, auch nochmals einen Anfang zu setzen, wo alles zu Ende gekommen zu sein scheint"[32]. Dennoch ist Ez 37 für unsere Fragestellung in zweifacher Hinsicht bemerkenswert:

– Die Wahl der Bilder setzt voraus, daß „gewisse Vorstellungen von einer Überwindung des Grabes schon gegeben sind"[33]. Der Gedanke einer Wiederbelebung der einzelnen Skelette erscheint zwar (für die Exilszeit noch) unrealistisch, aber doch nicht absolut unvorstellbar und fordert spätere Generationen zum wörtlichen Verständnis geradezu heraus. Möglicherweise ist eine solche realistische

---

[29] Für *G. Stemberger,* Problem 280–282, ist die in Jes 53,10–12 angesprochene Erhöhung des Knechtes nach dessen Tod eine „fast irrationale Hoffnung des Propheten", die mit der in Ps 49 und Ps 73 erwähnten „Entrückung" zu vergleichen ist.

Vgl. neuerdings die ausführliche Analyse von *E. Haag,* Die Botschaft vom Gottesknecht – ein Weg zur Überwindung der Gewalt; in: Gewalt und Gewaltlosigkeit im Alten Testament (hrsg. v. N. Lohfink) (QD 96) (Freiburg i. Br. 1983) 159–213; ferner *H. Kessler,* Sucht den Lebenden 54 Anm. 22 mit kurzer Skizzierung der neueren Diskussion.

[30] *A. Deissler,* Die Psalmen (Düsseldorf [4]1984) 93; Deissler verweist auf die inhaltliche Verwandtschaft zwischen Jes 53 und Ps 22.

[31] *G. Fohrer,* Die Propheten des Alten Testaments. Band 3 (Gütersloh 1975) 179. Zur detaillierten Interpretation vgl. besonders *W. Zimmerli,* Ezechiel. 2. Teilband (BKAT XIII/2) (Neukirchen-Vluyn 1969) z. St., sowie den Exkurs im Beitrag von I. Maisch in diesem Band.

[32] *W. Zimmerli,* Ezechiel (s. Anm. 31) 900.

[33] *G. Stemberger,* Art. Auferstehung 444.

Deutung der Vision schon in dem (um 300 v.Chr. erfolgten) Einschub Ez 37,13b–14 belegt; sicher liegt sie dem Ezechiel-Fries in der Synagoge von Dura-Europos sowie dem Streit zwischen den Schulen Hillels und Schammais (um die Zeitenwende) zugrunde, „ob der Mensch bei der Auferstehung wie bei der Geburt gebildet werde, daß sich zuerst das Fleisch formt und dann erst die Knochen, oder umgekehrt, mit den Knochen beginnend, wie in Ezechiel geschildert“ [34]. Ez 37 bietet somit neben Hos 6,1f ein weiteres Beispiel bildhafter Redeweise, die später wörtlich verstanden und damit zum Belegtext biblischer Auferstehungshoffnung wird.

– Theologiegeschichtlich gesehen ist das Vorgehen Ezechiels ein exemplarischer Musterfall von Offenbarungsentfaltung. Die Verheißung einer Wiederherstellung und Rückführung des Volkes in sein Land gründet in zwei überlieferten Vorstellungen: im Schöpfungsmotiv (37,5ff: Neuschöpfung durch den Geist Gottes, vgl. Gen 2,7) und im Exodusmotiv (37,12f: Herausführung aus den Gräbern und Rückführung in die Heimat in wörtlicher Anspielung auf die Herausführung aus Ägypten[35]). Die Besinnung auf die religiöse Grunderfahrung des Exodus, der Israel als Volk seine Existenz verdankt, und auf die Schöpferkraft Gottes begründet also in einer Zeit, in der die staatliche Identität zerstört und die religiöse bedroht ist, die Zuversicht, daß Gott erneut lebenspendend und rettend an seinem Volk handelt. Solche Zukunftsverheißung unter Berufung auf Gotteserfahrungen in der Vergangenheit charakterisiert die Offenheit und Lebendigkeit biblischen Glaubens, die sich gerade in der Entwicklung der Auferstehungshoffnung und in der Deutung des Schicksals Jesu immer wieder erweist. Insofern markiert Ez 37,1–14 nicht nur wegen der Kühnheit der Bilder, sondern auch durch die Argumentationsweise eine entscheidende Station auf dem Weg zum individuellen Auferstehungsglauben.

---

[34] *Ders.*, Problem 283. Zum Ezechiel-Fries in Dura-Europos vgl. *G. Stemberger,* Art. Auferstehung 447, und *W. Zimmerli,* Ezechiel (s. Anm. 31) 899.

[35] Vgl. Ez 37,12f: ha'aleti; dieses Verb dient in 1 Sam 12,6 u.ö. als terminus technicus für die „Heraufführung“ aus Ägypten.

Grenzerfahrungen: Der Tod als Ende der Lebensgemeinschaft mit Gott?

Spätestens seit der Exilszeit steht der religiösen Daseinsdeutung ein Vorstellungsrepertoire zur Verfügung, aus dem die Konsequenz einer postmortalen Existenz gezogen werden könnte. Daß diese ausbleibt, mag in der spezifischen Eigenart israelitischer Gotteserfahrung begründet sein: Jahwe hat sich als in der Geschichte handelnder Gott erwiesen; dieses (im Gegensatz zur Umwelt) geschichtlich orientierte Gottesbild bedingt eine Ausblendung des metahistorischen Bereichs, zugleich aber auch die einzigartige Offenheit Israels für je neue Erfahrungen mit seinem Gott.

Eine weitere, vielleicht entscheidende Ursache für das Fehlen einer Jenseitsvorstellung in vorexilischer Zeit dürfte im kollektiven Denken zu suchen sein: das Bundesverhältnis und die daran geknüpften Verheißungen beziehen sich auf die Gemeinschaft der Sippe und des Volkes, so daß die Frage nach dem Fortleben des einzelnen irrelevant bleibt. Beide Momente – geschichtliche Prägung des Gottesbildes und Kollektivdenken – wirken zweifellos retardierend im Hinblick auf eine individuelle Auferstehungshoffnung. Dennoch kristallisieren sich in nachexilischer Zeit drei Ansätze – zunächst unverbunden – heraus, die zu Beginn des zweiten vorchristlichen Jahrhunderts eine ausdrückliche Formulierung des Auferstehungsglaubens ermöglichen:

1) Ein erster Impuls erfolgt von der Ausweitung der *Allmacht Gottes* her. War Jahwe in früher Zeit lediglich der Bundesgott Israels, dessen alleinige Zuständigkeit gegen die Konkurrenz fremder (als existent vorausgesetzter!) Götter verteidigt werden mußte, so führte die geschichtliche Erfahrung des Volkes und sein Kontakt mit den Nachbarvölkern zu einer allmählichen Ausdehnung der Zuständigkeiten und Funktionen Jahwes bis hin zum ausdrücklichen Bekenntnis zum allein existierenden(!) Schöpfer- und Erhaltergott der ganzen Welt, wie ihn Deutero-Jesaja bezeugt: „Es gibt keinen Gott außer mir; außer mir gibt es keinen gerechten und rettenden Gott" (Jes 45,21 vgl. V. 18). Die Zukunftshoffnung Israels richtet sich daher in nachexilischer Zeit auf die Manifestation Gottes als uneingeschränkter König der gesamten Welt. Diese universale Königsherr-

schaft Gottes bezieht auch den Tod mit ein: Gott „beseitigt den Tod für immer ..." (Jes 25,8). Auch wenn die genaue Datierung dieses Verses unsicher und darin keine formelle Auferweckungsaussage enthalten ist, ja vom Text her nicht einmal feststeht, ob diese Vernichtung des Todes in der Zukunft auch rückwirkend die bereits Verstorbenen betrifft[36], so ist mit der Überwindung des Todes als Implikation der universalen Gottesherrschaft doch ein entscheidender Schritt über bisherige Zukunftshoffnungen hinaus erfolgt.

2) Ein zweiter Ansatz hat die durch die Diasporasituation geförderte zunehmende *Individualisierung* des Denkens zur Voraussetzung. Während das Gottesverhältnis bisher in erster Linie auf den Fortbestand des Stammes oder des Volkes bezogen wurde, ist insbesondere in der Weisheitsliteratur „der Aspekt des Gottesvolkes zurückgetreten hinter den einer individuell ausgerichteten Soteriologie"[37]. Daraus ergeben sich Konsequenzen für das Verständnis des Todes, aber auch für den Zusammenhang zwischen Toratreue und Wohlergehen. Wurde früher der Tod emotionslos als das naturgegebene Ende des Menschen hingenommen, so ist das Sterben des einzelnen jetzt Anlaß zur Klage bis hin zur Resignation. Aus der Sicht des Individuums wird die klassische Weisheitslehre vom Zusammenhang zwischen Tun und Ergehen allzuoft durch die Alltagserfahrung widerlegt, daß der „Gerechte" leidet, während der „Frevler" Glück und Erfolg hat[38]. Damit wird die Frage nach der Gerechtigkeit und noch mehr nach der Treue Gottes provoziert. Da die innerirdische Vergeltungslehre versagt hat und im Tod alle gleich sind (Ijob 3,17–19), kann eine befriedigende Lösung nur noch von jenseits des Todes her erfolgen. Anknüpfungspunkte dafür bieten z. B. ältere Psalmtexte, in denen der einzelne Beter seine Rettung aus höchster Gefahr als Rettung aus der Todesmacht begriffen und seine Glaubensgewißheit bekundet hat, „zu schauen die Güte des Herrn im Land der Lebenden" (Ps 27,13; 30,4; 86,13 u.ö.). „Von

[36] Zur unterschiedlichen Deutung von Jes 25,8 sowie der Jesaja-Apokalypse insgesamt vgl. jetzt *H. Kessler,* Sucht den Lebenden 56–58, mit Anmerkungen und Literaturhinweisen.

[37] *U. Kellermann,* Überwindung des Todesgeschicks in der alttestamentlichen Frömmigkeit vor und neben dem Auferstehungsglauben, in: ZThK 73 (1976) 259–282, hier 282.

[38] So schon Jer 12,1; später Ijob 12,6; 21,7; Ps 73,3.12; Koh 7,15.

hier aus ist es für einen späteren Beter ... nur noch ein – freilich nicht unbeträchtlicher – Schritt, von erfahrener Rettung *vor* dem Tod ... zum Vertrauen auf Rettung *aus* dem Tode selbst weiterzugehen."[39]

3) Diese Bezeugung der *Treue Gottes über den Tod hinaus* erfolgt vielleicht schon in Ijob 19,25–27[40], sicher aber in den beiden weisheitlichen Lehrgedichten Ps 49,16 („Doch Gott wird mich loskaufen aus dem Reich des Todes, ja, er nimmt mich auf") und Ps 73,24.26 („Du leitest mich nach deinem Ratschluß und nimmst mich am Ende auf in Herrlichkeit ... Gott ist ... mein Anteil auf ewig"). Beide Psalmen verallgemeinern die Entrückungsvorstellungen aus der Henoch- und Elijatradition: „Der Fromme, der unbeirrbar im Leben zu Jahwe gestanden hat, muß nach seinem Tod nicht in die Scheol hinabsteigen, sondern ihm bleibt die tröstliche Hoffnung, daß er auch nach dem Tod der Gottverbundenheit gewiß sein darf. Jahwe wird ihn zu sich aufnehmen."[41] Daß diese Verallgemeinerung durchaus nicht selbstverständlich ist, zeigt wenig später Jesus Sirach, ein Zeitgenosse Daniels: er ruft das Beispiel Henochs (49,14) und Elijas

---

[39] *H. Kessler,* Sucht den Lebenden 59.

[40] Eine sichere Deutung ist wegen der Verderbtheit des hebräischen Textes nicht möglich. Nach *G. Stemberger,* Problem 281 f, geht es nicht um Auferstehung, sondern um Hoffnung auf Rettung im allerletzten Moment, nach *L. Wächter,* Tod (s. Anm. 5) 198, um ein Klopfen an die Pforte des Todes, die „in letzter Konsequenz eines Tages durchstoßen" werden muß, so daß der Text zumindest die Auferstehungshoffnung unmittelbar vorbereitet.

[41] *A. Schmitt,* Entrückung 345. Grundlage für diese Deutung ist die Verwendung des Terminus laqach, der auch die Entrückung Henochs bezeichnet. Ob beide Psalmen wirklich als Zeugen einer postmortalen Hoffnung gelten können, ist allerdings umstritten. Während z.B. *L. Wächter,* Tod (s. Anm. 5), eine solche Möglichkeit für Ps 49,16 (unter Berufung auf die Gesetze des Parallelismus membrorum) ablehnt (196), für Ps 73,24 jedoch gelten läßt (197), sehen *A. Deissler,* Psalmen (s. Anm. 30) 201.283, und *U. Kellermann,* Überwindung (s. Anm. 37) 275–277, in beiden Texten eine nicht näher konkretisierte Hoffnung auf eine den Tod überdauernde Gemeinschaft mit Gott angesprochen; ähnlich *G. Stemberger,* Problem 286, unter Berufung auf von Rad, nach dem allerdings Ps 73 in der Schilderung der Geborgenheit bei Gott weit über Ps 49 hinausgeht (vgl. *G. von Rad,* Weisheit [s. Anm. 12] 264–266). Im Gegensatz zu von Rad tendiert *H.-J. Kraus,* Psalmen, 1. Teilband (BKAT XV/1) (Neukirchen-Vluyn [5]1978) 522 f, zu einer gleichsinnigen Interpretation beider Psalmen im Sinne einer „wirklichen Auferstehungsgewißheit"; ausführliche Begründung und weiterführende Literatur ebd. Im Sinne von Kraus argumentieren auch *O. Kaiser/E. Lohse,* Tod (s. Anm. 5) 70 f. – Weitgehende Einigkeit herrscht darüber, daß beide Psalmen wohl vor 200 v. Chr. im Weisheitsmilieu entstanden sind.

(48,9f, verbunden mit der Erwartung seiner Wiederkunft) in Erinnerung, wobei die Entrückung mit dem Ausnahmecharakter beider Gestalten begründet und so eine generalisierende Übertragung verwehrt wird. (Sir 19,18f spricht zwar vom „Baum der Unsterblichkeit" für alle Frommen; dies ist aber ein Zusatz aus späterer Zeit.)

Das Vertrauen in die den Tod überbrückende Gemeinschaft des Beters mit Gott kann sogar die früher selbstverständliche Gleichung ‚Gottverbundenheit = Leben' außer Kraft setzen: „Denn deine Huld ist besser als Leben ..." (Ps 63,4). Diese „Taxonomie" ist die Folge einer individualisierten Lebensdeutung und ermöglicht dem Menschen eine gelassene Einstellung zu seinem Geschick: entscheidend sind weder äußere Lebensumstände noch Lebensdauer, sondern die Verbundenheit mit Gott, weil sie allein auch über den Tod hinaus Bestand hat. Auch wenn eine Konkretisierung dieser Lebensgemeinschaft noch außer Betracht bleibt, hilft dieses Deutungsmodell doch, die seleukidische Verfolgung zu bestehen und den Grundstein für eine Märtyrertheologie zu legen.

„Deine Toten werden leben, meine Leichen stehen wieder auf" (Jes 26,19)

Wie zuvor das babylonische Exil, so fordert im 3./2. Jahrhundert v. Chr. die Konfrontation mit dem Hellenismus[42] zu einer tiefgreifenden Revision bisheriger Vorstellungen heraus. Im Gegensatz zum Diasporajudentum, das sich hellenistischem Gedankengut bereitwillig öffnet, kommt es im palästinischen Mutterland zu einer erbitterten Auseinandersetzung zwischen „Hellenisten" und „Frommen" (Chassidim/Asidäer: 1 Makk 2,42), die zum „Religionsedikt" Antiochus' IV. Epiphanes führt und den bewaffneten Aufstand unter makkabäischer Führung (167–164 v. Chr.) provoziert. Die Tatsache, daß sich hier nicht einfach Fremdherrschaft und Judentum gegenüberstehen, sondern ein Riß mitten durch das jüdische Volk geht, führt zur Herausbildung einer apokalyptischen Geschichtsdeutung.

---

[42] Vgl. zu dieser Problematik z. B. *M. Hengel,* Juden, Griechen und Barbaren. Aspekte der Hellenisierung des Judentums in vorchristlicher Zeit (SBS 76) (Stuttgart 1976) bes. 73–115. 152–175.

Auf prophetisch-weisheitlicher Tradition aufbauend, kann sie die aktuelle Situation, in der Gläubige umgebracht werden, nicht obwohl, sondern *weil* sie nach der Tora zu leben versuchen, und somit die Gleichung ‚Frömmigkeit = langes Leben' geradezu ins Gegenteil verkehrt wird, nur als Scheitern der Gerechtigkeit Gottes in dieser Welt interpretieren. Dieser neue Erfahrungskontext führt zu einer korrigierenden Relecture überkommener Zukunftsverheißungen, die durch visionäre Darstellungsformen (unter Berufung auf vorbildliche Fromme vergangener Zeiten und ihre Offenbarung), durch ein dualistisches Weltbild und die Naherwartung des unmittelbar bevorstehenden Eingreifens Gottes geprägt ist. Der klassisch-prophetischen Erwartung einer innergeschichtlichen Wende zur „Heilszeit" setzen die Apokalyptiker eine Vernichtung dieser vom Bösen beherrschten Welt und eine völlige Neuschöpfung durch Gott entgegen. Bestimmendes Motiv ist dabei die Gerechtigkeit Gottes, die eine Bestrafung der Bösen und Belohnung der Guten verbürgt. Da Gottes Gerechtigkeit auf der Erde nicht mehr durchsetzbar ist, kann sie einen Ausgleich nur noch jenseits dieser Welt und ihrer Geschichte – bei Gott „im Himmel" oder auf einer erneuerten Erde – bewirken. Damit ist der Zeitpunkt gekommen, wo die in der biblischen Glaubensüberlieferung vielfältig implizierte Hoffnung über den Tod hinaus zur Explikation (in verschiedenen Varianten) drängt.

1) Spätestens in dieser Zeit wird die sog. Jesaja-Apokalypse *(Jes 24–27)* vollendet[43]; im Rahmen eines Loblieds auf die Gerechtigkeit Gottes wird gesagt: „Deine Toten werden leben, meine Leichen stehen wieder auf; wer in der Erde liegt, wird erwachen und jubeln. Denn der Tau, den du sendest, ist ein Tau des Lichts; die Erde gibt die Toten heraus" (26,19). Nach dem – allerdings nicht unbestrittenen – Urteil vieler Autoren liegt hier das älteste konkrete Auferstehungszeugnis der hebräischen Bibel vor[44]. Dabei ist zweierlei zu beachten:

[43] Die Datierung schwankt zwischen Ende des 4. und Ende des 2. Jahrhunderts v. Chr.; vgl. *G. Stemberger,* Problem 279 mit Anm. 31.

[44] In diesem Sinn urteilen *F. Nötscher,* Auferstehungsglauben 156, *G. Stemberger,* Problem 279 mit Anm. 31 (gegen Haenchen und Fohrer; vgl. auch *G. Stemberger,* Art. Auferstehung 444), und *K. Schubert,* Die Entwicklung der Auferstehungslehre von der

– Die Toten werden „zum Leben des diesseitigen Leibes auferweckt“[45];

– diese Auferweckung ist auf Israel bzw. auf die Gerechten („deine Toten … meine Leichen“) beschränkt[46], also als Lohn für die Frommen verstanden. Zwar kommt von Jes 26,21 her die Bestrafung der Feinde Israels mit in den Blick, doch wird von ihnen keine Auferweckung ausgesagt; die älteste Vorstellung geht also, wie A. Vögtle treffend formuliert, von „einer nur ‚den Gerechten‘ zuteil werdenden Auferstehung“ aus[47].

2) Demgegenüber führt *Dan 12,1–3* eine Differenzierung ein (um 165 v.Chr.): „… Doch dein Volk wird in jener Zeit gerettet, jeder, der im Buch verzeichnet ist[48]. Von denen, die im Land des Staubes schlafen, werden viele erwachen, die einen zum ewigen Leben, die anderen zur Schmach, zu ewigem Abscheu. Die Verständigen werden strahlen, wie der Himmel strahlt, und die Männer, die viele zum rechten Tun geführt haben, werden immer und ewig wie die Sterne leuchten.“

Dieser einzige unbestrittene Beleg für eine individuelle Auferwekkung in der hebräischen Bibel wirft einige Verständnisprobleme auf:

– Die Mehrzahl der Ausleger entnimmt dem Text (gegenüber Jes 26,19) eine Ausweitung der Auferstehungshoffnung auch auf „Frevler“, wobei zumindest für K. Schubert offen bleibt, ob es dabei um abtrünnige Juden oder um Heiden geht, ob also die Auferstehungs-

---

nachexilischen bis zur frührabbinischen Zeit, in: BZ N.F. 6 (1962) 177–214, 184, während *U. Kellermann,* Überwindung (s. Anm. 37) 282, und *H. Wildberger,* Jesaja. 2. Teilband (BKAT X/2) (Neukirchen-Vluyn 1978) 995, hier – ebenso wie in Ez 37 und Hos 6 – die Auferstehung lediglich als Bild für die Wiederherstellung des Volkes gebraucht sehen.

G. Stemberger, ebd., und *H. Kessler,* Sucht den Lebenden 63, betonen, daß Rettung des Volkes und Auferstehung des einzelnen Gläubigen in Jes 26,19 nicht alternativ, sondern eher ergänzend nebeneinander stehen.

45 *A. Vögtle,* Das Neue Testament und die Zukunft des Kosmos 54 Anm. 34; vgl. auch *G. Stemberger,* Leib 5, und Problem 280. Dagegen vermißt *K. Schubert,* Entwicklung (s. Anm. 44) 188, jede Präzisierung des neuen Lebens.

46 Vgl. *F. Nötscher,* Auferstehungsglauben 155f; *H. W. Wolff,* Anthropologie des Alten Testaments (München 1973) 166; *G. Stemberger,* Problem 279 mit Anm. 31.

47 *A. Vögtle,* Das NT und die Zukunft des Kosmos 111.

48 Zur Vorstellung vom Buch des Lebens, die auch im NT begegnet, vgl. ausführlich *F. Nötscher,* Auferstehungsglauben 162f.

vorstellung über das jüdische Volk hinaus ausgedehnt ist[49]. Eindeutig ist lediglich, daß sie zur endgültigen Scheidung zwischen Guten und Bösen führt, und daß nur die Frommen „zum ewigen Leben“ erwachen.

– Eine Ausweitung über die Frommen hinaus vorausgesetzt, stellt die Beschränkung auf „viele“ (V. 2) vor ein neues Problem. Sicher darf man davon ausgehen, daß damit eine allgemeine Auferstehung abgelehnt und die Zahl der Auferweckten bewußt unbestimmt gehalten wird. Möglicherweise steht hinter Dan 12,1–3 die Vorstellung von der Scheol in Form eines Vier- bzw. Dreihöhlenschemas, wonach die (Geister der) Guten, Bösen und Mittelmäßigen strikt voneinander getrennt sind (vgl. äthHen 22; 24–27). Auf Dan 12,1–3 bezogen, würde das bedeuten: „Weil die bereits gerichteten Bösen in ihrer Seelenkammer bleiben, werden nicht alle, sondern nur viele auferstehen. Das sind eben auf der einen Seite die Geister der zu ihren Lebzeiten von der verdienten Strafe verschonten und zur ewigen Verdammnis bestimmten Gottlosen, auf der anderen die zum ewigen Leben bestimmten Geister der Gerechten. Unter ihnen erhalten allein die Lehrer eine verklärte Lichtgestalt.“[50]

Obwohl die Auszeichnung der Lehrer in kosmischen Bildern dargestellt wird, herrscht weitgehend Einigkeit darüber, daß in Dan 12 – ausgehend von der ganzheitlichen biblischen Anthropologie – ebenso wie in Jes 26 eine irdisch-leibliche Auferweckung gemeint ist. Zwischen beiden Texten bestehen weitere Gemeinsamkeiten (z.B. Auferstehung als Erwachen), die eine Beeinflussung des Da-

---

[49] Vgl. *K. Schubert,* Entwicklung (s. Anm. 44) 189f; dagegen spricht nach *O. Plöger,* Das Buch Daniel (Kommentar zum Alten Testament 18) (Gütersloh 1965) 171, V. 1 eindeutig für eine Beschränkung auf Israel; ähnlich urteilt *G. Stemberger,* Problem 273f, der jedoch – unter Berufung auf Alfrink – eine Auferstehung der „Gottlosen“ vom Text her nicht zwingend vorausgesetzt sieht; vgl. dagegen *F. Nötscher,* Auferstehungsglauben 159; *H. W. Wolff,* Anthropologie 166; *O. Kaiser/E. Lohse,* Tod (s. Anm. 5) 75.

[50] *O. Kaiser/E. Lohse,* Tod (s. Anm. 5) 75; wie schon *F. Nötscher,* Auferstehungsglauben 162, so schließen auch Kaiser/Lohse aus V. 3 auf eine himmlische Existenz der Auferweckten, während fast alle übrigen Autoren V. 3 als bildhafte Aussage deuten und von einem irdisch-leiblichen Dasein ausgehen: z.B. *A. Vögtle,* Das NT und die Zukunft des Kosmos 54 Anm. 34; *G. Stemberger,* Problem 277f, und Art. Auferstehung 444; *U. Kellermann,* Auferstanden 64; *H. Kessler,* Sucht den Lebenden 66.

Zum religionsgeschichtlichen Hintergrund von V. 3 sowie seiner Wirkungsgeschichte bis in die ntl. Literatur hinein vgl. besonders *F. Nötscher,* aaO. 164f mit Anmerkungen, sowie *U. Kellermann,* Auferstanden 82f.

niel-Textes durch Jes 26, aber auch durch Jes 53, 11 (Lichtmotiv) und Jes 66, 24 (Schicksal der Gottlosen zum Abscheu) vermuten lassen[51]. Der Autor des Danielbuches greift also auf in der Tradition vorhandene Ansätze zurück und interpretiert sie neu im Hinblick auf das Märtyrerproblem. Im Gegensatz zu seinen Vorgängern kann er fast selbstverständlich[52], wenn auch in Form einer „geheimen Offenbarung" (Dan 12, 4), von einer Auferweckung sprechen und zeigt Ansätze zu einer Differenzierung; Auferstehung ist nicht mehr bloß Heilszusage für die Frommen, sondern ambivalent: sie dient der Scheidung zwischen Guten und Bösen und der Zuweisung ihres endgültigen Schicksals (ewiges Leben – ewiger Abscheu), also der gerechten Vergeltung jenseits des Todes. Dabei geht es um das Schicksal einzelner Menschen, während in Jes 26, 19 das Volk als solches zumindest noch mit im Blick war.

Das jüngste Buch der hebräischen Bibel bringt damit eine Präzisierung und Fortentwicklung postmortaler Vorstellungen. Vom Problem des Martyriums ausgehend, wird die individuelle Auferwekkung zum Instrument göttlicher Gerechtigkeit: wer wegen seiner Treue zum allmächtigen Gott das Leben verliert, wird von ihm auferweckt „zum ewigen Leben" – dieser Trost ermöglicht von nun an eine Bewältigung des durch die Märtyrerschicksale akut gewordenen Theodizeeproblems. Der Verfasser kennt noch keine allgemeine Auferweckung und verzichtet auf Konkretisierungen bezüglich Art und Weise, Ort und Zeitpunkt; er scheint jedoch das Eingreifen Gottes in unmittelbarer Zukunft zu erwarten – und das ist der Punkt, an dem seine Zukunftsdeutung kritisierbar wird.

3) Enttäuschte Naherwartung, aber auch Desillusionierung der in die Hasmonäerherrschaft gesetzten religiösen Erwartungen mögen zu einer Neudeutung der Makkabäerzeit geführt haben, wie sie in den beiden (deuterokanonischen) Makkabäerbüchern (100–50 v. Chr.) vorliegt. Gemeinsam ist beiden Schriften die Problemstel-

---

[51] Näheres dazu bei *H. Kessler,* Sucht den Lebenden 63 f mit Anm. 34, und *G. Stemberger,* Problem 278.

[52] Auch äthHen 1–36 und 90, 33 belegen, daß in dieser Zeit eine Auferstehung für die Gerechten vorausgesetzt werden kann, allerdings nach 90, 33 nur für die im Kampf gefallenen Frommen; vgl. *G. Stemberger,* Leib 50; *U. Kellermann,* Auferstanden 81; *K. Schubert,* Entwicklung (s. Anm. 44) 192.

lung und der Verzicht auf apokalyptische Lösungen im Stil des Danielbuchs, die durch die zwischenzeitlichen Erfahrungen widerlegt scheinen. Während aber das (sadduzäisch orientierte) 1 Makk das Theodizeeproblem „konservativ" im Sinne eines Weiterlebens der Toratreuen im Gedächtnis des Volkes zu lösen versucht (1 Makk 2,51.64; 6,44; 9,10), bietet das (literarisch und gedanklich nicht einheitliche) *2 Makk* eine ganze Palette von Zeugnissen einer individuellen Auferstehungshoffnung:

– 12,43–45 zeugt einerseits von der Auferstehungsgewißheit des Verfassers, läßt aber anderseits auch durchblicken, daß diese stark umstritten und Gegenstand apologetischer Argumentation ist (wie ja auch ihr Fehlen im fast gleichzeitigen 1 Makk beweist): Gebet und Sündopfer für die Toten sind nur sinnvoll unter der Voraussetzung, „daß die Gefallenen auferstehen werden" (12,44). Religiöse Praxis wird so zum Argument für die Auferweckungstheorie.

– Die Vision des Judas, in der der verstorbene Hohepriester Onias erscheint, setzt dessen Erhöhung und Gleichstellung mit Jeremia voraus (15,12–16), bezeugt also ein Weiterleben nach dem Tod, ohne direkt von Auferweckung zu sprechen.

– Im Mittelpunkt des Martyriums von Eleasar (6,18–31) steht zwar seine Toratreue, doch rechnet er indirekt mit einem Fortleben über den Tod hinaus, verbunden mit dem Gerichtsgedanken: „... doch nie, weder lebendig noch tot, werde ich den Händen des Allherrschers entfliehen" (6,26).

– Weitaus realistischer formuliert der Bericht von der Selbsttötung des frommen Rasi, der im Herausreißen seiner Eingeweide gipfelt: „dabei rief er den Herrn über Leben und Tod an, er möge sie ihm wiedergeben. So starb er" (14,46).

– In *2 Makk 7*, dem „Urmodell jüdischer und altkirchlicher Märtyrererzählung"[53], wird das Auferstehungsbekenntnis geradezu zum Leitmotiv, so daß Kellermann von einer apologetisch ausgerichteten „Lehrerzählung über das postmortale Geschick der gesetzestreuen Märtyrer" und von einer „Theologie der Auferstehung" sprechen kann[54]. Im Martyrium der sieben Brüder und den Reden der Mutter

---

[53] *U. Kellermann*, Auferstanden 38.

[54] Ebd. 40. Nach *U. Kellermann*, ebd. 56–60, stellt 2 Makk 7 ein eigenständiges älteres Traditionsstück dar, das in der jüdischen Diasporagemeinde von Antiochia entstanden

konkretisiert sich die Auferweckungsgewißheit in unterschiedlichen Aspekten (wobei auch literarische Topoi der hellenistischen Literatur Eingang finden), die hier nur stichwortartig aufgelistet werden können:[55]

7,6: Das allgemeine Vertrauen auf das *Erbarmen* Gottes (auch über den Tod hinaus) gründet sich auf die Tora (Dtn 32,36).

7,9 („Du nimmst uns dieses Leben, aber der König der Welt wird uns zu einem neuen, ewigen Leben auferwecken, weil wir für seine Gesetze gestorben sind"): Der Grundsatz der ausgleichenden *Gerechtigkeit* Gottes festigt die Gewißheit der Auferweckung „zu einem neuen, ewigen Leben".

7,11: Ähnlich wie in 14,46 zeugt die Erwartung der Wiedererstattung der Gliedmaßen auch hier von einer konkret *leiblichen* Auferstehungshoffnung.

7,14: Im Gegensatz zu Dan 12 wird die Auferweckung eindeutig auf die *Märtyrer* beschränkt und den Verfolgern abgesprochen.

7,15–19: Die Worte des fünften und sechsten Bruders gehen von einer *innerirdischen Vergeltung* aus; diese kann also durchaus parallel neben der Auferstehungshoffnung herlaufen.

7,22f: Die Hoffnung auf Wiederherstellung des Lebens beruft sich auf die *Schöpfermacht* Gottes; durch die Erwähnung der „Grundstoffe" wird ein Element griechischer Philosophie mit der (hebräischen) Schöpfervorstellung verbunden.

7,28f bringt eine Eskalation des Schöpfungsmotivs: In ihrer zweiten Rede begründet die Mutter ihre Gewißheit, ihren als Märtyrer sterbenden Sohn von Gott „zur Zeit der Gnade ... wiederzubekommen" mit dem Hinweis auf die *Erschaffung* des gesamten Kosmos *aus dem Nichts*[56].

7,36: Im Rahmen der Rede des jüngsten Bruders (7,30–38) fällt noch einmal das Bekenntnis zur „göttlichen Zusicherung ewigen Le-

---

ist und zeitliche wie inhaltliche Nähe zum Danielbuch aufweist; von daher läßt sich die im Vergleich zu 2 Makk 6 (judäisch!) unterschiedliche Vorstellung erklären.

[55] Vgl. zu 2 Makk 7 im einzelnen die Bibelstudie von *U. Kellermann,* Auferstanden, sowie *G. Stemberger,* Leib 6–25.

[56] Nach nahezu einhelligem Konsens der Ausleger kann 2 Makk 7,28 allerdings aufgrund des griechischen Wortlauts nicht im strengen Sinn als Schriftbeweis für den dogmatischen Topos der „Creatio ex nihilo" gelten; in diesem Sinn wird der Text erst bei den frühchristlichen Apologeten interpretiert. Vgl. zur Begründung *U. Kellermann,* Auferstanden 73 mit Anm. 45.

bens“ für die Opfer und – im Gegensatz dazu – zum „Gericht Gottes“ für den Verfolger.

Über die Vielfalt und Eindeutigkeit der Einzelaussagen hinaus kommt 2 Makk unter drei weiteren Aspekten besondere Bedeutung für die Weiterentwicklung der Jenseitshoffnung zu:

– Obwohl die griechische Vorstellung von der Unsterblichkeit der Seele in dieser Zeit dem Judentum bekannt ist, lehrt der Autor auf der Grundlage des biblisch-ganzheitlichen Menschenbildes eine leibliche Auferweckung. Zwar bleibt die Art der Leiblichkeit ebenso offen wie Zeitpunkt und Ort; unstrittig ist aber – besonders von 7, 11 und 14, 46 her – an einen konkreten Auferstehungsleib gedacht.

– Auch 2 Makk kennt noch keine allgemeine Totenerweckung; die Beschränkung auf die „Frommen“ oder gar auf die Märtyrer[57] verleiht ihr den Charakter einer Heilszusage.

– Die Argumentation des Autors verzichtet auf naheliegende Belegtexte aus früherer Zeit (z. B. Hos 6, 1 f oder Ez 37, 1–14). Stattdessen zieht der Autor aus unbestrittenen Glaubensinhalten (Bundestreue, Gerechtigkeit und Schöpfermacht Gottes) die Konsequenz einer leiblichen Auferweckung (Neuschöpfung) der Gerechten (Märtyrer). Wie schon in Ez 37, so wird auch in 2 Makk 7 die religiöse Überlieferung auf eine neue Krisensituation (dort: Exil, hier: Martyrium) hin interpretiert und aktualisierend weitergeführt.

Unabhängig davon, wie weit man den Kreis der Betroffenen faßt: Dan 12 und 2 Makk 7 zeigen, daß die Entwicklung einer konkret leiblichen Auferstehungshoffnung die unmittelbare Antwort auf das Problem des Martyriums darstellt; damit wird eine Linie fortgesetzt, die schon mit den ältesten Belegen beginnt: postmortale Hoffnung entsteht in Notzeiten – zunächst als gewagtes, aber irreales Bild für eine Hoffnung gegen alle realistische Erfahrung, dann als Vertrauen auf die lebenserhaltende Kraft Gottes im Hinblick auf das Volk, später als Konsequenz der (schöpferischen) Allmacht und Gerechtig-

---

[57] Bezüglich des Umfangs der Auferweckung nach 2 Makk 7 herrscht ebenso wenig Einigkeit wie bezüglich des Ortes; nach *F. Nötscher,* Auferstehungsglauben 170, geht es um ein ewiges Leben der Gerechten im Jenseits, nach *U. Kellermann,* Auferstanden passim, um die *himmlische* Erhöhung (und Rehabilitierung) nur der Märtyrer; nach *G. Stemberger,* Leib 25, erfolgt „die leibliche Auferstehung der Gerechten zu einem neuen Leben *auf Erden*“ (Hervorhebung von mir).

keit Gottes auch über den Tod hinaus. Mögen auch Umwelteinflüsse zur konkreten Artikulierung mit beigetragen haben, so sind es doch gut biblische Elemente, die die Gewißheit eines Lebens über den Tod hinaus begründen. Dabei steht immer (auch in Dan und 2 Makk) die trostvolle Zuversicht für die Gläubigen im Mittelpunkt – das Schicksal der Ungläubigen wird allenfalls unter dem Aspekt der Vergeltung kurz gestreift –, wobei die Märtyrer, aber auch einzelne Fromme der Vorzeit eine Sonderstellung einnehmen.

4) Ein weiteres Zeugnis für die Verbreitung, aber auch für die Pluralität einer den Tod übergreifenden Hoffnung im hellenistisch geprägten Diasporajudentum des ersten vorchristlichen Jahrhunderts findet sich im Buch der *Weisheit,* in dem die Jenseitshoffnung für den Frommen so selbstverständlich erscheint, daß ihre Leugnung zum Kennzeichen der „Gottlosen" wird (Weish 1,16 – 2,2). Hier zeigen sich deutlich die ethischen Implikationen einer jenseitigen Hoffnung: während die „Frevler" aus der überkommenen Auffassung von der Todesverfallenheit aller Menschen die Konsequenz ziehen: „Auf, laßt uns die Güter des Lebens genießen! ..." (Weish 2,6), wird die Jenseitshoffnung den „Frommen" zur Motivation für ein Leben nach der Tora, das sie mit den Frevlern in Konflikt bringt (2,12).

Der Kontakt mit der dualistischen griechischen Anthropologie, die von einer Unsterblichkeit der Seele und von der Vergänglichkeit des Körpers ausgeht, läßt den Weisheitslehrer auf andere Gedanken der hebräischen Bibel zurückgreifen als die Verfasser von Dan 12 und 2 Makk 7:

– Die Hoffnung des Frommen auf eine den Tod überdauernde Gottverbundenheit unabhängig vom irdisch-leiblichen Dasein (z. B. Ijob 19,25–27) wird nun reaktiviert und führt – zusammen mit der Schöpfungstradition – zu einer Neuformulierung den Tod überdauernder Hoffnung: zur Begründung der *Unsterblichkeit* bzw. *Unvergänglichkeit* des Menschen aus seiner Gottebenbildlichkeit (Weish 2,23; vgl. Gen 1,27).

– Darüber hinaus aktualisiert und verallgemeinert der Weisheitslehrer in 4,10f eine andere biblische Vorstellung von einem den Tod überdauernden Dasein: die *Entrückung* Henochs um seiner Gerechtigkeit willen wird zum Vorstellungsmodell für die Jenseitserwartung des Gerechten schlechthin.

Die Kombination beider Gedanken läßt den Weisheitslehrer ein biblisch fundiertes Jenseitskonzept formulieren, das auch für seine hellenistische Umwelt akzeptabel ist: Leben nach dem Tod ist im Wesen des Menschen angelegt, muß aber nicht notwendig materiell leiblich gedacht werden. Die strikt dualistische Anthropologie der Griechen wird nicht übernommen, wohl aber dient die hellenistische Unsterblichkeitshoffnung als Interpretament biblischen Glaubens an ein Leben über den Tod hinaus, wobei der Autor selbst im Grunde noch vom ganzheitlichen Menschenbild ausgeht[58]. So bietet Weish ein gutes Beispiel für die Integration neuer Gedanken in die biblische Tradition bzw. – umgekehrt – für die Verkündung einer traditionellen Glaubenswahrheit in der Sprache einer veränderten Zeit und Umwelt. Damit ist eine Verbindung von (griechischem) Unsterblichkeits- und (biblischem) Auferstehungsglauben grundgelegt, die in der Folgezeit das Verständnis des Todes als Trennung von Leib und Seele (so schon 4 Esra) und der Auferweckung als Wiedervereinigung von Leib und (unsterblicher) Seele ermöglicht. Weish markiert somit einen Abschluß in der Artikulation biblischer Jenseitshoffnung und gleichzeitig den Beginn einer Synthese von griechischem und hebräischem Denken, das über viele Jahrhunderte hinweg die jüdische wie die christliche Theologie bestimmen wird.

Exkurs

Daß sich der Glaube an ein Leben über den Tod hinaus um die Zeitenwende in breiten Kreisen durchgesetzt hat, wird durch eine Vielzahl von *apokryphen Schriften* belegt, die ihn teils stillschweigend voraussetzen (Qumran, Psalmen Salomos)[59], teils innerhalb der vorgegebenen Deutungsmuster weiterentfalten. So weitet sich seit dem 2. Jahrhundert v. Chr. der Kreis der in den Himmel entrückten Ge-

---

[58] Vgl. *U. Kellermann,* Überwindung (s. Anm. 37) 278.

[59] Im *Qumran*schrifttum wird nicht ausdrücklich von Auferstehung gesprochen, weil der Mensch bereits mit dem Beitritt zur Gemeinde in die Heilssphäre eintritt. Die Bestattung in Nord-Süd-Richtung – im Norden wird das Paradies angenommen – sowie das in der Bibliothek aufgefundene Schrifttum lassen jedoch den Glauben an ein Weiterleben vermuten. Auch in den *Psalmen Salomos* ist die Auferstehung kein Thema, weil die Toratreuen schon das Leben haben. Aus 3, 12 wird vielfach die Erwartung eines ewigen Lebens herausgelesen; dann würde der (pharisäische) Psalmendichter „das

rechten über Henoch und Elija hinaus[60]; daneben findet sich die endzeitlich-leibliche Auferstehung der Gerechten, insbesondere der Patriarchen oder der Märtyrer, in Form ihrer Rückkehr auf die erneuerte Erde[61], gleichzeitig aber auch ein dualistisches Verständnis von Auferstehung, das diese auf den Geist beschränkt: „Und ihre *Gebeine* werden in der Erde ruhen, und ihr *Geist* wird viel Freude haben ...“ (Jub 23,31).

Das *äthiopische Henochbuch,* eine Sammlung, die sich vom frühen zweiten bis zum ersten vorchristlichen Jahrhundert erstreckt und besondere Wertschätzung im frühen Christentum genießt, vereinigt unterschiedliche Jenseitsdeutungen. Wo sich die älteren Teile des Werkes überwiegend auf Andeutungen beschränken, werden diese in den jüngeren Texten des ersten Jahrhunderts v.Chr. (Kap. 37–71 = „Bilderreden“ und 91–104) unterschiedlich präzisiert: nach äthHen 102–104 werden die *Geister* der Gerechten nicht vergehen, sondern wie die Lichter des Himmels leuchten und große Freude haben (103,4; 104,2.4; vgl. Jub 23,31); die etwa gleichzeitigen „Bilderreden“ dagegen bezeugen die *ganzheitliche* Auferstehung der Gerechten – die Sünder bleiben nach 46,6 und 48,9f von der Auferweckung ausgeschlossen – so eindeutig, daß daraus ein im späteren Schrifttum mehrfach zitierter locus classicus wird: „In jenen Tagen wird die Erde herausgeben, was ihr anvertraut ist, die Scheol herausgeben, was sie empfangen hat, und die Hölle wird, was sie schuldet, herausgeben“ (51,5).

Die Tempelzerstörung (70 n.Chr.) bewirkt einen neuen „Schub“ in der Entfaltung der Auferstehungslehre. Die Reflexion dieser Katastrophe führt Ende des ersten Jahrhunderts zu den ausgeprägtesten Auferstehungsbezeugungen. Da diese Texte eigentlich schon über unser Thema hinausführen, seien nur drei Schriften erwähnt,

---

ewige Leben der Gesetzestreuen als gegenwärtiges Gut und als noch zu erwartendes Erbe ... miteinander vereinen“: *G. Stemberger,* Leib 59; vgl. dazu auch *ders.,* Art. Auferstehung 445, und *H. Kessler,* Sucht den Lebenden 69f.

[60] S.o. Anm. 21; vgl. ferner *F. Nötscher,* Auferstehungsglauben 125f; *U. Kellermann,* Auferstanden 10.

[61] Vgl. aus dem frühen 2. Jh. v.Chr.: äthHen 20,8; 22; 90,33.38; aus dem 1. Jh. v.Chr.: äthHen 102–104; Test XII Patr: Sim 6,7; Jud 25,1.4; Zab 10,2; Benj 10,6–8. Wo dabei von irdisch-leiblicher Auferstehung die Rede ist, ist der Leib „nicht der wiederhergestellte verstorbene Fleischesleib“, weil dafür noch die anthropologischen Voraussetzungen fehlen: vgl. *G. Stemberger,* Leib 71, und *H. Kessler,* Sucht den Lebenden 69.

die sich durch äthHen 51,5 beeinflußt zeigen und zugleich den Auferstehungsgedanken weiter vorantreiben:

1) *4 Esra 7,32ff* übernimmt äthHen 51,5 fast wörtlich, erweitert jedoch zu einer *allgemeinen* Auferstehung zum Gericht mit *doppeltem Ausgang* (7,38: „Hier Seligkeit und Ruhe! Dort Pein und Feuer!"). Möglicherweise liegt diese Vorstellung schon Test Benj 10,6–8 zugrunde; in einem Punkt aber geht 4 Esra einen neuen, wenngleich von Weish vorgezeichneten Weg: der Tod bewirkt die Trennung von Leib und Seele; der weitere Schritt zur Deutung der Auferweckung als Wiedervereinigung von Leib und Seele wird allerdings noch nicht vollzogen.

2) Konservativer stellt sich die Anthropologie der (etwa gleichzeitigen) *syrischen Baruch-Apokalypse* dar. Obwohl sie dieselben Vorstellungselemente benützt wie 4 Esra, führt deren unterschiedliche Gewichtung zu einer neuen Aussage. Für die Frommen ist die Erde so sehr zum Ort der Bedrängnis und der Leib Verführung zum Bösen geworden, daß die Auferstehungshoffnung ins Jenseits verlegt wird: Auferstehung meint einen *verklärten* Leib in *himmlischer* Herrlichkeit. Da aber menschliche Identität für den Autor offenbar nicht ohne irdisch-materiellen Leib denkbar ist, erfolgt die Auferweckung nach syr Bar 49–51 zuerst in irdisch-leiblicher Form zur Identifizierung der Menschen, nach dem Gericht aber wird der Leib derer, die für die himmlische Herrlichkeit bestimmt sind, – ihrem Bestimmungsort entsprechend – umgewandelt in einen verklärten Leib. Die Nachwirkung hebräisch-ganzheitlichen Denkens führt so zu einer neuen Lösung der Spannung zwischen griechischem und biblischem Menschenbild[62].

3) Mit 4 Esra und syr Bar verwandt ist der (dank einer Textausgabe von G. Kisch) in den letzten Jahrzehnten wieder stärker beachtete *Liber Antiquitatum Biblicarum (LAB)*, dessen Grundtext ebenfalls nach 70 entstanden ist. Charakteristisch für dieses Werk ist, daß rabbinische und apokalyptische Vorstellungen unverbunden nebeneinander stehen und der Tod (vielleicht mit Ausnahme von 23,13) nicht

---

[62] *G. Stemberger*, Leib 117, sieht daher in syr Bar mit Recht einen Höhepunkt der Entwicklung, weil hier am deutlichsten all jene Fragen angesprochen sind, die die rabbinische und auch die christliche Literatur (z. B. 1 Kor 15,35) weiterbeschäftigen werden.

als Trennung von Seele und Leib, sondern – gut biblisch – als „Entschlafen" des (ganzen) Menschen gesehen wird. Das Problem der Auferweckung läßt sich auf einen einfachen, ebenfalls klassischen Nenner bringen: „Gott tötet und macht lebendig." LAB lehrt – übereinstimmend mit 4 Esra, gegen syr Bar – eine *allgemeine, leibliche* Auferstehung (– die lediglich in 3,10 auf die Gerechten beschränkt wird –) auf der (erneuerten und von der Sünde befreiten) *Erde*[63].

Fazit: Auferstehung – ein vieldeutiger Begriff.

Diese kurze Skizze hat gezeigt, daß die Ausfaltung einer Hoffnung über den Tod hinaus nicht linear, sondern pluralistisch erfolgt. Was im deuterokanonischen und noch stärker im apokryphen Schrifttum zu beobachten war, kennzeichnet auch das Judentum zur Zeit Jesu. Man kann zwar, wie 1 Makk zeigt, als gläubiger Jude ohne Auferstehungsglauben auskommen – so die Sadduzäer unter Berufung auf das Fehlen dieser Hoffnung im Pentateuch[64] –, die große Mehrheit der Juden teilt jedoch irgendeine Form der Jenseitshoffnung, die oft pauschal als „Auferstehung" bezeichnet wird, aber unterschiedliche Konkretionen beinhaltet; für die Pharisäer, die die Volksfrömmigkeit prägen, gehört sie sogar zu den unverzichtbaren Glaubenswahrheiten: „Folgende haben keinen Anteil an der künftigen Welt: wer da sagt, es gibt keine Auferstehung der Toten (von der Tora aus) ..."[65] Dieses Bekenntnis wurde schon im zweiten vorchristlichen Jahrhundert in der Liturgie verankert[66].

---

[63] Vgl. dazu *G. Stemberger,* Leib 113f.

[64] Vgl. das Lehrgespräch Mk 12,18–27 parr: Jesus argumentiert aus dem Pentateuch (Ex 3,6), weil seine sadduzäischen Gesprächspartner nur diesen als verbindlich anerkennen.

[65] Mischna Sanh XI, 1b; „von der Tora aus" ist möglicherweise ein späterer Zusatz, der das Bemühen um einen biblischen Nachweis – möglichst aus allen drei Teilen der hebräischen Bibel – für die relativ junge Auferstehungshoffnung dokumentiert. Als Belegstellen gelten der rabbinischen Literatur u.a.: Num 18,28; Dtn 32,39; 31,16; Jes 26,19; Hl 7,10. Vgl. dazu *G. Stemberger,* Problem 273, und Art. Auferstehung 446.

[66] So preist die zweite Benediktion des Achtzehngebets Gott, „der die Toten erweckt" bzw. „lebendig macht"; vgl. *G. Stemberger,* Art. Auferstehung 445. – Da die Pharisäer als einzige religiöse Gruppierung die Katastrophe der Tempelzerstörung überstehen, wird die Auferstehungshoffnung zu einer Selbstverständlichkeit, die nachbiblisches Judentum und Christentum miteinander verbindet.

Das Judentum, in das Jesus hineingeboren wird, hält also unterschiedliche Vorstellungstypen für eine den Tod übergreifende Deutung des Schicksals Jesu bereit – sei es als vorbildlicher Gerechter, dem Gott durch Entrückung seine Verbundenheit über den Tod hinaus erweist[67], als (individuell verstandener) unschuldig leidender Gottesknecht, „der sein Leben als Sühnopfer hingab" und von Gott rehabilitiert wird (vgl. Jes 53, 10–12) oder als Märtyrer, dem himmlische Erhöhung[68] bzw. leibliche Auferweckung (Dan 12) durch Gott gewiß ist. (Die griechische Unsterblichkeitsvorstellung spielt dagegen im palästinischen Judentum vor 70 kaum eine Rolle.) Diese Auferstehungshoffnung kann sich, wie Weish und 2 Makk sowie der Exkurs über die Apokryphen beweisen, zur selben Zeit in unterschiedlichen, ja sogar gegenläufigen Entwürfen artikulieren, die auch untereinander kombinierbar sind[69]. Wenn daher die vorgenannten Kategorien zur Deutung der Ostererfahrung der Jünger Jesu verwendet werden, so muß sich der Leser des Neuen Testaments bewußt bleiben, daß keines dieser Deutungsmodelle von vornherein christologisch geprägt oder auch nur begrifflich eindeutig definiert ist; wo damit mehr als eine allgemeine Auferstehungsaussage intendiert ist, bedarf sie der spezifisch christologischen Präzisierung.

---

[67] *U. Kellermann,* Auferstanden 10 Anm. 7, sieht in Mk 2,20 und Lk 9,51 Hinweise darauf, daß Jesus mit seiner Entrückung rechnet.

[68] So die Deutung von 2 Makk 7 durch *U. Kellermann,* die seiner Ansicht nach als Hintergrund zumindest für die lukanische Darstellung der Passion Jesu dient (besonders Lk 23,41–43; Apg 2,23 f. 32 f; 3,14; 4,10; 5,30; 10,39 f; 13,27–30); vgl. *ders.,* Auferstanden 115–119.

[69] Im Frühjudentum greifen Unsterblichkeits- und Auferstehungsvorstellung ineinander über, und das „Leben der künftigen Welt" kann in den rabbinischen Märtyrerüberlieferungen sowohl die endzeitlich-irdische als auch eine jenseitige himmlische Existenz sogleich nach dem Tod bezeichnen; vgl. dazu *U. Kellermann,* Auferstanden 107 Anm. 42, mit Belegen.

II

„Der Herr ist wahrhaft auferstanden" (Lk 24,34)

Auferstehung Jesu und historisch-kritische Methode. Erwägungen zur Entstehung des Osterglaubens

Von Ingo Broer, Siegen

„Der Theologe sucht nach der kognitiven und produktiven Kraft und Bedeutung neuer Erfahrungen, statt nur an den neutestamentlichen und im Laufe der Kirchengeschichte gebrauchten *Begriffen* zu arbeiten, in denen frühere Erfahrungen ausgedrückt wurden."[1]

„Eine (religiöse) Tradition ..., die mit neuen Erfahrungen nichts anzufangen weiß und sie darum negiert, ihnen aus dem Weg geht oder sie per se als ‚teuflische, moderne Versuchungen' brandmarkt, büßt an moralischer Autorität ein, auch wenn man sich bei dieser Weigerung auf uralte ehrwürdige Traditionen beruft".[2]

1. Christlicher Glaube und Kultur

Überschaut man die Vielfalt neutestamentlicher Glaubensaussagen[3], so überrascht im Vergleich dazu das einheitliche Bild der katholischen Kirche auch unseres Jahrhunderts. Für solche Vereinheitlichung, die ja auch seit dem 4. Jahrhundert unter völlig veränderten Bedingungen ablief, lassen sich mannigfache Gründe anführen, deren Berechtigung hier nicht diskutiert werden soll. Vielmehr soll eine andere, mit der genannten Vielfalt des Neuen Testaments in Zu-

---

[1] *E. Schillebeeckx,* Christus 35f.

[2] *E. Schillebeeckx,* Christus 32; vgl. auch die Fortsetzung dieses Zitats: „Außerdem droht dann die Gefahr, daß diese Traditionsgemeinschaft zum ‚heiligen Rest' wird; sie behauptet sich durch Gettobildung und aggressive Bejahung eigener Gruppenidentität. In Wirklichkeit schwört sie dann nicht bei der Autorität der eigenen *Erfahrungs*tradition, sondern bei dem Buchstaben dessen, was ehedem Selbstausdruck authentischer Erfahrungen in einer bestimmten historischen Situation war."

[3] Vgl. dazu nur den klassisch gewordenen Aufsatz von *E. Käsemann,* Begründet der neutestamentliche Kanon die Einheit der Kirche?, in: ders., EVB I (Göttingen [6]1970) 214–223.

sammenhang stehende Beobachtung als Ausgangsfrage dienen. Es lassen sich nämlich im Neuen Testament zahlreiche Belege finden, die zeigen, daß die neutestamentlichen Zeugnisse aus unterschiedlichen kulturellen Kontexten stammen und daß die Träger des Christuszeugnisses der damaligen Zeit keine Berührungsängste vor dem jeweils unterschiedlichen kulturellen Kontext verspürt und offensichtlich nachdrücklich und erfolgreich an der Inkulturation des Christuszeugnisses in diese fremde Kultur gearbeitet haben. Ein kleines Beispiel für solche Inkulturation haben wir in der markinischen Fassung der Ehescheidungsperikope vor uns, die nunmehr, in ihrer hellenistisch beeinflußten Fassung, im Gegensatz zur Urfassung und zur von Mt wieder an jüdische Verhältnisse angepaßten Fassung[4] das gleiche Ehescheidungsrecht von Mann und Frau voraussetzt und dieses Recht für beide ablehnt. Wesentlich deutlicher ist die Inkulturation der Jesusbotschaft in eine fremde Kultur im Evangelium nach Johannes, in dem nur wenige Perikopen der Synoptiker (verändert) begegnen und eine völlig andere Terminologie vorherrscht. Verkündete der Jesus der Synoptiker die unmittelbar bevorstehende eschatologische Gottesherrschaft und sprach von Gott als dem den Menschen zugetanen Vater, so steht im Johannesevangelium die Einheit von Vater und Sohn, von Gott und seinem Offenbarer, der selbst die Auferstehung und das Leben ist, im Vordergrund.

Gibt es so keine glänzendere Rechtfertigung für eine Inkulturation des Christentums in die jeweilige Kultur, die die christliche Theologie im übrigen immer geleistet hat – ob unbewußt oder immer bewußt, mag hier dahingestellt bleiben[5] –, als die im Neuen Testament vorliegende, so sind damit natürlich noch lange nicht alle diesbezüglichen Fragen erledigt; neben dem *Recht* der Inkulturation wäre auch die Frage nach den *Grenzen* zu stellen; auch wäre zu fragen, was Inkulturation in eine vom Christentum schon stark geprägte Kultur bedeuten kann.

Die Frage nach dem Verständnis der neutestamentlichen Wunder- und Auferstehungstexte gehört zu diesem permanenten Anpas-

---

[4] Vgl. hierzu nur *J. Gnilka,* Mk II (EKK II/2) (Zürich – Neukirchen 1979) 75. Allerdings gibt es inzwischen auch einige Belege aus dem Judentum des 1. Jahrhunderts, die das Scheidungsrecht auch auf seiten der Frau voraussetzen.

[5] Man vgl. dazu nur Anselm von Canterburys, Cur Deus Homo?

sungsprozeß zwischen Glauben und jeweiliger Kultur – die Wahrheit(en) des Glaubens können nicht unabhängig von dem, was die Menschen der jeweiligen Zeit denken, zur Sprache gebracht werden, wobei wiederum Recht und Grenzen nicht miteinander vermischt werden dürfen; für die katholische Theologie stellt freilich eher eine zu starke Betonung der Grenze als eine solche des Rechts die eigentliche Gefahr dar.

Sowohl das zutreffende Verständnis der Auferstehungs- als auch das der Wundertexte ist seit dem 15. Jahrhundert erheblich umstritten. Das damals einsetzende historische Denken hat diese und alle anderen Texte des Neuen Testaments in die übrigen Texte der Antike nivelliert und einen historischen Kern der meisten Texte im Sinne eines wunderhaften Faktums nicht angenommen. Hatten diese Erkenntnisse auch nur zögernd in die katholische Theologie und Kirche Eingang gefunden[6], so setzte sich nach dem Zweiten Weltkrieg hinsichtlich der Wunder diese Sicht weitgehend durch, während der Auferstehung auffälligerweise ein Quasi-Freiraum gewährt wurde – jedenfalls wollte man hier noch am ehesten mit einem allgemein erkennbaren Einbruch des Supranaturalen in die Geschichte rechnen –, jedoch hat auch in dieser Frage die katholische Theologie in den letzten zwanzig Jahren – keineswegs erst mit den anregenden Beiträgen von R. Pesch – ihre vorkritische Unschuld verloren.

2. Zum Forschungsstand hinsichtlich der Entstehung des Glaubens an die Auferstehung Jesu

Der gegenwärtige Forschungsstand ist m. E. mit dem Buch von Anton Vögtle (zusammen mit R. Pesch) „Wie kam es zum Osterglauben?“ gegeben. Die Ergebnisse seiner Untersuchung zur Entstehung des Osterglaubens lassen sich wie folgt zusammenfassen:

1) „Der ... neutestamentliche Befund spricht entschieden eher gegen als für die Annahme, das Leersein des Grabes Jesu sei ein un-

[6] Vgl. dazu *H. Verweyen*, Ostererscheinungen 426. Vgl. dazu jetzt R. Pesch, Entstehung II 86, mit seiner Unterscheidung von de facto- und de iure-Evidenz (in Anlehnung an H. Verweyen).

bestrittenes Faktum gewesen.“ (89) Es ergeben sich „unter der Voraussetzung, daß die Grabstätte Jesu leer vorgefunden wurde, also schon bald konstatiert werden konnte, daß der Leichnam verschwunden ist, für die historische Fragestellung größere Schwierigkeiten als bei der Voraussetzung des Gegenteils“ (98).

2) „Am wenigsten gezwungen wirkt immer noch die Annahme, daß das ‚er ließ sich sehen‘ auf die Überlieferung eines glaubenauslösenden Widerfahrnisses zurückweist und nicht etwa nur ein nachträglicher Kunstgriff ist, um die Gültigkeit des Glaubens an die Auferweckung und Erhöhung Jesu durch ein offenbarendes Geschehen zu sichern ... Jenes ‚Geschehen‘ bleibt uns eine Unbekannte, die uns eine entsprechend einsichtige Erklärung, wie jenes ‚Geschehen‘ zur Artikulierung des Osterglaubens führte, verwehrt.“ (128) In den auf dieses Zitat folgenden, das ganze Büchlein noch einmal zusammenfassenden, den typischen Stil der fast überbordenden Reflexion des Meisters tragenden Sätzen, wagt Vögtle die Annahme nicht zu bejahen, „daß die Jünger auch ohne einen ihnen geschenkten, sich ihnen aufdrängenden, ihren Glauben und ihre Reflexion provozierenden Impuls zur Artikulierung ihres Osterglaubens kommen konnten“ (129).

Eine Leistung dieses Bändchens besteht gerade darin, die zahlreichen Schwierigkeiten, vor die sich eine rationale Erklärung des Osterglaubens und seiner Entstehung gestellt sieht, deutlich herausgestellt zu haben. Vögtle faßt diese Schwierigkeiten selbst noch einmal zusammen:

Er würde die oben genannte Annahme – also den Verzicht auf jenen „Impuls“ – dann bejahen können, „wenn zum ersten zur Zeit Jesu die Erwartung des messianischen Propheten, der getötet werden wird, aber bald danach auferstehen und in den Himmel auffahren wird, um von dort her als Richter und Heilbringer offenbar zu werden, existiert hätte und verbreitet gewesen wäre; wenn zum zweiten Jesus sich selbst als diesen messianischen Propheten verstanden und zu verstehen gegeben hätte und er als solcher auch von seinen Jüngern vor dem Karfreitag verstanden und bekannt worden wäre“ (130).

Aber hier dürfte sich auch schon eine erste Aporie zeigen: Die Fülle der mit der Auferstehung Jesu verbundenen Kategorien, der auf den Auferstandenen übertragenen Titel und deren Unverbundenheit im Judentum zur Zeit Jesu, die Vögtle zu Recht feststellt und die in der Tat erstaunlich ist, verhindert eine eindimensionale „rationale“ Erklärung des Auferstehungsglaubens – aber der Glaube, daß Jesus auferstanden ist, also an die *Wirklichkeit* der explizit oder implizit (nämlich z. B. mit Hilfe der Vorstellung vom zu tötenden und auferstehenden messianischen Propheten) vorausgesagten Auferstehung hätte doch auch dann (wenn also jene Vorstellung im Judentum z. Zt. Jesu vorhanden gewesen wäre und Jesus in irgendeiner Weise angedeutet hätte, daß diese Vorstellung der Schlüssel zu seinem Selbstverständnis und damit zum Verstehen seines Schicksals wäre) durch etwas – wodurch? – ausgelöst werden müssen. So sehr also die Auferstehung eines gekreuzigten Messiasprätendenten überraschend war, so wenig das Judentum die Vorwegnahme der eschatologischen Auferstehung eines Einzelnen kannte, so wenig Jesus sich als leidenden und auferstehenden Propheten verkündet hat – selbst wenn er dies hätte, hätte neutestamentliche Theologie zu fragen, was denn nun die Aussage und den *Glauben, daß diese Voraussage wirklich eingetreten ist, veranlaßt* hat. Es ist zuzugeben, daß eine „rationale“ Erklärung der Entstehung des Osterglaubens dann leichter als unter den tatsächlich gegebenen Umständen wäre – nur ist zu fragen (und zu fragen, auch zum Hinterfragen seiner eigenen Ansichten hat Anton Vögtle seine Schüler immer wieder ermuntert), ob dieser Unterschied qualitativer oder bloß quantitativer Natur ist. Denn auch dann, wenn also die Ergebnisse historisch-kritischer Forschung stärker mit den kerygmatischen Aussagen der Evangelien übereinstimmen würden, wenn also z. B. der historische Jesus seinen Tod und seine Auferstehung deutlich vorhergesagt hätte, müßten wir heute doch fragen, ob das Urchristentum bloß diese Voraussage bejaht oder *aufgrund eigener Erkenntnis* zu der Aussage gekommen ist: Diese Voraussage ist eingetroffen – und wenn letzteres zu bejahen wäre, so hätte die neutestamentliche Exegese zu fragen, worin diese eigene Erkenntnis ihren Grund gehabt hat.

Die vorliegende Festschrift vermag kaum eine glänzendere Rechtfertigung zu erhalten, als die Feststellung: Über die exegetisch äußerst reflektierten Feststellungen Vögtles ist die Forschung seither nicht hinausgegangen. Jedenfalls endet das soeben erschienene, auch für den Exegeten interessant zu lesende Buch des Frankfurter Systematischen Theologen Hans Kessler bei der Analyse des Modus' der Osteroffenbarung genau bei der gleichen – darf man sagen? – Aporie: „Eigentlicher Kern und Grund der österlichen Wende (und damit Grund auch des Geschehens an und mit den Jüngern) ist vielmehr das, was – ‚mit unbezweifelbarer Klarheit für alle Beteiligten' – an und mit *Jesus* selber geschehen ist: Die endgültige heilvolle Manifestation Gottes im neu gegenwärtigen (und d. h. auferweckten, erhöhten, lebendigen) Jesus bzw. dessen überraschendes Hervortreten (Selbstbekundung) aus der Verborgenheit und Vorbehaltenheit Gottes in die geschichtliche Erfahrung der Jünger hinein."[7] – „Eine Konkretisierung des *Wie* dieser Erscheinungen oder Offenbarungen des auferstandenen Gekreuzigten ist uns nicht möglich."[8]

Kessler macht freilich darüber hinaus auch noch eine interessante hermeneutische Bemerkung, indem er die grundsätzliche Frage stellt, ob sich Offenbarungsvorgänge „im Sinne einer nachvollziehbaren Vorstellung" aufhellen lassen, ohne gerade ihr Spezifikum zu verlieren[9]. So sehr christlichem Verständnis eine solche Sichtweise gelegen kommt, so sehr beinhaltet es – für den historisch Fragenden, und das ist der Exeget nun einmal – doch auch Probleme, insofern Historie ja mit Hilfe der Analogie fragt und einen geschlossenen Kausalzusammenhang voraussetzt. Gerade mit Hilfe der Analogie aber kommt jenes angezielte Spezifikum zwar vielleicht in den Blick, wird aber doch auch sogleich dadurch wieder relativiert, daß diese Offenbarung neben vielen anderen der Religionsgeschichte (mit wieder je anderen Spezifika) steht. Bevor hierüber weiter nachgedacht werden soll, ist zunächst eine Zwischenbemerkung am Platz.

3. Zum Verhältnis von Theologie und Kirchlichem Lehramt

Der Verfasser ist nicht Religionswissenschaftler, sondern kirchlich gebundener Theologe. Angesichts der gegenwärtigen kirchlichen Situation, die ja nicht nur durch Buß-Schweigen in der Ferne, sondern auch durch Nihil-obstat-Verweigerungen in bislang nicht gekann-

---

[7] *H. Kessler,* Sucht den Lebenden 217.

[8] *H. Kessler,* Sucht den Lebenden 233f; vgl. auch *H. E. Lona,* Auferweckungsaussage 73.

[9] *H. Kessler,* Sucht den Lebenden 234.

tem Ausmaß – auch für Exegeten – in der Nähe gekennzeichnet ist, muß man sich als kirchlicher Theologe fragen, ob Schweigen nicht besser als Reden oder Schreiben ist.

Aber es gibt nicht nur eine Verantwortung der Bischöfe für den Glauben, sondern auch die der Theologie und der Theologen; und das Vaticanum II hat lebendig und für jedermann erkennbar deutlich gemacht, daß diese Verantwortung der Bischöfe nicht unabhängig von der wissenschaftlichen Theologie, sondern unter deren ständiger Konsultation abläuft. – Man wird nun kaum sagen können, daß es der gegenwärtigen Kirche an einem Zuviel der Umsetzung des Glaubensgutes in die Gegenwart gebricht. – Wer die Realitäten noch sieht, wer noch Kontakt zu sog. Anders- und Ungläubigen hat, der weiß, wie wenig die Erkenntnisse der modernen Theologie bekannt und übernommen sind und wie sehr man in einer gewissen sog. breiten Öffentlichkeit, die wenigstens zum Teil einen durchaus intellektuellen Anspruch erhebt, den katholischen Glauben für absolut weltfremd hält und auf diese Weise vor den eigentlichen Anspruch des Glaubens überhaupt nie gestellt wird, so sehr dieser im Letzten weltfremd ist und bleiben muß. So ist nicht nur die Übersetzung der alten Formeln in die Gegenwart eine Aufgabe der Theologie, sondern auch die Unterscheidung von Peripherem und Zentralem, von der Form der Aussage und deren eigentlichem Kern. Bei dieser – unabdingbaren – Arbeit der Theologie wird es Phasen geben, in denen die Diskussion überwiegt, und Phasen, in denen die Diskussion zur Ruhe und zu einem konsensfähigen Abschluß gekommen ist. Wenn dieser Abschluß aber nicht vom Himmel fällt, sondern errungen werden muß, so setzt die Notwendigkeit der Diskussion voraus,

1. daß diese frei und ohne äußere Zwangsmittel verläuft;
2. daß das Recht des Irrtums ausdrücklich zugestanden wird – wäre der Irrtum ausgeschlossen, so wäre die Diskussion unnötig;
3. daß der vermeintliche Irrtum von denen, die ihn als solchen monieren, argumentativ aufgezeigt und in wirklichem Diskurs besprochen wird;
4. daß alle Beteiligten bereit sind, sich selbst zurückzunehmen, das Ganze im Auge zu behalten und nicht auf eigenen Formulierungen zu beharren.

Wenn diese Voraussetzungen, die schon das Vaticanum II gefordert hat[10], einmal gegeben sein werden, dann kann der Theologe seiner Verantwortung für den Glauben ohne Angst nachkommen[11].

In unserem speziellen Fall, dem der Auferstehung, gibt es freilich für den Theologen außer seiner allgemeinen und immer bestehenden Verantwortung für Glauben und Theologie noch einen speziellen Grund, zu reden und nicht zu schweigen. Aus den angeführten Zitaten Anton Vögtles ging hervor, daß es bei den Erscheinungen um „Erfahrungen", „Geschehnisse" geht – diese Erfahrungen aber näher zu erkennen, sei heute unmöglich. Was die sog. Jugendreligionen – um nur ein Beispiel zu nennen – den „etablierten" Kirchen voraushaben, ist aber gerade, daß ihre Anhänger Erfahrungen machen, oder vorsichtiger, sich jedenfalls auf Erfahrungen berufen, die sie so in den Kirchen nicht gemacht haben. Die Frage, worin die Erfahrungen der Jünger Jesu (aber auch die der Urkirche und der jungen Kirche) bestanden haben, dürfte auch die gegenwärtige, weitgehend von Erfahrungslosigkeit in religiösen Dingen geprägte Situation beleuchten; Erkenntnisse auf diesem Gebiet könnten so vielleicht auch zu neuen Erfahrungen mit dem christlichen Glauben in der Gegenwart verhelfen[12].

In diesem Sinn möchte Verfasser anknüpfend an die Ergebnisse seines Lehrers ein paar vorsichtige Schritte gehen, in der Hoffnung, daß diese vorwärts führen und nicht zurück.

4. Auferstehung Jesu und Wunderproblematik

Kriterien zur Beurteilung der Historizität von Wundergeschichten

A. Vögtle hat in seinem Auferstehungsbändchen darauf hingewiesen, daß die Auferstehungsproblematik sozusagen den brisantesten Punkt der Wunderproblematik darstellt. Insofern erscheint es sinn-

[10] Vgl. Gaudium et spes Nr. 62: „Zur Ausführung dieser Aufgabe muß aber den Gläubigen, Klerikern wie Laien, die entsprechende Freiheit des Forschens, des Denkens sowie demütiger und entschiedener Meinungsäußerung zuerkannt werden in allen Bereichen ihrer Zuständigkeit."

[11] Vgl. freilich auch die Kritik von *H.-W. Winden,* Osterglaube 219ff, an dem Umgang, den Theologen miteinander „pflegen".

[12] Vgl. auch *P. Stuhlmacher,* Exegese und Erfahrung 77f. 80, wo Stuhlmacher von „Ur-

voll, zunächst statt der (spezielleren) Auferstehungsproblematik der (allgemeineren) Wunderproblematik nachzugehen und hier zu fragen, wie wissenschaftliche Exegese diese heute behandelt, vor allem mit Hilfe welcher Kriterien sie an die Frage der Historizität herantritt.

Wenn ich recht sehe, so betonen eine ganze Reihe neuerer Autoren, die sich mit dieser Frage beschäftigt haben, die Frage der Historizität bzw. der Nichthistorizität von Wundergeschichten dürfe nicht nach dem, was man für möglich bzw. für unmöglich hält, entschieden werden, sondern die Entscheidung müsse „historisch gestellt und beantwortet – oder wenn nötig offengelassen werden“ [13]. Was damit gemeint ist, geht aus dem folgenden Zitat A. Weisers hervor: „... der Vorbehalt gegen die Annahme geschichtlicher Einzelereignisse ergibt sich aus der theologisch-literarischen Eigenart der Texte“ [14].

In der Beurteilung dieser theologisch-literarischen Eigenart stimmen Pesch und Weiser ebenfalls weitgehend überein, wie die beiden folgenden Zitate zu veranschaulichen vermögen: „Ein ziemlich sicheres Indiz für die sekundäre Entstehung einer Reihe dieser Erzählungen ist der zunehmende, offen zutage liegende Einfluß alttestamentlicher Texte und Motivvorbilder – bis hin zu Zitaten. Orts- und Personennamen – als alte Traditionen ein Kriterium guter Überlieferung! – sind hier schon durch ihren symbolischen Sinn als sekundär zu erkennen. Die Christologie des Endzeitpropheten, die viele dieser Erzählungen bestimmt, muß eher als ihr Entstehungsboden angesehen werden als das Leben Jesu selbst. Die kerygmatische Prägung fast aller Einzelzüge dieser Geschichte ist ein weiteres Kriterium sekundärer Tradition, reiner Verkündigungstradition.“ [15]

„Die Erzählungen weisen sodann einen starken Symbolgehalt auf und lassen auf eine schon fortgeschrittene Stufe alttestamentlicher Schriftreflexion schließen, die von der Urkirche in den Dienst der

sprungserfahrungen“ spricht, „die im Verlauf der Weiterinterpretation und Ergänzung der Anfangstexte zu Erfahrungsmustern von grundsätzlicher Bedeutung ausgestaltet worden sind.“

[13] So *R. Pesch,* Jesu ureigene Taten 142.

[14] *A. Weiser,* Was die Bibel Wunder nennt 118f.

[15] *R. Pesch,* Jesu ureigene Taten 141f.

Christusverkündigung einbezogen, sowie für eine theologische Vertiefung und Entfaltung fruchtbar gemacht wurde."[16]

Das hatte bei den „Alten" einen ganz anderen Klang! Troeltsch z. B. erklärte kurz und bündig: „Die Analogie des vor unseren Augen Geschehenden und in uns sich Begebenden ist der Schlüssel zur Kritik. Täuschungen, Verschiebungen, Mythenbildungen, Betrug, Parteisucht, die wir vor unseren Augen sehen, sind die Mittel, derartiges auch in dem Überlieferten zu erkennen. *Die Übereinstimmung mit normalen, gewöhnlichen oder doch mehrfach bezeugten Vorgangsweisen und Zuständen, wie wir sie kennen, ist das Kennzeichen der Wahrscheinlichkeit für die Vorgänge, die die Kritik als wirklich geschehen anerkennen oder übrig lassen kann.* Die Beobachtung von Analogien zwischen gleichartigen Vorgängen der Vergangenheit gibt die Möglichkeit, ihnen Wahrscheinlichkeit zuzuschreiben und das Unbekannte des einen aus dem Bekannten des anderen zu deuten."[17]

So sehr schon mit der Zuweisung einer Wundergeschichte zu einer bestimmten literarischen Gattung z. B. des Geschenkwunders bestimmte Erkenntnisse verbunden sind, die auch die Frage nach dem zugrundeliegenden Ereignis beeinflussen, so sehr ist doch auch der Ansatz der historisch-kritischen Methode mit dem Analogieprinzip verwachsen, und dieses verfährt gerade – wie angeführt – mit der Konstatierung von Übereinstimmung oder Nicht-Übereinstimmung „mit normalen, gewöhnlichen oder doch mehrfach bezeugten Vorgangsweisen und Zuständen, wie wir sie kennen" – es wäre eine

---

[16] *A. Weiser,* Was die Bibel Wunder nennt 118. Vgl. auch *A. Suhl,* Die Wunder Jesu 504: „Ebenso verbietet sich nach dem eingangs Gesagten der Analogie-Schluß von dem heute für möglich Gehaltenen. Wohl aber legt sich eine traditionsgeschichtliche Betrachtungsweise nahe."

[17] Über historische und dogmatische Methode 732. Vgl. zu Troeltschs Wunderverständnis auch *B. Bron,* Das Wunder 125 ff.
Es versteht sich, daß der Blick auf das unter uns Geschehende und der daraus resultierende Schluß, was man für möglich und was für unmöglich hält, nicht ganz unproblematisch ist – viele Dinge, die vor 100 Jahren noch für unmöglich gehalten wurden, sind längst Wirklichkeit geworden. Insofern wäre hier sicher zu differenzieren. Es kann ja auch keineswegs darum gehen, was der Einzelne für möglich hält. Aber so problematisch diese Maxime der historisch-kritischen Methode in ihrer Allgemeinheit bleibt, dürfte sie für die Frage nach den den Wundergeschichten zugrundeliegenden Fakten aufgrund der Tatsache, daß wir aus der Antike sehr viele Wunderberichte überliefert erhalten haben, aus der Neuzeit aber nur wenige und von ganz bestimmter Art, weiterhin geeignet sein. S. auch weiter unten.

Illusion zu glauben, es gebe Wunderkritik, die ohne solches „Vorurteil“ auskommt. Es ist ja auch immerhin auffällig, daß die so verfahrenden Neueren zu dem gleichen Ergebnis kommen wie die Alten: Daß nämlich Wunder des historischen Jesus sich wohl nur unter den Exorzismen und Heilungswundern finden werden[18].

Dann bleibt freilich der Einwand von A. Suhl: „... was man für möglich hält, ändert sich im Laufe der Zeit. Was tatsächlich einmal geschehen ist, wird sich aber kaum danach richten, was spätere Zeiten jeweils gerade für möglich zu halten belieben! Könnte nicht früher möglich, ja sogar wirklich gewesen sein, was wir heute nur nicht mehr erkennen?“ [19]

Die historische Kritik würde zweifellos – vorausgesetzt, es gäbe so etwas – ein schlechthin einmaliges und unvergleichliches, also ein ganz und gar einmaliges Ereignis als unhistorisch abtun. Nun könnte man argwöhnen: Das Christusereignis ist aber nun gerade ein solches – also ist die historisch-kritische Methode in ihrer Fatalität erwiesen. Aber so sehr das Christusereignis in seinem Kern nach dem Glauben der Christen etwas schlechthin Einmaliges darstellt, so sehr hat es als Ereignis doch auch viele Seiten, die menschlich und insofern der historisch-kritischen Forschung zugänglich sind. Bei der Frage nach den Wundern, die auf den ersten Blick eine Grenzfrage ist, zeigt sich auf den zweiten Blick, daß sie es – zumindest ohne weiteres – nicht ist. Denn zu den Wundern haben wir ja nur über die Wundergeschichten Zugang – Wunderberichte sind uns aber aus der übrigen Antike so häufig überliefert, daß bei ihnen die Grenze der historisch-kritischen Forschung noch nicht sichtbar wird. Ohne es hier im einzelnen nachweisen zu müssen, kann behauptet werden, daß alle Arten von Wundern des Neuen Testaments auch in der übrigen Antike belegt sind (was umgekehrt gerade nicht gilt). Schon diese Tatsache zeigt, trotz vereinzelt auch in der Antike belegter Wunderkritik[20], daß ganz offensichtlich zwischen Antike und Moderne auch ein Unterschied darin besteht, was man für möglich hält und was nicht. Wenn aber vielen, den meisten antiken Menschen das Wunder eine geläufige Möglichkeit war und sie dazu auch

[18] Vgl. dazu *R. Pesch,* Jesu ureigene Taten 140–142; *A. Weiser,* Was die Bibel Wunder nennt 118f. 130ff.
[19] Die Wunder Jesu 465.
[20] Vgl. nur Lukian, aber auch Philostrats Apolloniusbiographie.

– von Ausnahmen abgesehen – ein lebendiges Verhältnis hatten, d.h. wenn auch für die meisten Christen der damaligen Zeit das Wunder eine zwar nicht alltägliche, aber doch lebendige Realität war (die sie zweifelsohne nicht nur aus dem Christentum kannten), dann ist die Frage, ob die Überbietung alttestamentlicher Motive usw. allein als Kriterium für Nichthistorizität reicht, berechtigt[21].

Ein Beispiel: Die johanneische Geschichte von der Verwandlung von Wasser in Wein durch Jesus nimmt sicherlich ein Motiv aus dem Dionysos-Kult auf[22] und will damit (zumindest) zeigen, daß Jesus ebensoviel kann wie Dionysos. Darüber hinaus zeigt sie – jedenfalls im jetzigen Kontext und wohl auch dem der Semeiaquelle –, wiederum in Anlehnung an einen verbreiteten, aber nicht unumstrittenen Topos, wie dieses Wunder Glauben wirkt – kann man aus der Übernahme des Dionysos-Motivs und dem Charakter der Geschichte als Glaubensgeschichte *zwingend* auf Nichthistorizität schließen? Kann nicht der Wundertäter Jesus in Begeisterung für den von ihm als liebenden Vater empfundenen und verkündigten Jahwe mit den großen Weinwundern des Dionysos konfrontiert die Übermacht Jahwes über Dionysos sozusagen demonstriert und Glauben gefunden haben? Diese Möglichkeit wird man trotz Mt 12,38ff par nicht einfach abweisen können. Ich halte dafür, daß auch die auf literarischer und formkritischer Beurteilung basierende Wunderkritik letztlich die Wundergeschichten aufgrund dessen, was

---

[21] Zur Frage der Beurteilung der Wundergeschichten des Neuen Testaments vgl. auch noch *F. Mußner*, Zur Diskussion über die „ipsissima facta“ Jesu, in: TGA 15 (1972) 196, der freilich etwas mißverständlich formuliert. Man muß zwischen der Aufnahme alttestamentlicher oder aus der übrigen Religionsgeschichte bekannter Motive und der Benutzung von literarischen Gattungen unterscheiden. Sowohl für die Übernahme solcher Motive als auch für die Anlehnung an eine bestimmte Gattung gilt die Schlußfolgerung Mußners: Daraus kann „noch lange nicht gefolgert werden, daß das von ihm Erzählte nicht wirklich Geschehenes im Auge hat.“ Insofern ist die folgende Bemerkung *J. Gnilkas*, Mk I (EKK II/1) (Zürich/Neukirchen 1978) 219, überraschend und „angreifbar“: „Da die Erzählform bis in die Details hinein vorgeprägten Strukturen und Motiven entspricht, werden wir anzunehmen haben, daß beide Geschichten (sc. Mk 5,21–43) nicht konkrete Erinnerungen aufbewahrten, sondern die allgemeine Erinnerung an Jesu Wundertätigkeit konkretisierten.“ Zutreffender *E. u. M. L. Keller*, Der Streit um die Wunder (Gütersloh 1968) 133f. – Allerdings bleiben auch Mußners Ausführungen, jedenfalls an dieser Stelle aporetisch, insofern er Peschs Ausführungen kritisiert, ohne jedoch bessere Kriterien zu nennen.

[22] Vgl. dazu *I. Broer*, Noch einmal: Zur religionsgeschichtlichen „Ableitung“ von Jo 2,1–11, in: SNTU 8 (1983) 103–123.

heute geschieht, beurteilt. Und solche Beurteilung ist berechtigt[22a]. Denn die Tatsache, daß aus der Antike so viele Wunderberichte erzählt werden, heute aber – trotz ungeahnter weltweiter Kommunikation – „Wunder" ganz selten und nur von bestimmter Natur sind, läßt nur zwei Möglichkeiten der Erklärung zu: Entweder wir haben damit zu rechnen, daß damals wesentlich mehr und auch andere Wunder als heute geschehen sind – was dann ja wohl nur in einem *qualitativen Unterschied von Antike und Moderne* seinen Grund haben kann, damals muß vieles möglich und tatsächlich gewesen sein, was heute offensichtlich nicht geschieht – oder die Wundergeschichten der Antike haben eher in einem anderen Weltbild ihren Grund, haben aber bei weitem nicht alle ein Faktum zum Hintergrund.

Die historische Perspektive beherrscht nun einmal – im Gegensatz zu früheren Zeiten – das moderne Denken. Das hat heutiges Glaubensdenken zu berücksichtigen und darf es auch in der Verkündigung nicht vergessen. Im weiteren Verlauf des Denkens hat sich freilich auch die teilweise alles beherrschende historische Perspektive selbst wieder relativiert[23] – es gibt auch Wahrheiten, die in Geschichten ohne historischen Kern enthalten sind, und diese Wahrheiten sind der historischen Wahrheit zumindest gleichzuordnen; und es gibt Wahrheiten, die der historisch-kritischen Methode nicht zugänglich sind.

Trifft das zu, so wären die Wundergeschichten nicht nur auf ihre theologische Intention, sondern auch auf die ihnen zugrundeliegende und in ihnen zum Ausdruck gebrachte „Erfahrung" zu befragen. Zugleich wäre die Frage zu stellen, wo der Ort ist – wenn uns das eigene Erzählen von Wundergeschichten ein für allemal verwehrt ist –, an dem heute analoge Glaubenserfahrungen gemacht werden/werden könnten/werden sollten, und wie diese heute zur

---

[22a] Gegen *B. Bron,* Das Wunder 234.

[23] Vgl. zur historisch-kritischen Methode und ihren Aporien v.a. *K. Lehmann,* Der hermeneutische Horizont der historisch-kritischen Exegese, in: Einführung in die Methoden der biblischen Exegese (hrsg. v. J. Schreiner) (Würzburg 1971) 40–80, bes. 52: „Durch die formell ‚kritische' Intention ist nämlich der Wahrheitsgehalt der biblischen Schrift faktisch immer schon am eigenen Verständnis von Selbst und Welt gemessen und dadurch auch vom eigenen Glaubensvermögen her begrenzt worden." 59: „Tatsächlich aber hatte sie dadurch indirekt das Kriterium für die Wahrheit der Offenbarung in das klare und vernünftige Denken verlagert." 62: „... darf unser Wirklichkeitsverständnis (letzte) ‚Norm' der Bibelinterpretation werden?" 72 unter Buchstabe f.

Sprache gebracht werden könnten. Ein Glaube ohne Glaubenserfahrung, die sich auch zur Sprache bringt, bleibt auf die Dauer leer und ist gefährdet[24].

Zeigt sich so, daß die Wunderfrage historisch zwar vielleicht ohne so allgemeine Erwägungen wie „was ist heute möglich/was ist heute unmöglich?", nicht aber ohne einen Blick auf „das vor unseren Augen Geschehende" – so sehr hier die notwendige konkrete Arbeit am einzelnen Text für den Augenblick außen vor bleiben muß – beantwortet werden kann, so ist zu fragen, was das für unsere Frage, nach dem Wie der Entstehung des Osterglaubens, zu bedeuten hat.

5. *Zur Entstehung des Osterglaubens*

5.1 Die Entstehung des Osterglaubens aus dem leeren Grab

Wenn auch in einer renommierten internationalen Zeitschrift für ntl. Exegese noch im Jahre 1985 ein Beitrag erschienen ist, der vehement die Historizität des leeren Grabes vertritt und sich darauf beruft, daß „more and more New Testament scholars seem to be realizing this fact" und Hans Kessler in seinem schon genannten Buch die Entscheidung über die Historizität des leeren Grabes als offen bezeichnet hat[25], so kann doch dreierlei dazu festgestellt werden:

1) Craig, der Autor des oben genannten Artikels, hat keine neuen Argumente für das Faktum des leeren Grabes vorgetragen[26] – alle genannten Gründe sind bereits bei Vögtle aufgezählt und als Gründe für die Historizität abgelehnt worden. Daß gleichwohl diese Argumente immer wieder vorgetragen werden, ist ein Zeichen dafür, daß die Argumente pro und contra offensichtlich einen gewissen Entscheidungsspielraum lassen. Allerdings ist es hermeneutisch wohl kaum gerechtfertigt, nur den Bestreitern der Historizität des leeren Grabes vorzuwerfen, sie täten dies „on the basis of theological or philosophical considerations" – als ob nicht auch die Verfech-

---

[24] Vgl. dazu *E. Schillebeeckx,* Auferstehung 13ff.
[25] *H. Kessler,* Sucht den Lebenden 124.
[26] *W. L. Craig,* Empty Tomb 60; vgl. auch *ders.,* The Empty Tomb of Jesus; *ders.,* The Bodily Resurrection of Jesus.

ter der Historizität bestimmte Vorentscheidungen träfen und bestimmte Interessen verträten – hier dürfen die Erkenntnisse der hermeneutischen Debatte nicht einfach vergessen werden.

2) Selbst in Mk 16,1–8 ist der Glaube an die Auferstehung des Gekreuzigten nicht eine Erkenntnis aus dem Grabe, sondern beruht auf einem offenbarenden Engelgeschehen, das im übrigen nach dem Markusevangelium gar keinen Glauben findet. Diese Erkenntnis ist inzwischen zu einem Allgemeingut der Exegese geworden.

3) Wer zum einen die innere Plausibilität von Mk 16,1–8 auf der erzählerischen Ebene und zum anderen die Schwierigkeiten, die diese Perikope dem „historischen" Verständnis bietet, erkannt hat, wird sich nach meinem Urteil schwer tun, die Perikope historisch, also als Protokoll eines Ganges von Frauen am Ostermorgen zum sich geöffnet und leer erweisenden Grab Jesu, zu verstehen[27].

---

[27] Während Kessler die pro und kontra vorgetragenen Ansichten schön, wenn auch knapp vorführt und sie nebeneinander stehen läßt, finden wir in Craigs Ausführungen eine einseitig zugunsten der Historizität des leeren Grabes verlaufende Argumentationslinie. Craig geht sogar von der Historizität der Überprüfung des leeren Grabes durch den Lieblingsjünger aus (vgl. Joh 20,1–10). Wer selbst, wie der Verfasser dieser Ausführungen eindeutige, wenn auch in andere Richtung verlaufende Auslegungen der Grabestradition vorgelegt hat (vgl. nur I. B., Zur heutigen Diskussion der Grabesgeschichte, in: BiLe 10 [1969] 40–52), kann das kaum beklagen. Eine gewisse Plausibilität kann man den immer wieder für die Kenntnis des leeren Grabes durch die Urgemeinde vorgetragenen Argumenten ja auch nicht absprechen. Sollten sich die Jünger Jesu wirklich nicht für dessen Grab interessiert haben?

Aber gegen diese meist sehr allgemeinen Argumente bestehen durchaus Einwände, die zum Teil ebenfalls allgemeiner Natur sind. Das entscheidende Argument liegt nach meinem Urteil immer noch in der Eigenart des Quellenberichtes selbst, auf den sich alle Argumentationen für oder gegen die Historizität (wenn auch nicht unbedingt ausschließlich) stützen müssen. Mk 16,1–8 spricht zu dem Hörer und Leser erst, wenn er als *narrativer* Text und nicht als Protokoll einer Begebenheit aus dem Jahre 30 n. Chr. gelesen wird. Denn wird dieser Text als Erzählung verstanden, so braucht man sich über die auf der historischen Ebene äußerst merkwürdige Salbungsabsicht nicht zu verwundern, da sie auf der Ebene der Erzählung tiefen Sinn hat, soll sie doch von Anfang an klarstellen, daß die Frauen nicht etwa nur vor dem Grabe oder an diesem den verstorbenen Jesus beweinen, sondern in das Grab hinein-, ja an den Leichnam Jesu heranwollen. Dadurch wird dann das auf der historischen Ebene so schwerwiegende Stein-Hindernis ermöglicht, das selbst wiederum den Sinn hat, das Interesse des Hörers und Lesers auf das sich wunderbar geöffnet und leer erweisende Grab zu lenken usw. Die Argumente sind so sattsam bekannt, daß es wenig Sinn macht, sie neu zu arrangieren.

Daß Mk bzw. der Verfasser von Mk 16,1–8 sich solche Fragen nicht gestellt hat, unterliegt keinem Zweifel. Das gleiche dürfte auch für seine Seitenreferenten – trotz des lukanischen Vorworts! Wo ist bei Lk „das Ineinander von kirchlicher Tradition und

So bleiben für eine rationale Erklärung[28] der Entstehung des Osterglaubens nur die Erzählungen und Formeln, die von Erscheinungen „berichten", die als Erscheinungen des Auferstandenen interpretiert werden und die nach Vögtle und anderen nicht mehr hinterfragbar sind.

5.2 Die Erscheinungen des Auferstandenen

R. Pesch, dessen Äußerungen zum Thema aus dem Jahre 1973[29] Anlaß zu vielfältiger Auseinandersetzung wurden, hält neuerdings im Gegensatz zu früher ausdrücklich an der Historizität der Erscheinungen fest[30] und umschreibt diese sogar näher, nämlich 1) als Vi-

---

kritischer Forschung" (so *J. Ernst,* Lukas. Ein theologisches Portrait, Düsseldorf 1985, 24. Vgl. dazu auch die Kontroverse zwischen E. Haenchen und G. Klein – Belege in: G. Braumann [Hg.], Das Lukas-Evangelium, Darmstadt 1974, 199 A. 114) *innerhalb des Evangeliums* aufzufinden? – gelten und bleibt angesichts des methodischen Bewußtseins der Antike, wie es sich u. a. in Herodots Historien I 5.95.182 (vgl. auch VII 152) und in der Geschichte des Peloponnesischen Krieges des Thukydides (I 20–23), aber auch bei Flavius Josephus (BJ I 2.4 § 6.9; Ant. I Prooem. 3 § 17) ausdrückt, erstaunlich, wobei das Maß der Verwunderung darüber mit der Kenntnisnahme des tatsächlichen Verhaltens dieser Schriftsteller auch wieder schwindet – vgl. zu Herodot nur *M. Grant,* Klassiker der antiken Geschichtsschreibung (dtv 4374), München 1981, 59–63, zu Thykydides ebd. 102–105 sowie der Kleine Pauly, Bd. 5 (dtv 5963) 794ff. Vgl. im übrigen auch noch die Kritik an der Arbeitsweise des Plinius in Nat. hist. in Kindlers Literaturlexikon Bd. 4, 4528, wonach Plinius „seinen Quellen absolut unkritisch" gegenübersteht.

[28] Um Mißverständnissen vorzubeugen, sei von vornherein betont, daß darunter nicht zu verstehen ist, daß der Glaube an die Auferstehung Jesu rational abgeleitet werden kann. Es geht vielmehr darum, die Genese des Auferstehungsglaubens unter den heute gültigen Denkvoraussetzungen zu betrachten. Wenn Jesus Christus die Offenbarung Gottes für alle Zeiten ist, dann muß auch unter den heute gültigen Denkvoraussetzungen ein Zugang zu ihm und zu ihr möglich sein. Es stellt also eine völlige Verkehrung der Dinge dar, wenn immer wieder behauptet wird, solche oder ähnliche Versuche wollten „leugnen, daß Gott sich in geschichtlichem Handeln unmittelbar offenbaren kann" (so *H.-W. Winden,* Osterglaube 127 u.ö.). Vgl. dazu auch *A. Vögtle,* „Erhöht" 78: „Vom Glauben an diesen Machtbesitz Gottes zur Bestätigung dieser Macht ist indes noch ein weiterer Schritt." – Es kann in keiner Weise darum gehen, Gott Vorschriften zu machen, auf der anderen Seite muß Theologie aber doch auch berücksichtigen, daß heute ähnliche Belege aus Literatur und Religionsgeschichte als Analogien gesehen werden – und das kann für Theologie und Glaube nicht ohne Konsequenzen sein. Rationale Erklärung will also der Aneignung des Glaubens dienen.

[29] In: ThQ 153 (1973) 201–228.270–283.

[30] Vgl. seinen Beitrag: Entstehung II 87.

sionen, 2) als Visionen des Menschensohnes, 3) mit G. Lohfink ganz als Werk des Menschen und gleichzeitig als das Werk Gottes.

Was ist damit gewonnen? Ich fürchte, daß solche Äußerungen letztlich nicht zu größerer Klarheit führen. Denn als historisch fragender Theologe kann ich doch nur feststellen, daß von den Jüngern – und der in diesem Zusammenhang auf keinen Fall zu vergessende Nichtjünger Paulus – behauptet wird, der auferweckte Jesus sei ihnen erschienen. Unbeschadet der Tatsache, daß das Neue Testament als Erscheinungsterminus ὤφθη wählt, das in der Septuaginta für Gottes- und Engelerscheinungen benutzt wird[31], kann ich als Historiker aus dieser begrifflichen Besonderheit noch nicht auf eine Andersartigkeit des zugrundeliegenden Phänomens schließen – ich muß vielmehr trotz der andersartigen Artikulierung davon ausgehen, daß es sich sowohl bei den in der griechischen Religionsgeschichte und Literatur als auch im Alten Testament belegten „Erscheinungen" um zumindest ähnliche und vergleichbare Phänomene handelt. Dann aber muß ich als Historiker – will ich nicht einen qualitativen Unterschied der Zeiten – s. o. – konstatieren, doch wohl davon ausgehen, daß es sich um subjektive Phänomene gehandelt hat. Selbstverständlich kann der Glaubende hinter dem einen subjektiven Phänomen (also z. B. bei den Erscheinungen des Auferstandenen) Gott am Werke sehen und hinter den anderen (in der Religionsgeschichte überlieferten Erscheinungen) nicht – nur ist zu fragen, ob ein solcher Schritt sinnvoll ist und nicht vorschnell Verständnismöglichkeiten, die eventuell weiterführen, ausblendet.

Schauen wir noch einmal auf die Wundergeschichten. Sehen wir in ihnen nicht Tatsachenberichte, sondern Glaubensgeschichten, so spiegeln sie lebendige Erfahrung der Urgemeinde (im weitesten Sinne) – es kann doch z. B. die Kana-Wundergeschichte nicht als theoretische Konstruktion angesehen werden. Vielmehr verdankt sie der lebendigen Erfahrung der Gemeinde, daß der von ihr bekannte Jesus dem Dionyisos überlegen oder zumindest gewachsen ist, ihre Entstehung – die Annahme, es handele sich dabei um eine bloße Vermutung der die Semeiaquelle produzierenden Gemeinde, ist durch nichts gerechtfertigt. Das gleiche gilt nun auch für die Auferstehungserfahrung – Paulus ist sich seiner Erscheinung so sicher,

---

[31] Vgl. dazu aus der neueren Zeit *H. W. Bartsch,* Inhalt.

daß er sie als Beweis für seine Apostolizität anführen kann (1 Kor 9,1).

Historische, d.h. vergleichende Betrachtung kann bei der Analyse der neutestamentlichen Geschichten, die von Jesu Auferstehung handeln, von den außerneutestamentlichen Geschichten, die ähnliche Motive enthalten, nicht absehen und – wenn wirkliche Vergleichbarkeit gegeben ist – muß sie von der Selbigkeit oder zumindest Ähnlichkeit der zugrundeliegenden Phänomene ausgehen. Sind solche Phänomene in der Neuzeit nicht erkennbar, wird man nach anderen Erklärungsmöglichkeiten als der der Historizität des Geschilderten suchen müssen.

5.3 Erscheinungen in der Antike

Die in Frage kommenden Texte sind in den letzten Jahren mehrfach gesammelt worden und brauchen hier deshalb nicht alle einzeln vorgeführt zu werden[32]. Die Unterschiede zum Neuen Testament sind z.T. erheblich, allein insofern als der Erscheinende meist vorher nicht gestorben, sondern lebendig entrückt worden ist[33]. Die lukianische Parodie auf das Ende des Peregrinos Proteus mit dessen Entrückung als Aufstieg eines Geiers kann insofern als typisch gelten – eine Erscheinung ist hier ebenfalls erzählt[34]. Aber daneben gibt es auch Erscheinungserzählungen von Toten, die entrückt worden sind. Demänetas[35] Erscheinung in Körperlichkeit und die sieben und 247 Jahre nach seinem Tod erfolgenden Erscheinungen des Aristeas von Prokonnesos[36] dürften die berühmtesten Beispiele sein[37].

---

[32] Vgl. *G. Lohfink,* Die Himmelfahrt Jesu (StANT 26) (München 1971) 32f; *J. E. Alsup,* Appearance Stories 213–239; *G. Friedrich,* Die Auferweckung Jesu 170ff.

[33] So Romulus nach Livius, Römische Geschichte I, 16; vgl. auch Plutarch, Romulus 28 – bei den übrigen aus der Antike überlieferten „Varianten" der Romulusgeschichte verschwimmen Entrückung und Erscheinung. Die Entrückungsdefinition von *A. Schmitt,* Zum Thema 34, trifft insofern nicht ganz zu.

[34] Lukian, De morte Peregrini 39f.

[35] Lukian, Philopseudes 27f; vielleicht erwähnenswert ist der Umstand, daß bei der Erscheinung der Demäneta körperliche Berührungen von seiten ihres Mannes Eukrates möglich sind, obwohl ihr Körper verbrannt worden war.

[36] Vgl. Herodot, Historien IV, 14f.

[37] Daß auch schon in der Antike an dieser Vorstellung Kritik geübt wurde, sei wenigstens erwähnt. Als Beispiele seien Sophokles, Ödipus auf Kolonos 1665f, und Plutarch, Romulus 28, genannt – weitere Belege bei *G. Strecker,* Art. Entrückung, in: RAC 5, 461–476, 470.

In unserem Zusammenhang kommt es zunächst allein darauf an, daß wir es hier mit dem Erscheinen von Menschen zu tun haben, die nicht mehr unter den Lebenden weilen, wobei einige entrückt sind ohne zu sterben, andere aber nach ihrem Tod entrückt wurden.

Nun stammen freilich diese Erzählungen aus einem anderen Kulturkreis als dem jüdischen und die Erscheinungen werden hier, wie schon angedeutet, auf andere Weise zur Sprache gebracht als im Neuen Testament. Für die Rückfrage nach dem zugrundeliegenden Phänomen bzw. für den Vergleich mit dem, was vor unseren Augen geschieht, kann diese Differenz freilich zunächst einmal vernachlässigt werden, da die Beschreibung des Phänomens bzw. der zugrundeliegenden Erfahrung in beiden Kulturkreisen sehr ähnliche Züge trägt: Es wird das Sichtbarwerden von nicht (mehr) unter den Lebenden Weilenden/vom Engel bzw. Jahwe behauptet. Wir haben also Grund zu der Annahme, daß in der Antike eine ganze Reihe von Menschen der Überzeugung waren, solche Begegnungen erlebt zu haben – daß solche Begegnungen auch fiktional produziert werden konnten, wie wir bei Lukian sehen, braucht hier nicht eigens reflektiert zu werden[38].

5.4 Einige Bemerkungen zu ὤφθη

H. W. Bartsch beginnt seine Ausführungen zu „ὤφθη + Dativ in der LXX“ mit dem Satz: „Mit Gn 12,7 beginnend bis zu den Königs- und Chronikbüchern wird ὤφθη fast ausschließlich für das Erscheinen Gottes bzw. seines Engels oder seiner Doxa gebraucht“[39], und kommt bei seiner Untersuchung zu dem Ergebnis, daß in der Septuaginta, um klarzustellen, „daß der Sündenfall Salomos, das Abgleiten des Königtums in eine orientalische despotische Herrschaft, der damit verbundene Abfall zu anderen Göttern ein Erscheinen Jahwes, seine Heilsgegenwart endgültig beendet, ... die Vokabel ὤφθη nicht mehr verwandt“[40], allerdings „für die eschatologische Zukunft verheißen“ wird[41]. In der Übernahme dieser Terminologie durch die Urgemeinde sieht Bartsch nun das Bewußtsein ausge-

---

[38] Vgl. Lukian, De morte Peregrini 39.
[39] Inhalt 820; vgl. zum Problem auch noch *A. Vögtle,* Osterglauben 37–39.
[40] Inhalt 821.
[41] Inhalt 831.

drückt: „dieses Erscheinen bedeutet die Wiederkehr der Heilszeit, in der Jahwe den Vorvätern und dann seinem Volk erschien“[42], es geht dabei nicht „um das Mirakel eines wiederbelebten Leichnams ... – damit wäre lediglich der sekundäre Vorstellungsgehalt übernommen –; ist diese Kontinuität auf die Sache bezogen, die den Inhalt des Osterglaubens ausmacht, so geht es um den geglaubten Beginn des Gottesreiches mit der gnädigen Gegenwart Gottes“[43]. Sieht man einmal davon ab, daß die In-Einssetzung von Erscheinungen Jahwes mit seiner Heilsgegenwart eigens zu begründen wäre, so darf doch wohl nicht übersehen werden, daß die Septuaginta gerade in den jüngsten Büchern auch einen abgeschliffenen Gebrauch von ὤφθη (mit und ohne Dativ) kennt (vgl. 1 Makk 4,6.19; 9,27; 2 Makk 3,25)[44] – ist gleichwohl die neutestamentliche Verwendung von ὤφθη und Dativ auf dem Hintergrund des Sprachgebrauches der Septuaginta auffällig[45], so bleiben zwei Dinge in Zusammenhang mit „der hermeneutischen Relevanz der Gotteserscheinungsformel“[46] zu bedenken. Zum einen setzt die Übernahme dieses Sprachgebrauchs bereits erhebliche Reflexionen voraus, gerade wenn die Septuaginta hier einen besonders auf Jahwe und seinen Engel beschränkten Sprachgebrauch aufweist[47]. Insofern ist zu fragen, ob in ὤφθη Κηφᾷ/ὤφθη Σίμωνι das ursprüngliche Zur-Sprache-Kommen der wie auch immer vorzustellenden Begegnung mit dem Auferstandenen vorliegt, oder ob hier nicht ein erst sekundärer, durch Reflexion entstandener Sprachgebrauch vorhanden ist. Zum anderen ist zu fragen, ob die Begegnung selbst schon diese Reflexion ermöglicht oder sogar angestoßen hat, oder ob andere Faktoren dazu geführt haben. Daß die Begegnung nicht nur Ursache für diese Reflexion gewesen ist, sondern das Ergebnis der Reflexion schon weitgehend nahelegte, wird man kaum von vornherein als unmöglich bezeichnen können, da in den herangezogenen Beispielen für die Entrückungsvorstellung in der griechischen Literatur die Vergöttlichung durchaus eine Rolle spielt[48]. Andererseits hat P. Hoffmann

---

[42] Inhalt 835. [43] Inhalt 835f.
[44] Vgl. auch *P. Hoffmann,* Art. Auferstehung 493, 1–16.
[45] Vgl. *A. Vögtle,* Osterglauben 38ff.
[46] So *A. Vögtle,* Osterglauben 39.
[47] Vgl. *A. Vögtle,* Osterglauben 46.66; *P. Hoffmann,* Art. Auferstehung 493, 45ff.
[48] Vgl. als Beispiel Plutarch, Romulus 28; freilich auch Test Hiob 40,3f: „Erhebt gen

unter Hinweis auf die Benutzung der alttestamentlichen Theophanieformel den Schluß gezogen: „Möglicherweise ist die Deutung der Ostererfahrung mit Hilfe der Septuaginta-Terminologie erst in der hellenistisch-judenchristlichen Gemeinde erfolgt, in der auch die Formel (sc. 1 Kor 15,3–5) zusammengestellt wurde."[49] „Von Gal 1,15f und seiner Vorgeschichte her ist die Aufnahme der Septuaginta-Terminologie in 1 Kor 15,5 als Gräzisierung einer ursprünglich apokalyptischen Aussage zu verstehen."[50] Hoffmann geht deswegen von der Möglichkeit aus: „Es kann daher in dem Terminus (sc. ἀποκαλύπτω/offenbaren Gal 1,16) sogar die genuine Bezeichnung der Ostererfahrung der ersten Zeugen noch erhalten sein"[51], obwohl nach Hoffmann zumindest die paulinische Rede von der Offenbarung „traditionsgeschichtliche Zusammenhänge"[52] voraussetzt. Vögtle bringt allerdings beide Termini und beide Belegstellen (Gal 1,16 und 1 Kor 15,5 „Offenbarung" und „er erschien") viel näher zusammen: „Hier wie dort ist das Damaskusereignis der Sache nach als Offenbarungsgeschehen, als unmittelbare Erfahrung eines unzugänglichen Sachverhalts gekennzeichnet ... Hier wie dort ist sodann das unmittelbare logische Objekt der Offenbarung nicht die Sendung, der Auftrag zur Verkündigung, sondern ein Jesus selbst betreffender Sachverhalt"[53], während Hoffmann zwischen *Oster-Apokalypsis,* in der die Jünger Jesu Identität mit dem Menschensohn-Weltrichter erfuhren, und *der doxologischen Antwort in der Auferwekkungsaussage* unterscheidet[54]. Von den Erscheinungen ist in diesem Zusammenhang nicht mehr die Rede – offensichtlich stimmt Hoffmann mit den Autoren überein, die in dem Terminus Offenbarung die ursprüngliche Formulierung der Ostererfahrung sehen. Die Frage ist allerdings, ob eine so starke Trennung zwischen Apokalypsis und ‚er erschien' nötig bzw. sinnvoll ist, da Paulus – unbeschadet

---

Osten eure Augen und schaut meine Kinder dort mit der Herrlichkeit des Himmlischen gekrönt!"

[49] Art. Auferstehung 493, 51ff.

[50] Art. Auferstehung 494, 50ff; vgl. noch *W. Marxsen,* Die Auferstehung Jesu 108, und dazu *A. Vögtle,* Osterglauben 66f.

[51] Art. Auferstehung 494, 48f (Lit.).

[52] Art. Auferstehung 494.

[53] *A. Vögtle,* Osterglauben 67; vgl. auch *H.-W. Winden,* Osterglaube 105: Die Formulierung aus Gal 1 dürfte gegenüber 1 Kor 15,8 nicht als „mindergültig" angesehen werden. Und ebd. 106.

[54] Art. Auferstehung 496; *ders.,* Studien zur Theologie der Logienquelle (NTA NF 8) (Münster 1972) 141f.

der zuzugebenden höheren Reflexionsstufe von ‚er erschien' als Gotteserscheinungsformel – die mit ‚er erschien' gemeinte Sache in 1 Kor 9, 1 mit ‚ich habe gesehen' wiedergeben kann und der Zusammenhang von Apokalypsis und ‚ich habe gesehen' schon nach Ausweis der ersten Verse der Johannes-Apokalypse traditionell ist – der Apokalyptiker „sieht"! – Aber wie auch immer, ob die Erfahrung der Jünger Jesu als Oster-Apokalypsis oder als Vision verstanden wird, immer ist an eine unableitbare Erfahrung gedacht[55] – in dieser Erfahrung beruht der An-stoß des heutigen Menschen und es muß gefragt werden, ob diese Erfahrung unbeschreibbar ist und insofern im dunkeln bleibt – wobei zu fragen wäre, was dieser Tatbestand theologisch besagen würde – oder ob sich hierzu nicht doch noch das eine oder andere Erhellende sagen läßt.

5.5 Erscheinungen und historische Kritik

Es läge nahe, nun den Charakter dessen, was die ersten Christen mit dem ‚er erschien' und Dativ meinten, näher zu erklären zu versuchen. Aber ein solcher Versuch erscheint müßig, insofern jedes Bemühen, historisch an dieses Phänomen heranzugehen, das Phänomen des ‚er erschien' seiner Einzigartigkeit entkleidet, es relativiert und insofern kaum die Vision als – im traditionellen Sinn – zureichender Grund für den Glauben an die Auferstehung Jesu in den Blick kommt.

Damit soll keineswegs die Möglichkeit von Visionen geleugnet werden. Auf die Auferstehung Jesu bezogen würde der Visionsgedanke freilich nur bedeuten, daß die Jünger Jesus in einer Vision als Auferstandenen/Menschensohn gesehen hätten. Diese Visionen

---

[55] Vgl. *P. Hoffmann,* Art. Auferstehung 496: „Diese Erfahrung ist aus jenen Vorstellungen nicht ableitbar." Vgl. auch *G. Klein,* Aspekte ewigen Lebens im Neuen Testament, in: ZThK 82 (1985) 48–70, 56f: Sie Aussage „Gott hat Jesus von den Toten auferweckt" sei von der „Erfahrung der bleibenden Gültigkeit des Anspruches Jesu" (J. Becker) zu trennen und erstere nicht auf letztere rückführbar; dem ist auf der Satzebene zuzustimmen. Aber auch auf der Erfahrungsebene? Wenn die historische Aussage zutrifft, daß Jesus sich nicht selber, sondern einen anderen verkündet, die Gemeinde nach Ostern in diese Botschaft von dem anderen aber die Person Jesu integriert hat, so zeigt sich unabhängig von der Frage der Kausalität (um die es in diesem Beitrag geht), daß für die Urgemeinde jedenfalls Botschaft und Bringer der Botschaft eng zusammenhängen. Von daher ist evtl. doch die Erkenntnis des Handelns Gottes an der Person Jesu an die Erfahrung der Tragfähigkeit von dessen Botschaft auch nach dessen Tod gebunden.

wären mit anderen Zeugnissen von Visionen z. B. – aber nicht nur – mit denen der Antike zu vergleichen! Ist es dem christlichen Glauben angemessen, gerade auch im Angesichte der religionsgeschichtlichen Parallelen, ihn – nicht nur als Glauben an die Auferstehung! – auf solche Visionen zu gründen? Macht nicht die in unser Denken nun einmal integrierte historische Kritik eine solche Glaubensbegründung eher schwierig? Wie aber läßt sich dann die Erkenntnis der Auferstehung Jesu durch die Jünger sichern?

5.6 Erscheinungen und Glaubenserfahrungen

In neueren Veröffentlichungen zum Thema ist mehrfach betont worden, daß die mit ‚er erschien' zur Sprache gebrachten Phänomene die Jünger nicht von der Notwendigkeit einer Entscheidung für den Glauben befreiten, daß also die Visionen die Jünger nicht zum Glauben gezwungen, sondern ihnen die Freiheit zu glauben gelassen haben. Warum soll (und kann) man aber den Glauben an die Auferstehung Jesu über Visionen an die Glaubensentscheidung der Jünger anbinden und nicht an deren Glauben selbst, verstanden als lebendige Nachfolge der Person und Botschaft Jesu? Das bedeutet doch noch lange nicht jenes Verdikt, das jeder Theologe fürchtet und fürchten muß, Jesus lebe so in seinem Werk weiter wie Goethe, sondern es bedeutet, daß die Jünger, die im Zusammenleben mit Jesus von diesem Jesus fasziniert waren – und diese Faszination muß, da Jesu Botschaft nun einmal primär „religiös" war, primär im Religiösen seiner Botschaft ihren Grund haben – auch nach seinem Tod an dem von Jesus verkündigten, die Menschen liebenden Vater festhielten und in diesem vom Kreuzestode Jesu als Verbrecher immer neu gefährdeten Festhalten zu Erfahrungen gelangt sind, die sie in ihren schon vorösterlichen Ahnungen nicht nur bestätigten, sondern diesen Ahnungen zu einer neuen Qualität verhalfen, indem sie ihnen deutlich machten: Diese Botschaft war nicht die eines Gescheiterten, sondern sie trug sogar noch im Scheitern selbst; sie war in der Lage, das Scheitern bestehen zu helfen. Und der, der diese Botschaft gebracht hatte, war nicht irgendeiner der Propheten, auch kein Messiasprätendent im herkömmlichen jüdischen Sinn, sondern war von Gott bestätigt und in seine Nähe geholt worden. – Man könnte auch überlegen, ob nicht solche „Erfahrungen" den Visionen parallel liefen. Der Einwand, ein solches „Wachstum" sei dem christlichen Glauben unangemessen, wäre nicht nur auf seine Berechtigung hinsichtlich der zugrundeliegenden Norm zu befragen, sondern z. B. auch auf Joh 7, 17 zu verweisen, wo die Erkenntnis, ob Jesu Lehre von Gott oder von ihm selbst kommt, nicht dem Glauben vorausgeht, sondern dem gegeben wird, der sich auf den Willen des den Offenbarer sendenden Vaters einläßt.

Worum es geht, ist die im theologischen Diskurs zu beantwortende Frage, wie solche Erfahrungen mit der Botschaft des irdischen Jesus näher beschrieben werden können, und ob sie als zureichender Grund für die Aussage der Jünger „der am Kreuz gestorbene Jesus ist auferweckt worden" angesehen werden können. Aber selbst wenn diese Frage positiv beantwortet werden könnte, bliebe freilich noch eine weitere Frage zu beantworten: Ist ein solcher Vorschlag historisch plausibel, will sagen, vermag er sich in den uns erkennbaren Weg der Glaubensgeschichte der Urgemeinde einzuordnen?

Den Charakter dieser Erfahrungen näher zu beschreiben ist hier nicht möglich und würde wohl auch die Kompetenz des Exegeten allein übersteigen. Lediglich zwei Bemerkungen seien dazu noch angefügt:

1) Kommt es von ungefähr, daß die in 1 Kor 15 genannten Erscheinungszeugen, soweit sie uns bekannt sind – über die Zusammensetzung der über 500 Brüder wissen wir nichts –, mit Jesus direkt oder indirekt bereits in Kontakt gekommen waren, wenn z. B. Paulus auch nur durch die Ablehnung und Verfolgung der ersten Christengemeinde? Das würde bestätigen, daß es sich bei den Erscheinungen des Auferstandenen um „Erfahrungen" gehandelt hat, da Erfahrungen immer anknüpfende und interpretative Funktion haben[56].

2) Es ist wie ausgeführt nicht unvernünftig, anzunehmen, daß diese Erfahrungen keinen zwingenden Charakter trugen. Dann wären diese Erfahrungen den Begegnungen mit dem irdischen Jesus analog, insofern sich auch an ihm die Geister schieden und auch die Jünger im Verlaufe der Begegnung nicht in ihrer Gesamtheit an Jesus und seiner Botschaft festhielten. Auch darin käme der Erfahrungscharakter dessen, was das Neue Testament vornehmlich mit ‚er erschien' umschreibt, zum Ausdruck, insofern es Erfahrungen eigen ist, unterschiedlich interpretiert werden zu können[57].

---

[56] Vgl. *E. Schillebeeckx,* Christus 25 ff. [57] Vgl. ebd. 42 ff.

III

Zwischen Kreuz und Parusie

Die eschatologische Qualität des Osterglaubens

Von Lorenz Oberlinner, Freiburg

Die Glaubensgewißheit der Jünger Jesu, die sich nach dem Karfreitag und dem für sie niederschmetternden Kreuzestod Jesu wieder in Jerusalem sammelten, wird nach dem Zeugnis der ntl Schriften am zutreffendsten formuliert mit dem Bekenntnis, daß Gott ihn (von den Toten) auferweckt hat. Dieses Bekenntnis zur Auferweckung Jesu (bzw. zu seiner Auferstehung) hat sich, in den verschiedenen Formen der literarischen Bezeugung, in der frühen biblischen Tradition einerseits und in der kirchlichen Verkündigung andererseits so bestimmend durchgesetzt, daß häufig auch die Frage nach der Entstehung des Osterglaubens verengt wird auf die Frage, ob und auf welchem theologischen und religionsgeschichtlichen Hintergrund die Jünger Jesu die Ostererfahrung mit der Bekenntnisaussage von der „Auferweckung" formulieren konnten. Ohne Zweifel ist diese Fragestellung nicht nur berechtigt, sondern im Blick auf die Theologie und Christologie auch bedeutsam; und doch bedarf sie einer gewissen Relativierung bzw. einer Präzisierung. Die ntl Überlieferung kennt zwar die Gewißheit der Glaubensüberzeugung von der Auferweckung Jesu; zugleich wird, bei aller Neigung zu einer veranschaulichenden Ausgestaltung der Osterbotschaft, durchgehend verzichtet auf eine erzählerische Darstellung dessen, was ihr Bekenntnis mit „Auferweckung" formuliert[1]. Dem entspricht, daß das NT durchaus

---

[1] Vgl. *H. Kessler*, Sucht den Lebenden 136: „Nach dem Neuen Testament ist niemand unmittelbarer Zeuge des Auferstehungsvorgangs selber gewesen. Dessen Beschreibung wird daher durchweg vermieden". Ist aber die Wortverwendung „Auferstehungsvorgang" nicht doch wiederum ein Versuch, sich des hinter dem Bekenntnis stehenden Faktums zu versichern? Vorbehalte sind ebenfalls anzumelden bei der Redeweise vom „Ereignis der Auferweckung Jesu" (so auffallend häufig bei *P. Stuhlmacher*, Auferwekkung Jesu 140–143). Von der ntl Bezeugung her ist der Realitätscharakter des Wirkens Gottes an Jesus eben nicht auf der Ebene historischer Verifizierbarkeit zu sehen.

verschiedene sprachliche Formulierungen kennt, „mit denen der urchristliche Glaube das dem Tod Jesu folgende Geschehen bezeichnet“[2]. Da es sich bei diesen Artikulierungen des Osterglaubens nicht um Formulierungen handeln kann, die für sich genommen bereits umfassend die Bedeutsamkeit Jesu bestimmen, weil sie vielmehr die Gegenwart und Zukunft des Menschen von diesem Jesus her entscheidend, d. h. eschatologisch qualifizieren, haben diese Aussagen grundsätzlich einen Bedeutungsüberschuß, der für das Bekenntnis wesentlich ist.

Der genannte Sachverhalt, daß das dem Bekenntnis zugrundeliegende Faktum als eine Tat Gottes die geschichtlichen Bedingungen transzendiert und deshalb auch nur im Glauben zugänglich ist, berechtigt dazu, für die Formulierung des Bekenntnisses den Begriff „Interpretament“ zu verwenden[3]. Wenn wir es bei der Aussage über Jesus, daß Gott ihn (von den Toten) auferweckt hat, mit einer „Interpretation“ zu tun haben, „also mit einer Redeweise, die von dem Sinn spricht, den die Menschen bestimmten Ereignissen und Phänomenen geben“[4], dann ist die Frage berechtigt, inwieweit andere Formen der gläubigen Deutung dieser Phänomene und Ereignisse nicht nur als möglich, sondern historisch gesehen sogar als wahrscheinlich anzusehen sind. Es soll hier das Problem aufgegriffen werden, das R. Schnackenburg – v. a. im Anschluß an W. Marxsen und seine Bestimmung der Auferstehungs-/Auferweckungsaussage als Interpretament und der damit verbundenen Behauptung, dieses Interpretament „Jesus ist auferstanden“ sei „nicht das einzig mögliche“[5] auf der einen Seite, und im Anschluß an den Versuch von Ph. Seidenstricker auf der anderen Seite, neben der „Kategorie *‚Auferstehung von den Toten‘*, mit der die Kirche das Ostergeschehen deutete“, eine zweite, und zwar noch ältere „Deutungskategorie“ einzuführen, nämlich die „Vorstellung vom jetzt *leidenden und später erhöhten Ge-*

---

[2] *A. Vögtle,* Osterglauben 24; zu den „hauptsächlichen Artikulierungen des Osterglaubens“ vgl. 15–24.

[3] Man kann *W. Marxsen* nicht widersprechen, wenn er zu den Formeln „Jesus ist auferstanden“ bzw. „Gott hat Jesus (von den Toten) auferweckt“ anmerkt: „Daß wir es hier mit einem Interpretament zu tun haben, ist m. E. überhaupt nicht zu bestreiten“ (Auferstehung Jesu 141). Zustimmend zu *W. Marxsen* auch *B. v. Iersel,* Auferstehung Jesu 701.

[4] So eine Formulierung von *B. v. Iersel,* Auferstehung Jesu 696.

[5] So *W. Marxsen,* Auferstehung Jesu 150 f.

rechten“[6], – formuliert hat in den Fragen: „Ist das Sprechen von der ‚Auferweckung‘ oder ‚Auferstehung‘ Jesu, mit dem sich dieser Glaube in den meisten Schriften des Neuen Testaments artikuliert, die ursprüngliche und einzige Kategorie, um ihm Ausdruck zu verleihen?“, und: „Gab es eine andere, vielleicht ältere Aussageweise für den Osterglauben der Urgemeinde?“[7] Die Frage nach einer möglichen anderen Formulierung des Osterglaubens anstelle der Auferweckungsaussage, die vielleicht noch älter sein kann, ist nur dann einigermaßen erfolgversprechend zu beantworten, wenn die geschichtlichen Bedingungen und die theologischen Implikationen, die die Interpretation der Ostererfahrung grundlegend bestimmt haben, zureichend Beachtung finden. Das erfordert im wesentlichen die Berücksichtigung von drei Sachverhalten:

1. Die „Bedeutsamkeit von Ostern liegt nicht bei dem menschlichem Nachprüfen unzugänglichen Ereignis, sondern bei den *Folgen,* die dieses Ereignis mit sich bringt“[8]. Eine Deutung des Osterglaubens, eine Rückfrage sowohl nach den Bedingungen der Entstehung, Formulierung und Tradierung als auch von dessen eschatologischer Relevanz muß in besonderer Weise die Situation derer berücksichtigen, die diesen Glauben leben.

2. Bei der historischen Rückfrage nach den Möglichkeiten und Bedingungen einer Interpretation bzw. einer gläubigen Deutung der Ostererfahrung ist das Faktum des Kreuzestodes Jesu mitzuberücksichtigen. Wo das Skandalon des Kreuzes nicht zur Sprache kommt bzw. durch die Interpretation der Ostererfahrung nicht bewältigt werden kann, da ist auch die historische Analyse der Deutung als unzureichend anzusehen[9].

---

[6] *Ph. Seidensticker,* Auferstehung Jesu 15.17. Für das ältere apokalyptische Schema stünden, wenigstens fragmentarisch, Mt 28,16–20; Mk 9,2–10 parr; 2 Petr 1,16–19, für das jüngere „eschatologische Schema von der Auferweckung der Toten“ Lk 24,36–43; Joh 20,19–23.24–29 (146f).

[7] *R. Schnackenburg,* Aussageweise 1.3.

[8] *G. Friedrich,* Bedeutung 305.

[9] Nach *G. Kegel* (Auferstehung Jesu) ist die „Auferstehungsaussage“ ein „Interpretament des Erscheinungsgeschehens“ (22); zur Wendung ἠγέρθη ἐκ νεκρῶν bemerkt er, sie habe „noch nicht so stark den Charakter einer Formel. Sie mag in der Debatte verwendet worden sein, wenn Gegner der Christen auf Jesu Tod hinweisen, um damit seine Maßgeblichkeit zu bestreiten. Ihnen konnte man erwidern: Jesus ist auferstan-

3. Da die Deutung des Ostergeschehens an die geschichtlich einmalige Person Jesu gebunden ist, Jesus in gewisser Weise damit auch das Interpretament interpretiert, ist wenigstens *im grundsätzlichen* die Besonderheit des Wirkens und der Verkündigung Jesu mitzubedenken. Das Bekenntnis zur Auferweckung Jesu hat im Vergleich sowohl mit der endzeitlich erwarteten, allgemeinen Totenerweckung als auch mit den Erzählungen von der Erweckung einzelner Personen aus dem Tod und ihrer Rückkehr ins Leben einmaligen Aussagegehalt. Jesu Auferweckung wurde verstanden als „seine Erhebung in die *himmlische* Machtstellung des bevollmächtigten ‚Sohnes' Gottes", als „seine Erhebung in den Himmel zu Gottes rechter Hand"[10].

Die Einsicht, daß „der urchristliche Osterglaube nur aus dem Zusammenhang mit der Programmatik des Lebens und Sterbens Jesu von Nazareth richtig verstanden werden (kann)"[11], hat die Diskussion um die Entstehung des Glaubens an die Auferstehung Jesu in den letzten Jahren nachhaltig geprägt. Dies hat aber keineswegs zu einer größeren Übereinstimmung hinsichtlich der historischen Resultate geführt. Im Gegenteil! Gerade mit der Einbindung des Wirkens und der Verkündigung Jesu ist auch die ganze Problematik der Rekonstruktion der geschichtlichen Voraussetzungen des Lebens Jesu in die Diskussion um die Bedingungen der Entstehung des Osterglaubens miteingeflossen. Es kann aber von hier keinen Weg mehr geben zurück zu einer Begründung des Osterglaubens, welche den Versuch machen würde, die historischen Bedingtheiten und damit auch die offenen Fragen der historisch-kritischen Exegese hinsichtlich des Lebens Jesu zu ignorieren.

Die heute allgemein akzeptierte Unterscheidung von verkünden-

---

den von den Toten ... Im Deutschen würden wir den Sinn des Jesusbekenntnisses wohl so wiedergeben: Jesus ist zwar gestorben, aber er ist auferstanden" (23). Diese Formulierung wird aber sicher weder dem (theologischen) Stellenwert des Kreuzestodes Jesu gerecht, noch nimmt sie das (christologische und soteriologische) Spezifikum des Osterglaubens ernst; deshalb ist auch die Erklärung einfach zu oberflächlich, „die Überzeugung von der Auferstehung Jesu" sei für die Jünger Jesu deshalb so wichtig gewesen, „weil sie damit alle Einwände, die aus dem Verbrechertod Jesu gegen ihn gemacht wurden, zurückweisen konnten" (25). Mit *B. v. Iersel* gilt: „Dieses σκάνδαλον (Ärgernis) [vom Kreuz] ist durch die Auferstehung Jesu nicht aufgehoben worden" (Auferstehung Jesu 701).

[10] *U. Wilckens,* Auferstehung 38.

[11] So *H. Kessler,* Sucht den Lebenden 79.

dem Jesus und verkündigtem Jesus Christus macht die wechselseitigen Zusammenhänge und Abhängigkeiten durchsichtiger. Wie die Jesusüberlieferung den Glauben an ihn als den von Gott bestätigten eschatologischen Heilsmittler zur Voraussetzung hat, so muß auch dieses Bekenntnis zur soteriologischen Funktion Jesu das geschichtlich einmalige und damit bedingte Leben, Wirken und Sterben dieses Jesus umgreifen. In ganz besonderer Weise müssen wir bei der Rückfrage nach Entstehung, Formulierung und Weitergabe des Osterglaubens mit in Anschlag bringen „den echt fortschreitenden Charakter der Christusoffenbarung" (A. Vögtle)[12].

I. Zur Entstehung des Osterglaubens (Die glaubenbegründende Funktion der Erscheinungen)

Für den Versuch einer historischen Rückfrage nach der Entstehung des Osterglaubens sind wir verwiesen auf das biblische Zeugnis, daß der gekreuzigte Jesus bestimmten Personen „erschienen" ist. Gegenüber den Versuchen, in dieser Aussage von der „Erscheinung" Christi bzw. des Kyrios (so etwa v.a. 1 Kor 15,5–8; Lk 24,34) eine bloße „Legitimationsformel" sehen zu wollen, die nicht nach einem dahinter stehenden Ereignis zu befragen sei und damit auch keine Auskunft über die Entstehung des Osterglaubens geben könne[13], wird mit der Zuordnung der formelhaften Wendung „er erschien" (ὤφθη) zum Bekenntnis „er ist auferweckt worden" (ἐγήγερται), wie wir dies in 1 Kor 15,4f bezeugt finden, der Erscheinungsaussage mit Recht

[12] Vgl. dazu die heute in ganz besonderer Weise wieder aktuellen Ausführungen von *A. Vögtle,* Die hermeneutische Relevanz des geschichtlichen Charakters der Christusoffenbarung, in: ders., Das Evangelium 16–30, bes. 20f; 22–28.

[13] So *R. Pesch,* Entstehung I 209–218 („Die Erklärung der Entstehung des Glaubens an die Auferstehung Jesu als eines von Gott bewirkten, geoffenbarten Glaubens kann ... nicht durch den Hinweis auf Erscheinungen an Hand von 1 Kor 15,5ff geleistet werden": 218). Pesch greift hier eine schon von *U. Wilckens* formulierte Hypothese auf, wobei allerdings nach Wilckens eine glaubenbegründende Erscheinung vor Petrus durchaus anzunehmen ist; lediglich für die „*Überlieferung* der Erscheinungen" gelte die Intention, die Autorität der Erscheinungsempfänger zu legitimieren (Auferstehung 145–148). Als kritische Stimmen zu dieser Bestimmung der Erscheinungsaussage als „Legitimationsformel" bei R. Pesch seien stellvertretend genannt *A. Vögtle,* Osterglauben, bes. 44–51; *H.-W. Bartsch,* Ursprung 18–23; *J. Kremer,* Entstehung 8–10. Ausführlich dazu auch *H.-W. Winden,* Osterglauben, bes. 79–84.110–115.

begründende Funktion zugesprochen. In der Frage der gegenseitigen Beziehung ist das Verhältnis, noch abgesehen von einer inhaltlichen Festlegung sowohl des Bekenntnisses der Auferweckung als auch der Bezeugung der Erscheinung, so zu bestimmen, daß „argumentativ“ die Vorordnung der Erscheinungsaussage vor dem Auferweckungsbekenntnis anzunehmen ist, daß also „am Anfang die Erscheinung steht, aus der die Aussage gefolgert wird, daß Jesus auferstanden ist“[14]. Diese Verhältnisbestimmung erlaubt es uns nun auch, hinsichtlich der geschichtlichen Grundlage der beiden Aussagen zu differenzieren. Die Formulierung von H. Kessler, „das äußerste auf der Ebene historischer Methodik erreichbare Faktum“ sei „der Osterglaube der Jünger, genauer gesagt: das Faktum ihrer einhelligen Behauptung (Bezeugung) der Auferweckung und der Erscheinungen Jesu“[15], ist zwar insofern zutreffend, als in beiden Fällen nicht die Konstatierbarkeit des Ereignisses (wie etwa beim Tod Jesu), sondern die Glaubwürdigkeit der Zeugen ausschlaggebend ist; und doch liegt unter dem historischen Gesichtspunkt die Bekenntnisaussage über die Auferweckung Jesu nicht auf der gleichen Ebene wie die Behauptung von Erscheinungen. Während bei jener das in absoluter Geschichtstranszendenz erfolgte, dem Bereich des empirisch Feststellbaren entzogene Handeln Gottes an Jesus umschrieben wird, bezieht sich die Aussage von der Erscheinung auf ein konkret geschichtliches Ereignis, dessen Einmaligkeit auch durch die Nennung der betroffenen Person bzw. der betroffenen Menschen verbürgt ist. Dafür ist uns Paulus, der für seine (als Berufung gedeutete) Christophanie ebenfalls die Erscheinungsterminologie gebraucht (1 Kor 15,8), ein authentischer Zeuge.

In diesem Zusammenhang ist freilich festzuhalten, daß wir unterscheiden müssen zwischen der Relation von Erscheinungsaussage und Auferweckungsbekenntnis auf der literarischen Ebene einerseits und auf der hier angesprochenen historischen Ebene andererseits. Der Hinweis auf die Erscheinungen soll im literarischen

---

[14] *H. W. Bartsch,* Inhalt 804f; 799. Bei der für unsere Fragestellung vorrangig zu berücksichtigenden Bekenntnisformel 1 Kor 15,3b–5 ist von der Struktur her auch nach Auffassung von *A. Vögtle* dafür zu plädieren, „daß das ‚er wurde begraben‘ das wirkliche, endgültige Totsein Christi erweisen und das ‚er erschien‘ dementsprechend als Bestätigung der Auferweckungsaussage dienen soll“ (Osterglauben 47; vgl. auch 48–50).

[15] *H. Kessler,* Sucht den Lebenden 141.

Zeugnis etwa des Briefes die Aussage von der Auferweckung Jesu „beglaubigen", deren Wahrheit „bezeugen"[16]. Unter dem historischen Gesichtspunkt der Begründung des Glaubens an die Auferweckung Jesu kommt dann aber nicht allen der etwa 1 Kor 15,5–7 erwähnten Erscheinungen dieselbe Bedeutung zu[17]. In besonderer Weise gilt die Einschränkung für das Zeugnis des Paulus, daß ihm Christus „erschienen" ist (1 Kor 15,8); denn er kann seine Christophanie nur deuten als Bestätigung des ihm als Verfolger bereits bekannten Anspruchs der Christen, daß dieser Jesus als eschatologischer Heilsmittler bei Gott lebt. Aber auch für die wohl ursprünglich zur alten Formel 1 Kor 15,3b–5 gehörende Bezeugung einer Erscheinung vor Kefas und den Zwölf gilt, daß wir sie nicht im Sinne beschreibender Information verstehen dürfen.

Die sicher nicht zufällige Parallelität der auf Jesus bezogenen Erscheinungsaussage, „er erschien" (ὤφθη) + Dativ, mit der aus der LXX bekannten Theophanie-Formel, in welcher, ebenfalls mit der Formulierung „er erschien" (ὤφθη) + Dativ, „die alttestamentlichen Gotteserscheinungserzählungen den anthropomorph sichtbar werdenden und redenden Jahwe einführen" (etwa Gen 12,7; 17,1; 18,1; 26,2.24; 35,1.9; Ex 3,2.16; 4,1; 6,3)[18], zeigt an, daß wir in diesem Sprachgebrauch bereits einen bedeutsamen Schritt christologischer Reflexion vorliegen haben. Nach A. Vögtle läßt diese Aufnahme des „er erschien" der alttestamentlichen Gottesoffenbarung „zur Kennzeichnung des die Auferweckungsaussage begründenden Widerfahrnisses" darauf schließen, „daß dieser Schritt bereits den

[16] *A. Vögtle,* Osterglauben 47.48.

[17] *R. Pesch,* Entstehung I 210, formuliert als radikale Konsequenz: „Wenn die Erscheinungen den Osterglauben begründen sollen, so müssen die hierfür relevanten Erscheinungen konsequenterweise auf die Protophanie vor Simon Petrus reduziert werden, da alle nachfolgenden Erscheinungen den Auferstehungsglauben in Annahme, Zweifel oder Bestreitung bereits voraussetzen, also nicht verursachen, sondern bestätigen." Dies gelte in besonderer Weise etwa auch für Paulus.
Auch wenn sicherlich beim „Osterglauben" in erster Linie an den „Glaubensinhalt" (fides quae creditur) zu denken ist, so darf doch, da es nicht um eine intellektuelle und begriffliche Definition einer bestimmten Erfahrung geht, sondern um eine persönlich zu treffende Glaubensentscheidung, eben auch um die „Interpretation" einer Erfahrung, das Moment der Entscheidung im Glaubensakt (fides qua creditur) nicht ganz vernachlässigt werden (vgl. dazu *J. Kremer,* Entstehung 6).

[18] *A. Vögtle,* Ostern 30; dazu auch *ders.,* Osterglauben 38f; 45f; *P. Hoffmann,* Art. Auferstehung 491–493; *H. W. Bartsch,* Inhalt 804–806.820–826.

Glauben an die Erhöhung Jesu in den Himmel voraussetzt, und zwar nicht etwa zu einem rein passiven, sondern zu einem höchst aktionsmächtigen Status. Nur unter der Voraussetzung, daß der Auferweckte als im Himmel befindliche und mit gottgleicher Aktionsmacht ausgestattete Größe vorgestellt ist, konnte man sinnvollerweise auf die Idee kommen, das ‚er ließ sich sehen' der Gotteserscheinungen vom auferweckten Jesus auszusagen."[19] Eine Bestätigung erfährt diese Erklärung der Erscheinungsaussage durch die Beobachtung von H. W. Bartsch, daß neben den genannten Vorkommen der Gotteserscheinungsformel, mit denen die heilvolle Gegenwart Gottes bezeugt wird, das „Erscheinen" Jahwes wiederum angekündigt wird „im Zusammenhang apokalyptisch verstandener Ereignisse", also als Verheißung „für die eschatologische Zukunft" (vgl. Ps 83,8 LXX; 101,17 LXX; LXX Jes 33,10f; 35,2; 66,18; 2 Makk 2,8)[20].

Die Tatsache, daß mit der wohl ältesten Bezeichnung für die Ostererfahrung mit ὤφθη („er erschien") bereits eine „theologische" Deutung des zugrundeliegenden Geschehens gegeben ist, macht es unmöglich, dieses „Sehen" nach dem konkreten Wie befragen und für die Rekonstruktion des historischen Vorgangs auswerten zu wollen. Damit ist jedoch die Geschichtlichkeit eines „den Osterglauben auslösenden offenbarenden Impulses"[21] in keiner Weise in Frage gestellt. Aus der Feststellung, daß bereits diesem Offenbarungsgeschehen theologische Bedeutsamkeit zugemessen wird, ergibt sich aber auch, daß der österliche Glaube, d. h. der Glaube an die eschatologische Heilsmittlerschaft Jesu, nicht erst dort beginnt, wo als ausdrückliche Konsequenz aus der Begegnung mit dem gekreuzigten Jesus nach dem Karfreitag in einem Offenbarungsvorgang das Bekenntnis zu dessen Auferweckung formuliert wurde. In der Begegnung mit dem Gekreuzigten machen die betroffenen Jünger eine neue Erfahrung, die ihnen dann das weiterführende Bekenntnis ermöglicht, daß Gott diesen Jesus auferweckt hat. Als der „Auferweckte" begegnet Jesus dem Petrus und den Jüngern nicht eigentlich in der „Erscheinung", sondern in der glaubenden Deutung der hier

---

[19] *A. Vögtle,* Osterglauben 58; vgl. *P. Hoffmann,* Art. Auferstehung 493.
[20] *H. W. Bartsch,* Inhalt 825f; 831f.
[21] *A. Vögtle,* Ostern 29.

gemachten Erfahrung. Die Bedeutsamkeit des Bekenntnisses zur „Auferweckung“ Jesu ist wesentlich bedingt durch die theologischen und soteriologischen Konsequenzen. Die in den „Erscheinungen“ erschlossene Realität betrifft ja nicht nur Jesus, sondern den Willen Gottes und damit die Situation des Menschen Gott gegenüber.

In den „Erscheinungen“ wird den Jüngern eine neue Funktion Jesu offenbart. Diese Offenbarung hat jedoch als notwendige Voraussetzung die Gottesverkündigung Jesu einerseits und seinen gewaltsamen Tod am Kreuz andererseits.

Bevor wir diese neue Situation des Glaubens der Jünger aufgrund der „Erscheinungen“ zu bestimmen suchen, müssen wir die dafür maßgeblichen Voraussetzungen zumindest in ihrer grundsätzlichen Relevanz mit in Betracht ziehen: die Grundzüge des Wirkens Jesu und seiner Botschaft und den Tod am Kreuz.

II. Der Vollmachtsanspruch Jesu in seiner Botschaft und in seinem Wirken und sein Tod am Kreuz

Wenn wir von „Erfahrungen“ der Jünger Jesu nach dem Karfreitag und deren Interpretation sprechen, dann müssen wir die „Voraussetzungen“ mitberücksichtigen, nämlich die Erfahrungen, „die sie mit Jesus während ihres gemeinschaftlichen Lebens gemacht hatten“[22]. Da es in der nachösterlichen Bekenntnis- und Glaubenstradition um die Gültigkeit von Jesu Gottesglauben bei seinen Jüngern geht, ist im Bezug auf die Jünger auch die Frage zu stellen, wie dieser Glaube von Jesus her bestimmt worden ist[23].

---

[22] *P. Fiedler,* Auferstehungsbotschaft 55; zu den „Voraussetzungen der neutestamentlichen Auferstehungsbotschaft“ 52–55.

[23] Für die Situation der Jünger bei Jesu Hinrichtung und ihre durch die Erscheinungserfahrungen ausgelösten Reflexionen muß man sicherlich mit verschiedenen „Befindlichkeiten“ rechnen, die sowohl durch ihr Verständnis der Sendung Jesu als auch durch ihre Herkunft aus verschiedenen religiösen Strömungen bedingt waren (*Ch. Demke,* Jesus Christus 86–88). Gegen eine Auflösung dieser Erfahrungen in die Beliebigkeit der persönlich geprägten „Befindlichkeit“ steht aber die theologische Bestimmung des Konflikts (s. dazu *P. Hoffmann,* Der garstige breite Graben 101, und bes. *J. Becker,* Gottesbild Jesu).

1. Zu den gesicherten Erkenntnissen der Rückfrage nach den entscheidenden Faktoren des Wirkens und der Verkündigung Jesu gehört die Einsicht, daß die Basileia Gottes als „das entscheidende Thema der Verkündigung Jesu" zu gelten hat[24]. Diese Verkündigung Jesu von der Gottesherrschaft ist nicht nur von der Thematik her zu betrachten und zu werten, sondern v. a. im Hinblick darauf, welche Bedeutung und Funktion Jesus seiner Person im Rahmen dieser Verkündigung zumißt. Die enge, ja unlösbare Verknüpfung dieser beiden Aspekte zeigt sich in dem Anspruch Jesu, daß sich in seinem Wirken diese Gottesherrschaft bereits als heilswirksames Geschehen anzeigt. Natürlich ist es einzig und allein Sache Gottes, seine Herrschaft – als eine Herrschaft des Heils und des Friedens – über Welt und Menschen aufzurichten, und deshalb ist es dem Menschen aufgetragen, um das Kommen dieser Gottesherrschaft zu beten (Mt 6,10a/Lk 11,2c); auch in der Situation des Wirkens Jesu hat die Gottesherrschaft eine wesentlich zukünftig-eschatologische Bestimmung. Gerade aber die radikale Theozentrik läßt den Anspruch Jesu noch deutlicher hervortreten. Gott hat sich in seinem Heilswillen geschichtlich-faktisch gebunden an das Leben des Jesus von Nazaret.

Der besondere Charakter der Gottesherrschaft in der Verkündigung Jesu läßt sich paradigmatisch aufzeigen in dem Logion Lk 11,20/Mt 12,28, welches ziemlich übereinstimmend auf Jesus selbst zurückgeführt wird[25]. Hier wird deutlich, daß „Jesus sein Wirken als Beginn der endgültigen Intervention Gottes versteht, durch die dieser seinen Heilswillen und seine Souveränität effektiv ausübt"[26]. Der Hinweis auf die schon anfanghafte Verwirklichung des Heilswillens Gottes hebt die eschatologische Bestimmung nicht auf, sondern läßt

---

[24] *H. Merklein,* Jesu Botschaft 25. Als wichtige Beiträge zum Thema „Gottesherrschaft" sind außerdem aus jüngerer Zeit zu nennen *W. Trilling,* Die Botschaft Jesu. Exegetische Orientierungen (Freiburg i. Br. 1978) 19–56; *H. Merklein,* Die Gottesherrschaft als Handlungsprinzip. Untersuchungen zur Ethik Jesu (fzb 34) (Würzburg [4]1984); *J. Schlosser,* Le Règne de Dieu dans les dits de Jésus, 2 Bde (Paris 1980); *H. Schürmann,* Gottes Reich – Jesu Geschick. Jesu ureigener Tod im Licht seiner Basileia-Verkündigung (Freiburg i. Br. 1983), bes. 21–64 („Jesu ureigenes Basileia-Verständnis"); *H. Kessler,* Sucht den Lebenden 80–92.

[25] Vgl. *H. Merklein,* Jesu Botschaft 63–66. Eine ausführliche Diskussion zu diesem Logion bei *J. Schlosser,* Le Règne de Dieu (Anm. 24) 127–153.

[26] *A. Vögtle,* Theo-logie 386f.

sie erst deutlich hervortreten. Was in Jesu Wort und Tat sich anzeigt, das drängt auf die baldige Vollendung hin. „Wegen dieses aktuellen Andringens der Gottesherrschaft (in seiner Erfahrung und durch sein Handeln) ist Jesu Erwartung der zukünftigen vollendeten Gottesherrschaft innerlich folgerichtig ‚Naherwartung'."[27]

Die, die sich auf Jesu Basileia-Botschaft einlassen, sind auf verschiedene Art und Weise in die Entscheidung gestellt. Dies gilt in erster Linie für ihr Verhältnis zu Gott. Die Besonderheit der Gottesverkündigung Jesu liegt darin, daß er in der Begegnung des Menschen mit der „allem menschlichen Tun zuvorkommenden, absoluten Liebe des Vaters"[28] das entscheidende Heilsereignis verkündet. Eine Konsequenz dieser Voraussetzungslosigkeit der konkreten Zuwendung des Heilswillens Gottes ist, daß in der Verkündigung (und im Verhalten) Jesu auch und gerade die „Sünder" als die von Gott Angenommenen ausgewiesen werden. Diese Ansage der Nähe, ja der Gegenwart Gottes, die einzig und allein ihren Grund hat in der „Initiative Gottes"[29], führt konsequent zur Relativierung von religiösen Bestimmungen und Praktiken, die bisher das Verhältnis des Menschen zu Gott in einer allgemeingültigen Weise zu bestimmen geeignet schienen. Jesu demonstrative Verletzung der strengen Regelung der Sabbatobservanz (vgl. Mk 2,23–27; 3,1–5), seine Ablehnung der Festlegung des Gotteswillens und damit des Verhältnisses der Menschen zu Gott anhand kasuistisch deduzierter Kriterien hinsichtlich der Unterscheidung von „rein und unrein" (Mk 7,15), ja seine Geltendmachung des Willens Gottes, in welcher gerade die Berufung auf eine durch die Gesetzestradition und -auslegung sanktionierte Bestimmung als diesem Willen Gottes widersprechend abgelehnt wird (vgl. das Logion zur Ehescheidung: Mt 5,32/Lk 16,18)[30], zeigen eine in dieser Art einmalige und unverwechselbare Bestimmung des Gotteswillens, zugleich aber auch einen unverwechselbaren Vollmachtsanspruch des Verkünders desselben. Diesen Anspruch Jesu, diese Inanspruchnahme Gottes für seine Botschaft kann man zutreffend charakterisieren mit dem Begriff der

---

[27] *H. Kessler,* Sucht den Lebenden 85. Zur „Naherwartung" auch unten Anm. 39.

[28] *A. Vögtle,* Heilsmittler 8.

[29] Vgl. *H. Kessler,* Sucht den Lebenden 87.

[30] Vgl. *A. Vögtle,* Jesus Christus 37f; *J. Becker,* Gottesbild Jesu 114–117; *H. Merklein,* Jesu Botschaft 93–113.

„Heilsvermittlung“[31]; dies gilt insbesondere auch deshalb, weil „Jesus sein Wirken in einer eschatologisch endgültigen und absoluten Weise verstanden, näherhin sowohl die Erlangung des Endheils als das gegenwärtig beginnende endzeitliche Handeln Gottes an sein vollmächtiges Reden und Tun geknüpft (hat)“[32]. Da es nun aber um das Handeln und um die Sache *Gottes* geht, muß die Bestimmung der Funktion Jesu – als Künder und Bringer der Gottesherrschaft zu den Menschen – unbedingt Beachtung finden; ein Verwischen der Grenze zwischen dem Handeln Gottes und der Sendung Jesu birgt die Gefahr, daß die grundlegend eschatologische Bestimmung der Basileia-Botschaft ausgehöhlt wird[33].

2. Der von Jesus in seinem Wort und in seinem Wirken geltend gemachte Anspruch einer anfanghaften Verwirklichung der Gottesherrschaft offenbart sich besonders eindrücklich in den von ihm als seine Jünger zur Nachfolge berufenen Menschen[34]. Als Charakteristikum dieser Jüngerschaft ist die Indienstnahme für die von Jesus verkündete Gottesherrschaft anzusehen. Es ergibt sich für seine Jünger eine zweifache Beziehung: sie werden selbst konfrontiert mit dem Jesu Botschaft bestimmenden Aufruf zum Umdenken angesichts der Verkündigung von Gottes Heilswillen, und sie sollen diese

---

[31] Vgl. u.a. *A. Vögtle*, Jesus Christus 43–46; *ders.*, Heilsmittler 8f.

[32] *A. Vögtle*, Jesus von Nazareth 19; vgl. *ders.*, Theo-logie 390; Osterglauben 71; *H. Schürmann*, Gottes Reich (Anm. 24) 200–202; *H. Merklein*, Jesu Botschaft 149–152 („Gottesherrschaft und Person Jesu gehören aufs engste und untrennbar zusammen. Jesus ist nicht der Verkünder, sondern der Repräsentant der Gottesherrschaft“: 151 f).

[33] Diese Gefahr scheint gegeben bei der zumeist im Anschluß an E. Fuchs formulierten Charakterisierung des Anspruches Jesu, daß „er handelt, als stünde er selbst an Gottes Stelle“ (so u.a. *H. Kessler*, Sucht den Lebenden 90). In der Inanspruchnahme der Autorität *Gottes* (vgl. *U. Wilckens*, Überlieferungsgeschichte 52) verweist Jesus immer auf die ihn zugleich legitimierende als auch bindende Transzendenz und Übermacht Gottes (vgl. *Ch. Demke*, Jesus Christus 89: „Das Handeln und Reden Jesu hielt die Differenz zwischen ihm selbst und Gott durchaus ein“).

[34] Zu „Nachfolge“ und „Jüngerschaft“ sind aus jüngerer Zeit zu nennen: *F. Hahn*, Nachfolge Jesu in vorösterlicher Zeit, in: Die Anfänge der Kirche im Neuen Testament (Göttingen 1967) 7–36; *M. Hengel*, Nachfolge und Charisma. Eine exegetisch-religionsgeschichtliche Studie zu Mt 8,21f. und Jesu Ruf in die Nachfolge (BZNW 34) (Berlin 1968) 41–93; *H. Merklein*, Der Jüngerkreis Jesu, in: Die Aktion Jesu und die Re-Aktion der Kirche (hrsg. v. K. Müller) (Würzburg 1972) 65–100; *M. Pesce*, Discepolato gesuano e discepolato rabbinico. Problemi e prospettivi della comparazione, in: ANRW II 25.1 (Berlin 1982) 351–389, bes. 366–379; *H. Riesner*, Jesus als Lehrer. Eine Untersuchung zum Ursprung der Jesusüberlieferung (WUNT 2,7) (Tübingen [2]1984) 408–487.

von Jesus geforderte Entscheidung für Gott in einem ganz auf die Vollendung der Gottesherrschaft gerichteten Leben in der Gemeinschaft mit Jesus dokumentieren. In dieser Hinordnung auf die von Jesus angesagte Gottesherrschaft, die bestimmt ist von der umfassenden Verwirklichung seines Heilswillens, sind auch die Forderungen an die Jünger zu sehen. Beachtet man diese Relation, so ist nicht der Charakter des Verzichtes und der Preisgabe von Gütern und Vorzügen als das Typische und Konstitutive der Jüngerschaft anzusehen, sondern die Entscheidung für die frohe Botschaft, für die Freude, für den unvergleichlichen Gewinn (vgl. Mt 13,44–46). Um dieses Reiches Gottes willen müssen (und können!) sie auf die Gemeinschaft der Familie verzichten (vgl. Mt 10,37/Lk 14,26). Diese Entscheidung duldet dann auch keine Kompromisse (vgl. Mt 8,21f/Lk 9,59f). Aus der Neuorientierung des Lebens an der von Jesus verkündeten Botschaft folgt notwendigerweise, daß der Besitz nicht mehr über den Jünger bestimmen darf (Mk 10,21 parr); Nachfolge bedeutet Aufgabe des Berufes (vgl. Mk 1,16–20par) und damit das Risiko einer ungesicherten Existenz.

Mit der Bereitschaft zur Nachfolge stellen die Jünger sich aber nicht nur in den Dienst der Botschaft von der Gottesherrschaft; sie binden ihre Zukunft damit auch an das Geschick Jesu. Die Berufungserzählungen (Mk 1,16–20par; 2,14parr) sind zwar im Anschluß an atl Prophetenberufungen (vgl. bes. 1 Kön 19,19–21) formuliert und deshalb nicht unmittelbar als Zeugnis für das Spezifikum der Jüngerberufung auszuwerten. Da die Jünger aber von Jesus in den „Dienst an der Sache des neuen Gottesreiches" gerufen werden[35], sind sie ebenfalls vor die Entscheidung gestellt, den von Jesus in seiner Botschaft erhobenen Anspruch zu akzeptieren. Die radikale Theozentrik der Botschaft Jesu ist kein Widerspruch zur Radikalität der Nachfolgeforderung, sondern bedingt diese, insofern der Jünger Jesu die absolute Bindung seines Meisters an den Heilswillen Gottes teilen muß. Gerade weil „nicht er selbst, seine Person und Vollmacht den Mittelpunkt seiner Verkündigung (bildete), sondern die Unbedingtheit des göttlichen Willens im Blick auf das nahe Hereinbrechen der βασιλεία τοῦ θεοῦ"[36], deshalb ist Jüngerschaft eben-

[35] *M. Hengel,* Nachfolge (Anm. 34) 81.
[36] *M. Hengel,* Nachfolge (Anm. 34) 69.

falls Zeichen der Nähe der heilwirkenden Herrschaft Gottes. Haben wir aber Jesu Basileia-Botschaft recht charakterisiert als „mit Vollmacht" verkündeten Anbruch des eschatologisch entscheidenden Handelns Gottes, in welchem der Person des im Namen Gottes Handelnden eine aus der Botschaft selbst resultierende, über Heil und Unheil entscheidende Bedeutung und Funktion zukommt[37], dann ist in der Tat auch die Radikalität der Nachfolgeforderung begründet zu sehen in der Basileia-Botschaft[38].

Jesus hat die Jünger aber nicht nur berufen als seine Begleiter, als glaubens- und umkehrbereite Repräsentanten des mit dem Gotteswillen konfrontierten Volkes Israel. Sie sollten aus dem Glauben heraus, daß Gott seine in Jesu Wirken offenbarte Heilszusage in Bälde zur Vollendung führen werde[39], in den Dienst der Verkündigung von der anbrechenden Gottesherrschaft treten[40]. Die Aussen-

---

[37] Am eindrücklichsten wäre dies zu belegen, ließe sich das Menschensohn-Logion Lk 12,8f/Mt 10,32f (vgl. auch Mk 8,38) auf Jesus selbst zurückführen; ausführlich hat dies begründet *R. Pesch,* Über die Autorität Jesu. Eine Rückfrage anhand des Bekenner- und Verleugnerspruchs Lk 12,8f par, in: Die Kirche des Anfangs. FS H. Schürmann (hrsg. v. R. Schnackenburg u.a.) (Freiburg i.Br. 1978) 25–55 (vgl. *ders.,* Entstehung II 95f). Mit einem „authentischen Jesuswort" will auch *H. Merklein* rechnen, der im Gegensatz zu Peschs „Identifizierung" von Jesus und Menschensohn eine „Parallelität zwischen Jesus und dem Menschensohn" zugrundelegt, insofern Jesus sich als „eine Art irdischen Doppelgänger des himmlischen Menschensohnes" verstanden habe (Jesu Botschaft 158–164). Vgl. auch *H. Kessler,* Sucht den Lebenden 91.204f.

[38] Vgl. *H. Merklein,* Jesu Botschaft 128: „Die Autorität, welche die Radikalität der Nachfolge begründet, ist daher letztlich Jesus selbst oder – sachlich ausgedrückt – das gegenwärtige Geschehen der Gottesherrschaft, das Jesus repräsentiert."

[39] Zur „Naherwartung" immer noch grundlegend *E. Gräßer,* Das Problem der Parusieverzögerung in den synoptischen Evangelien und in der Apostelgeschichte (BZNW 22) (3. erg. Aufl. Berlin 1977) IX–XXXII.3–75; *ders.,* Die Naherwartung Jesu (SBS 61) (Stuttgart 1973) („Jesu Verkündigung war – soweit das aus den Quellen noch zu ersehen ist – in allen Phasen und Stadien eine eschatologische im strengen Sinn des Wortes, das heißt, sie hat ihr Charakteristikum in der Erwartung des *nahen* Endes, Diese Erwartung ist eine eindeutige und durchgängige. Eindeutig: Sie leidet keine Differenzierung in Nächst-, Nah- oder Fernerwartung. Die Form der Naherwartung, die mit einiger Sicherheit aus der ältesten Tradition erschlossen werden kann, ist für Jesus eine, die das Ende dieses Äons in großer Nähe weiß. Durchgängig: Sie hat keine Entwicklungen durchlaufen, weder solche von gesteigerter Naherwartung zu abgeklärter Fernerwartung noch umgekehrt. Die Verkündigung des nahen Endes beherrscht Jesu Botschaft von ihrem Anfang bis zu ihrem Ende": 123f).

[40] „Gerade die Jüngeraussendung, die ganz unter der Motivation der Dringlichkeit steht und die alles andere als ein simples Spiegelbild der späteren Palästinamission ist, zeigt, daß Jesus den Anbruch der Gottesherrschaft für die allernächste Zeit erwartet" (*G. Lohfink,* Zur Möglichkeit christlicher Naherwartung, in: G. Greshake – G. Loh-

dung mit dem Zweck der Unterstützung und Ausweitung seiner Verkündigung und seines Wirkens[41] bestimmt die eigentliche Funktion und Aufgabe der Jünger Jesu. Gerade diese Mitübernahme der missionarischen Werbung für die Gottesherrschaft zeigt, wie sehr auch der Inhalt ihrer Botschaft von der Person Jesu und seiner Autorität mitbestimmt ist. Der Zentralbegriff der Basileia Gottes kann nur in der vom Anspruch Jesu getragenen Zuversicht der schon anfanghaften Verwirklichung verkündet werden; Gottes Reich wird so Wirklichkeit, wie es sich in der traditioneller Gottesverkündigung nicht konformen Botschaft Jesu ankündigt. Der unbedingter Güte und Liebe verpflichtete und doch nicht menschlich zu vereinnahmende Gott wird die, die sich auf Jesu Botschaft der Liebe einlassen, an der von ihm proklamierten Gottesherrschaft teilnehmen lassen. Die Verkündigung der Jünger teilte die Anstößigkeit des Gottesbildes und der Gottesverkündigung Jesu, durch welche einerseits die Heilszuversicht des Frommen in Frage gestellt wurde, durch welche andererseits dem in Schuld und Sünde Verstrickten die absolut gültige, in Gottes Liebe verbürgte Zusage des auch und gerade ihm geltenden Heilswillens Gottes gewährt wurde. Wenn man daraus nun die Folgerung ziehen darf, daß Jesus Gott vorstellte als den, „dessen Güte allein vor dem drohenden Gerichtstod noch Leben gewähren konnte, so daß außerhalb dieser Güte nur noch der Tod des sündigen Israels statt hatte"; wenn folglich „Jesu Gott" ein Gott ist, der „Tote" lebendig macht, so daß außerhalb der Güte dieses Gottes alle „tot" sind; und wenn man dies schließlich auch noch als „Grundüberzeugung im Jüngerkreis" festmachen darf[42], dann ist die Frage unausweichlich: Wie paßt das Jesus vernichtende und in die Schmach der Gottesferne und des Gottesfluches stellende Todesurteil dazu? Wie sollen die Jünger nicht nur ihren Glauben, sondern

fink, Naherwartung – Auferstehung – Unsterblichkeit. Untersuchungen zur christlichen Eschatologie (QD 71) (Freiburg i. Br. 1975) 38–81; hier 45 f; zur „Naherwartung Jesu" 41–50.

[41] Bei aller Problematik, aus Mk 6,7–13 und der aus Lk 10,1–12 (par Mt 9,37 f; 10,16.9–10a.11–13.10b.14f) zu rekonstruierenden Q-Überlieferung (vgl. *H. Merklein,* Jüngerkreis Jesu [Anm. 34] 95) sowohl den Umfang der Aktion als auch den Wortlaut der Beauftragung zu bestimmen zu suchen, kann doch die Historizität der Jüngeraussendung als gesichert gelten. Vgl. dazu besonders auch *M. Hengel,* Nachfolge (Anm. 34) 82–89; außerdem *R. Riesner,* Jesus als Lehrer (Anm. 34) 453–475.

[42] So *J. Becker,* Gottesbild Jesu 111.

auch ihre unbedingt auf Jesus gegründete Glaubwürdigkeit der Botschaft von der Güte und der Liebe Gottes, seiner lebenspendenden und todüberwindenden Vollmacht bezeugen angesichts des Sieges des Hasses und der Feindschaft, angesichts des Triumphes der Erniedrigung und des Todes? Die Widerlegung des Anspruches Jesu, seiner Vollmacht und seines Gottesbildes schien nicht nur eine Möglichkeit, sondern Gewißheit geworden zu sein.

3. Der Kreis der Jünger verdient zu Recht unsere besondere Aufmerksamkeit, wenn es um die Frage der Bedeutsamkeit des Todes Jesu geht[43]. Für die Beurteilung der durch den Kreuzestod Jesu entstandenen neuen Situation sind wir nicht darauf angewiesen, mit dem gewiß recht problematischen Rückgriff auf die „seelische Verfassung" der Jünger zu argumentieren[44]; es stehen uns „objektiv" faßbare Sachverhalte zur Verfügung, die ihr Leben prägten und ihr Verhalten bestimmten. Bei der Benennung dieser Sachverhalte ist zugleich im Auge zu behalten, daß diese integriert werden mußten in das von den Jüngern ausgehende Bekenntnis, daß gerade *dieser Jesus* – aufgrund des wunderwirkenden Eingreifens Gottes *nach* Jesu Tod – *der von Gott verheißene Heilbringer* ist. Es ist zum einen die Person Jesu selbst, dessen Leben sie in der Nachfolge teilten. Es ist sodann der Glaube an die ihnen in Jesu Wort und Tat erschlossene neue Wirklichkeit Gottes, seines unbedingten Heilswillens. Und es ist schließlich der (in ihrem missionarischen Mitwirken erbrachte) Beitrag, der Botschaft Jesu bei den Israeliten zum Durchbruch zu verhelfen. Diese Bestimmung der Situation der Jünger in ihrem Verhältnis zu Jesus und dem daraus resultierenden neuen Verhältnis zu Gott und zu den Mitmenschen zeigt eine umfassende Abhängigkeit ihrer Existenz. Ihr Vertrauen auf Jesus in der persönlichen Entscheidung der Nachfolge hat ihren Grund in der Glaubwürdigkeit und Vertrauenswürdigkeit Jesu; ihr Gottesbild ist aufgebaut auf der gläubigen Zuversicht, daß sich in Jesu Wort und Tat auch der Wille Gottes manifestiert; und ihr Einsatz als Boten der

---

[43] Im Sinne der Formulierung von *A. Vögtle:* „Wie konnten, ja mußten eventuell die Anhänger Jesu die so sehr an Jesu persönlichen Vollmachtsanspruch gebundene Verkündigung beurteilen, als es mit dem Verkünder ein für jüdische Begriffe denkbar katastrophales Ende genommen hatte?" (Osterglauben 71 f).
[44] Vgl. *R. Pesch,* Entstehung I 219.

Basileia ist getragen von der Hoffnung auf die baldige Vollendung der Gottesherrschaft, an deren beginnende Verwirklichung sie mit Jesus und wegen Jesus glaubten.

Gewiß kommt für die historische Erklärung und die theologische Begründung des österlichen Glaubens an das den Tod Jesu als Tat seiner Liebe offenbarendes und damit den Menschen Heil schenkendes Handeln Gottes der Klärung der Frage besondere Bedeutung zu, wie Jesus seinen Tod „bestanden und verstanden" hat[45]. Im Blick auf die genannte Thematik einer Erklärung bzw. Begründung des *Osterglaubens* (als eines *von den Jüngern bezeugten* Glaubens) ist eine Erweiterung bzw. Präzisierung der Fragestellung notwendig: Wie haben die Jünger Jesu Tod bestanden und verstanden? Ihre Abhängigkeit von einer eventuell von Jesus gegebenen Deutung braucht nicht eigens begründet zu werden. Der sog. eschatologische Ausblick (Mk 14,25 par) im Rahmen des letzten Mahles Jesu, dessen Authentizität mit guten Gründen v.a. durch die für die Verkündigung Jesu charakteristische Bindung seiner Person und seines Geschicks an das Kommen der Basileia Gottes als gesichert gelten darf[46], verdient dabei besondere Beachtung. Jesus gibt darin seinen Jüngern angesichts des drohenden Todes die Versicherung, „das Heil der Gottesherrschaft werde so sicher kommen wie sein Tod, der somit die Gültigkeit seiner Heilsbotschaft nicht tangieren

---

[45] So die Fragestellung bei *H. Schürmann*, Der Tod Jesu (Freiburg i.Br. 1975) 16–65. *A. Vögtle* hatte schon 1970 in seinem Beitrag „Jesus von Nazareth" im Band I der Ökum. Kirchengeschichte die Frage zur Diskussion gestellt, „ob Jesus dem ihm drohenden, ja vielleicht sogar von ihm herausgeforderten gewaltsamen Sterben heilsmittlerische Kraft zuschrieb" (Jesus 20.20–24); und er hat dieses Problem in mehreren Beiträgen ausführlich behandelt (vgl. bes. Todesankündigungen; Jesus Christus 48–79; Heilsmittler). V.a. *H. Schürmann* hat (etwa in dem oben genannten, 1973 in der FS für J. Schmid erschienenen Beitrag) das Thema aufgegriffen und in z.T. kontroversen Lösungsvorschlägen zu A. Vögtle erörtert (in: Gottes Reich [Anm. 24] 44–64.185–223.225–245). Eine kritische Darstellung des gegenwärtigen Diskussionsstandes gibt *A. Vögtle* in dem Aufsatzband „Offenbarungsgeschehen und Wirkungsgeschichte" (Freiburg i. Br. 1985) 141–147, und bes. im „Nachtrag" 148–167.

[46] Das Logion belegt nach *H. Merklein* „die für die Verkündigung Jesu so bezeichnende unauflösliche Verbindung von Botschaft und Person Jesu auch über seinen Tod hinaus" (Jesu Botschaft 143). Wie Merklein (aaO. 137–144) hat auch *H. Schürmann*, Gottes Reich (Anm. 24) 51–54.210–213, das Logion unter dem speziellen Aspekt der Frage nach dem Verständnis und der Deutung seines künftigen Todes durch Jesus behandelt. Vgl. auch die ausführliche Darstellung bei *J. Schlosser*, Le Règne de Dieu (Anm. 24) 337–417.

kann"[47]. Diese Beurteilung des „eschatologischen Ausblicks", daß er einerseits Jesu eigene Zuversicht auf die Erfüllung des Heilswillens Gottes auch angesichts seines Todes (und das heißt wohl am ehesten, der geschichtlichen Situation entsprechend: *trotz* seines Todes) belegt[48], und daß er zugleich den Jüngern die Zusicherung der Gültigkeit der Heilszusage *Gottes* über *seinen Tod* hinaus gibt, eröffnet gewiß die Möglichkeit, die Frage nach der Kontinuität über das Kreuz hinweg auch hinsichtlich des Jüngerbekenntnisses zu stellen. Angesichts des zentralen Stellenwertes dieses den Tod Jesu in seine Sendung und damit in sein Gottesbild integrierenden Wortes ist es doch bezeichnend, daß bei aller Betonung der zentralen Bedeutung dieses Jesuswortes auch für die heilsmittlerische Deutung des Todes Jesu[49] doch – soweit sich übersehen läßt – niemand den Vorschlag macht, bereits die von Jesus gegebene Versicherung der Gültigkeit seiner Botschaft habe den Jüngern die Möglichkeit der Bewältigung seiner Hinrichtung eröffnet.

Die Frage, wie die Jünger auf den Tod Jesu reagiert haben, ist nur unter Berücksichtigung der verschiedenen Bedingungen mit einigermaßen Sicherheit zu beantworten. Vorneweg sei auf das Zeugnis der Evangelien verwiesen, die zumindest keine Anhaltspunkte dafür bieten, daß die Jünger mit Zuversicht oder Hoffnung auf Jesu Tod zugegangen sind, ihn als auf Jesus Vertrauende bestanden haben bzw. in der Zeit unmittelbar danach als Jünger des Gekreuzigten sich bekannt haben. Die Jüngerflucht bei der Verhaftung (vgl. Mk

---

[47] *A. Vögtle,* Jesus Christus 69; so auch *H. Kessler,* Sucht den Lebenden 100.

[48] Die von *H. Schürmann* befürwortete Deutung des „eschatologischen Ausblicks" als Beleg dafür, daß „Jesus die kommende Basileia mit seinem Todes-Geschick zusammen(dachte)" (Gottes Reich [Anm. 24] 51), konkreter, daß er diesen auf ihn zukommenden Tod in diesem Wort als „Heilstod" qualifizierte (213), erweckt doch sehr stark den Eindruck einer „Überinterpretation" (so *A. Vögtle* in dem „Nachtrag" in: Offenbarungsgeschehen [Anm. 45] 164 Anm. 66).

[49] Mit *H. Kessler* ist diese Bedeutung m. E. zutreffend darin zu sehen, daß in dieser Zusage Jesu „ein Ansatz für ein soteriologisches Verständnis seines Todes bei Jesus selbst gegeben ist" (Sucht den Lebenden 101). Auch *A. Vögtle* unterstreicht die offenbarungsgeschichtliche Relevanz des eschatologischen Ausblicks und sieht dessen Bedeutung „gerade auch und zuerst darin, daß der Ausspruch der Heilsgewißheit, mit dem Jesus den für sein irdisches Wirken erhobenen Heilsmittleranspruch angesichts seines Todes bestätigte, nach vorne offenbleibt, eben auch offenbleibt für die von der apostolischen Verkündigung beanspruchte Offenbarung der heilsmittlerischen Funktion des in den Tod gehenden und seinen Jüngern das Kommen des Endheils versichernden Jesus" (Jesus Christus 70).

14,50), die Verleugnung durch Simon Petrus (Mk 14,66–72) und das durchaus als geschichtlich zuverlässig zu wertende Zeugnis, daß die einzigen, die bis zur Kreuzigung Jesus die Treue in ihrer „Nachfolge" hielten, eine Gruppe von z.T. namentlich genannten Frauen war (Mk 15,40f), zeigen, daß der Kreuzestod die Jünger in die „äußerste Krise" ihrer Jüngerschaft geführt hat[50]. Betrachten wir die Bedingungen der Jüngerschaft, dann wird deutlich, daß gerade diese Voraussetzungen und Grundlagen fragwürdig geworden sind, besser: durch die Fakten widerlegt schienen. Wenn man den theologischen Charakter des Konfliktes zwischen Jesus und der jüdischen Obrigkeit, die seine Hinrichtung aktiv betrieben und schließlich bei Pilatus durchgesetzt hat, ernst nimmt, dann stand mit seinem Tod die von ihm neu und z.T. in Widerspruch zur allgemein bestimmenden religiösen Vorstellung verkündete Auslegung des Willens Gottes „auf dem Spiel. Ist Jesus dem Judentum unerträglich wegen seiner anstößigen Gottesauslegung, dann erhofft man von seinem Tod, daß diese unerträgliche Gottesbotschaft zum Schweigen kommt. Der Tod Jesu garantiert dann die Stabilisierung desjenigen Gottesverständnisses, aufgrund dessen man Jesu Gott ablehnte"[51]. Einer solchen Bewertung des Todes Jesu im Blick auf den von ihm verkündeten Beginn des eschatologischen Heilshandelns Gottes konnten sich auch die Jünger nicht entziehen. Die radikale Krise des Glaubens und der Hoffnung der Jünger[52] resultierte v.a. aus dem von Jesus erhobenen Sendungs- und Vollmachtsanspruch als Künder und Repräsentant des Heilswillens Gottes und der vorbehaltlosen und radikalen Bindung der Jünger an diesen Künder und Bringer der Gottesherrschaft in der Nachfolge. Mit dem Tod Jesu war nicht nur die Möglichkeit der Nachfolge im Sinne des konkre-

---

[50] Vgl. *H. Kessler,* Sucht den Lebenden 106. Dazu und zum folgenden sind u.a. zu nennen *U. Wilckens,* Überlieferungsgeschichte 53f; *W. Schrage,* Verständnis 57–59; *A. Vögtle,* Osterglauben 69–74; *G. Friedrich,* Verkündigung 29f; *H.-W. Winden,* Osterglauben 160–163.

[51] *J. Becker,* Gottesbild Jesu 108; zu dieser „Differenz zwischen Jesus und Judentum im Gottesverständnis" ebd. 107–117.

[52] Vgl. *H. Kessler,* Sucht den Lebenden 107: „Nicht Jesus war zusammengebrochen, aber der Glaube und die Hoffnung der Jünger waren es." In der Situation des Kreuzestodes Jesu war die Glaubenskrise der Jünger begründet in der Feststellung, daß ihr Glaube, der ja wesentlich der Glaube Jesu war, durch Jesu Tod widerlegt schien.

ten Zeugnisses für die Gegenwärtigkeit der Gottesherrschaft beendet; damit war den Jüngern auch jegliche Möglichkeit genommen, in Zukunft weiterhin an der Person und an der Botschaft Jesu sich zu orientieren[53].

Das Verständnis des Todes Jesu als Widerlegung seines Anspruches schien noch dazu bestätigt durch den Schandtod am Kreuz. Jesus war mit einer politisch motivierten Anklage vor Gericht gestellt und von Pontius Pilatus als „politischer Rebell" verurteilt und hingerichtet worden[54]. Die von den Römern praktizierte Art der Hinrichtung durch das Kreuz war bestimmt für Schwerverbrecher und Sklaven; mit dieser eingeschränkten Anwendung auf einen bestimmten, den unteren sozialen Schichten angehörenden Personenkreis „ergab sich von selbst eine soziale und ethische Diffamierung des Gekreuzigten im allgemeinen Volksbewußtsein"[55]. Als gravierender muß aber angesehen werden, daß der Gekreuzigte aufgrund der Bestimmung von Dtn 21,23b als von Gott Verfluchter galt. In der exegetischen Bewertung dieses Gottesurteils über den Gehenkten kommt es dabei häufig zu einer christologischen Verengung der Problemstellung, insofern das Schriftwort in seiner Bedeutsamkeit vom nachösterlichen Christusbekenntnis her beurteilt wird (wie bei Paulus in Gal 3,13); der Glaube an Jesus als den Messias und sein Tod am Kreuz werden (in dieser Reihenfolge!) als die unüberbrückbaren Gegensätze genannt[56]. Für die Situation der Hinrichtung Jesu

---

[53] Vgl. hierzu v.a. *U. Wilckens,* Überlieferungsgeschichte 53f: Jesu Hinrichtung bedeutete „eine kaum zu überschätzende Katastrophe für die Jüngerschaft seiner Jünger"; nach dem Scheitern Jesu gab es „keinerlei Rechtsgrund für die Jünger Jesu ..., nun nach Jesu Tod einfach an seine Stelle zu treten". „Wenn überhaupt, so konnte es nur noch Gott selbst sein, der dann die einstigen Jünger Jesu in ihrem Recht, sich auf Jesus eingelassen zu haben, bestätigen konnte. Ohne solche Bestätigung Jesu durch Gott selbst war die Möglichkeit der Jüngerschaft zusammengebrochen." Vgl. auch *A. Vögtle,* Osterglauben 71–74.

[54] Vgl. *H.-W. Kuhn,* Die Kreuzesstrafe während der frühen Kaiserzeit. Ihre Wirklichkeit und Wertung in der Umwelt des Urchristentums, in: ANRW II 25,1 (Berlin 1982) 648–793, bes. 677f; 732–736.

[55] *M. Hengel,* Mors turpissima crucis. Die Kreuzigung in der antiken Welt und die „Torheit" des „Wortes vom Kreuz", in: Rechtfertigung. FS E. Käsemann (hrsg. v. J. Friedrich u.a.) (Tübingen/Göttingen 1976) 125–184, hier 179.

[56] Vgl. etwa *W. Schrage,* Bedeutung 57f („Ein leidender und sterbender Messias oder Erlöser war im Alten Testament und Judentum nicht präfiguriert; erst recht aber mußte ein am Schandfpahl des Kreuzes elendig Scheiternder in jüdischen Augen jede messianische Prädikation diskreditieren und zur Blasphemie machen, denn das Alte

müssen wir von dieser Enge der Problemstellung – „gekreuzigter Messias" – noch absehen. Die Jünger stehen vor der nicht weniger gravierenden Frage: Kann dieser Gekreuzigte der von Gott bevollmächtigte Bringer der Gottesherrschaft sein, und können sie unter Berufung auf die Autorität Jesu seinen Sendungsauftrag weiterführen? Es geht angesichts des Kreuzes nicht nur um das Verhältnis der Jünger zu Gott und zu Jesus; betroffen ist auch ihr Verhältnis zu den Mitmenschen, zu denen sie im Auftrag Jesu gegangen waren. Hier wird die Katastrophe des Kreuzes und damit die Barriere des Gottesurteils aus Dtn 21,23 offensichtlich[57]. Ein missionarisches Wirken aus der Autorität eines Gekreuzigten, noch dazu mit dem Anspruch, daß in dessen Botschaft und Wirken Gottes Heilswille sich anfanghaft und doch schon eschatologisch bedeutsam offenbart hat, war für die Jünger unter den gegebenen Bedingungen des Todes Jesu undenkbar. Dies gilt auch für den Fall, daß man eine weitgehende Integration des von Jesus vorausgewußten Todes in seine Verkündigung von der Gottesherrschaft oder gar eine heilsvermittelnde Deutung dieses Todes anzunehmen bereit ist. Jesus konnte die Berechtigung dieses Anspruches nach seinem Tod nicht mehr verbürgen. Also hätten die Jünger sich direkt auf Gott und seine Autorität berufen müssen. Aber auf welchen Gott? Auf den, der Jesus dem Fluchtod des Kreuzes ausgeliefert hatte?

Für die Verkündigung der Jünger nach dem Karfreitag bedurfte es

---

Testament stellt den ‚am Holz Hängenden' unter den Fluch Gottes [Dtn 21,23; Gal 3,13]"); *H. Merklein,* Auferweckung Jesu 11 („Ein gekreuzigter Messias ist im jüdischen Kontext ein Unding, ein Widerspruch in sich"). Ähnlich *H. Kessler,* Sucht den Lebenden 105, mit Hinweis auf Gal 3,13; 1 Kor 1,23; Apg 5,30; 10,39; 13,29; Joh 19,31 ff; Justin Dial 89,1 – 90,1 (also christologisch bestimmte Zeugnisse!).

[57] *G. Friedrich,* Verkündigung, betont die schwere Belastung für die missionarische Verkündigung des Urchristentums, „daß der Erretter der Welt am Kreuz sein Leben lassen mußte" (121). Es erscheint ihm allerdings angesichts der vielfältigen Möglichkeiten, die zur Hinrichtung von Juden durch die fremden Herrscher führten, der Schluß nicht zwingend, „daß jeder, der am Kreuz sein Leben läßt, unter dem Fluch Gottes stehen muß" (124). Daran ist sicher richtig, daß es nicht ausreicht, den Kreuzestod für sich zu werten. Gerade im Falle Jesu und seiner Basileia-Botschaft zeigt sich die Notwendigkeit, den „theologischen" Zusammenhang mitzuberücksichtigen. Zugleich verdient der Hinweis von *M. Hengel* Beachtung: Das Kreuz wurde „nie zum Symbol des jüdischen Leidens; der Einfluß von Dtn 21,23 machte dies unmöglich. Auch ein gekreuzigter Messias konnte darum nicht akzeptiert werden" (Mors turpissima crucis [Anm. 55] 177).

eines neuen offenbarenden Impulses[58], einer neuen Begründung des Vertrauens auf die Heilswilligkeit Gottes.

III. Inhalt und Funktion des Osterglaubens

1. Die bisher genannten Voraussetzungen für die Entstehung des Osterglaubens auf seiten der Jünger Jesu können nun in einem entscheidenden Punkt als lückenhaft angesehen werden. Man wird die Behandlung der Frage vermissen, ob nicht schon im Sendungsanspruch Jesu und in seiner Verkündigung die Erwartung der Auferweckung vorgegeben sein konnte. Die Sicht von „Jesu Leben als Proexistenz für den anderen im Gleichklang mit der Proexistenz Gottes" und dem daraus resultierenden Verständnis seines Todes als „Abschluß und Höhepunkt seines Einsatzes für das Heil der Menschen" führt beispielsweise H. Giesen zu dem Postulat: „Für Jesus selbst konnte das Kreuz nicht das Ende seiner Sendung sein; denn das würde seinem Gottesbild widersprechen; denn er war ja überzeugt, daß er im Auftrag und in Stellvertretung Gottes handelte. Von daher ist es auch wahrscheinlich, daß Jesus vor seinem Tod über seine Auferstehung sprach."[59] Nun ist vorab in diesem Zusammenhang der Hinweis von P. Hoffmann zu beachten, daß in der Verkündigung Jesu mit der Betonung der „Gegenwart der Herrschaft Gottes, der sich in vorbehaltloser Güte den Menschen zuwendet", der Auferstehungshoffnung „keine eigenständige Bedeutung" zukam[60]. Auch wenn nicht zu bezweifeln ist, daß Jesus mit seinen Jüngern die Glaubensgewißheit teilte, „daß Jahwes Macht und Gnade auch durch den Tod nicht erledigt ist, vielmehr die Toten rettet"[61], so gibt dieser Glaube Jesu und seiner Jünger noch nicht unmittelbar etwas her für die Begründung des Osterglaubens. Zwar ist die Bestimmung der Zukunftshoffnung Jesu nicht ablösbar von seiner Gottesverkündigung und insofern auch von seinem besonderen Anspruch der Auslegung des Gotteswillens getragen; es spricht aber nichts dafür, daß er im Blick auf diese Zukunft, die in der Tradition

---

[58] Vgl. *A. Vögtle,* Jesus Christus 72f.

[59] *H. Giesen,* Osterglaube 124f.

[60] *P. Hoffmann,* Art. Auferstehung 451.

[61] *H. Kessler,* Sucht den Lebenden 67 (vgl. 41–78).

des biblischen Gottesglaubens durch Jahwes „unbegrenzte Schöpfermacht und seine unzerstörbare Treue“ bestimmt war[62], differenziert hätte zwischen dem endzeitlichen Ereignis einer allgemeinen Totenerweckung, deren auch seine Jünger teilhaftig werden sollten, und einer exklusiv ihm geltenden Machttat Gottes, die als Vorwegnahme dieses Endzeitgeschehens ihn unmittelbar oder doch bald nach seinem Tod aus diesem erretten und zu neuem Leben befähigen würde. Zudem wäre eingehender zu klären, in welchem Verhältnis die Auferstehungshoffnung Jesu und der nachösterliche Glaube der Jünger zueinander stehen, soll in einer entsprechenden Verheißung der Anknüpfungspunkt für den Glauben der Jünger gesehen werden. Da die Behauptung einer Identität von Ankündigung Jesu und Glaubesbekenntnis der Jünger in jedem Fall zu weit gehen würde, ist auch die These von der „Notwendigkeit“ der Ansage seiner künftigen Auferweckung durch Jesus selbst nur sehr bedingt tauglich für die Begründung des Osterglaubens der Jünger[63]. Will man sodann diesen Glauben der Jünger nach dem Karfreitag – sofern am Datum der Kreuzigung Jesu als entscheidender Zäsur überhaupt festgehalten werden soll – verbinden mit der Bezeugung von Erscheinungen, ist es unumgänglich, sowohl den Stellenwert als auch die (historische und theologische) Notwendigkeit dieser „Erscheinungen“ zu begründen[64], bzw. es ist zumindest die Frage zu stellen, wie Ankündigung Jesu und das Zeugnis von Erscheinungen

---

[62] *H. Kessler,* Sucht den Lebenden 42.

[63] Nach *K. Berger* muß man „ernsthaft mit der Möglichkeit rechnen, daß Jesus von seiner eigenen künftigen ‚notwendigen‘ (δεῖ) Auferweckung gesprochen hat. Die theologischen ‚Formeln‘ und ‚Kategorien‘, mit denen die frühnachösterliche Gemeinde das Geschick Jesu erlebt, erfaßt und beschreibt, setzen deutlich ein bestimmtes Selbstverständnis Jesu und der ihn umgebenden Jünger voraus ... Wer die Möglichkeit einer Auferstehungsaussage im Horizont der vorösterlichen ‚Theologie‘ leugnet, müßte erklären, wie es sonst den Jüngern möglich gewesen sein soll, für ihre Erfahrung theologische Begriffe zu haben, diese überhaupt ‚theologisch‘ zu erfahren“ (Auferstehung 146; vgl. 232).

[64] Der von *R. Pesch* zuerst, 1973, vorgelegte Vorschlag „Zur Entstehung des Glaubens an die Auferweckung Jesu“ ist in dieser Hinsicht durchweg konsequent: Mit der im Wort, im Wirken und im Selbstverständnis Jesu eröffneten Möglichkeit für die Jünger, auch „angesichts seines Kreuzestodes seine die Erwartung der Traditionen erfüllende und überbietende eschatologische Sendung und Heilsbedeutung (zu) proklamieren mit der Botschaft: Er ist auferweckt“ (225; vgl. 219–226), entfällt die Notwendigkeit (und die Berechtigung!), die Entstehung des Osterglaubens mit der Bezeugung der „Erscheinungen“ zu verknüpfen.

des Gekreuzigten durch die Jünger sich zueinander verhalten hinsichtlich der Begründung *ihres* Glaubens. Gerade aber die Klärung dieser Frage, die für eine historisch schlüssige und theologisch überzeugende Bestimmung der Entstehung des Osterglaubens unverzichtbar ist, bleibt häufig aus oder wird nur unzureichend durch allgemeine Erwägungen zur psychologischen Situation der Jünger gegeben[65]. Einer Erklärung bedürfte schließlich auch noch die Tatsache, daß trotz dieser schon mit Jesu Tod (bzw. der Ankündigung und Erwartung seines gewaltsamen Todes) gegebenen Verheißung seiner Auferweckung und der im Glauben der Jünger historisch-faktisch erkennbaren Wirkung gerade diese „notwendige" Verknüpfung in den *frühen* Zeugnissen der Bekenntnistradition keine Rolle spielt[66].

Die auf den ersten Blick ideal erscheinende Möglichkeit der Begründung des Osterglaubens in der Verkündigung Jesu und einer aus seinem Gottesverhältnis und Sendungsanspruch hergeleiteten Verheißung seiner (unmittelbar oder doch in Bälde) seinem Tod folgenden Auferweckung erweist sich somit als recht problematisch; denn insbesondere findet das den Glauben und das Glaubenszeugnis der Jünger bleibend prägende Skandalon des Kreuzestodes Jesu zu wenig Berücksichtigung; aber auch die Frage nach dem Stellenwert des Zeugnisses von Erscheinungen für die Begründung des Osterglaubens erhält keine befriedigende Antwort.

2. Diese Vorbehalte sind auch geltend zu machen gegenüber ähnlich begründeten Hypothesen, die den Osterglauben *inhaltlich* ebenfalls vom Anspruch Jesu her zu begründen suchen, so daß die

[65] So gibt etwa *H. Giesen* als Grund für die Rückkehr der Jünger an ihre Arbeit nach Karfreitag an: „Sie waren unsicher geworden, ob Jesus denn tatsächlich jener war, für den sie ihn lange gehalten hatten"; und er begründet damit zugleich („deshalb") die Notwendigkeit eines „neuen Impulses" (Osterglaube 125). Es ist zutreffend, daß es ohne die Erscheinungen ebensowenig den Osterglauben gäbe, wie ohne das Leben und Wirken des historischen Jesus. „Beides zusammen ermöglicht erst den Glauben an den Auferweckten" (aaO. 126); die weiterhin offene und sehr entscheidende Frage ist aber gerade die nach dem „Wie" dieses „Zusammen"!

[66] Eine Berufung auf die Leidensankündigungen der syn Evv, speziell Mk 8,31 parr (... der Menschensohn müsse vieles leiden und verworfen werden von den Ältesten, den Hohenpriestern und Schriftgelehrten und getötet werden und nach drei Tagen auferstehen) oder auch Lk 24,7.26 (vgl. 7,25; 24,44), kann dieses Defizit nicht beheben, weil es sich dabei um späte Produkte der Glaubensreflexion handelt.

Funktion Jesu im Glauben der Jünger nach Ostern im wesentlichen mit der als identisch anzusehen ist, die er sich selbst in seiner Verkündigung bereits zugesprochen hatte. Die Erscheinungen werden dabei insofern integriert, als sie für die Formulierung des Jüngerbekenntnisses gebraucht werden; in ihnen erfahren die Jünger die Bestätigung der von Jesus gegebenen Ankündigung. Ganz wesentlich hängt die Überzeugungskraft solcher Begründung des Osterglaubens davon ab, ob die Bestimmung der Grundlage solcher Kontinuität in Botschaft, Wirken und Anspruch Jesu über den „Ostergraben" hinweg – die Berechtigung dieses Begriffs und der damit verbundenen Vorstellung von den Bedingungen der Entstehung des urchristlichen Kerygmas wird dabei in Frage gestellt[67] – als zureichender Erkenntnisgrund Geltung haben kann für das, was wir als „Osterglauben" benennen[68].

Im Kontext einer solchen, grundsätzlich in vielfältiger Art und Weise herstellbaren bzw. als Postulat erhebbaren Begründung des Osterglaubens im Wirken und im Sendungsanspruch Jesu[69] ist auch

---

[67] Mit *P. Hoffmann* ist aber die Aufgabe weiterhin in der historisch bestimmten Klärung der Frage zu sehen, „in welchem Verhältnis der historische Jesus und das urchristliche Osterbekenntnis zueinander stehen" (Der garstige breite Graben 101). Vgl. auch *W. Thüsing,* Erhöhungsvorstellung 16f; 30f.

[68] Zu dieser Zielsetzung der Überwindung „der Trennung zwischen dem Jesus der Geschichte und dem Christus des Glaubens" und der gleichzeitigen „prinzipielle(n) Infragestellung des zwischen dem Kreuz und Ostern ... aufgeworfenen Grabens" etwa *H. Verweyen,* Brennpunkte, Zitat S. 40; vgl. etwa auch 77f, zum Versagen der Jünger bei Jesu Passion nach der Mk-Darstellung: Es erscheine angesichts einer „bestimmten theologischen Intention des Markus" fragwürdig, „hieraus historische Rückschlüsse auf das Verhalten der Jünger in jener Entscheidungssituation zu ziehen. Gewiß, wer wäre hier nicht in Zweifel geraten! Aber wer kann ausmachen, wie viel von dem (wirklichkeitsgetreuen) Sehen der Jünger *nach* dem Tode Jesu seine entscheidenden Wurzeln in der Evidenz hat, die ihnen während des Lebens Jesu bis zu seinem letzten Hauch gegeben worden war?" Zeigt sich hier aber nicht doch die Gefahr, daß die Bestimmung der vorösterlichen Voraussetzungen durch eine Rückprojizierung der nachösterlichen Glaubensinhalte erfolgt?

[69] Es sei verwiesen auf die Studie von *L. Ruppert,* Jesus als der leidende Gerechte?, in welcher als Ergebnis eine „neue Sicht des Weges Jesu" formuliert wird mit folgenden Charakteristika (74f): „Wenn Jesus sehr wahrscheinlich seinem Leiden Sühnecharakter beigemessen hat (Mk 14,24; vgl. 10,45), dann wird er dies nicht seiner Eigenschaft als leidender *Gerechter,* sondern als leidender *Prophet* ... zugeschrieben haben (vgl. Lk 13,33b)". Und: „Die besondere theologische Leistung des historischen Jesus hätte somit darin bestanden, daß er sich als leidenden Gerechten *und* leidenden Propheten begriff, wobei er seine in oder nach dem Tod erwartete *Verherrlichung* als *Erhöhung* und zwar in der Weise der Einsetzung *zum* eschatologischen *Menschensohn* verstanden haben kann."

der jüngst vorgelegte Versuch von R. Pesch zu sehen, in welchem er die Menschensohnvorstellung als das entscheidende Kontinuum bestimmt. „Jesu Menschensohnworte und die Menschensohnvisionen der Jünger sind (vielleicht nicht allein) historische Vorgaben, welche die Entstehung des Osterglaubens, soweit sie historisch zugänglich ist, erklären."[70] Seine „These" – „Die Visionen des Auferstandenen ... waren Visionen, in denen Jesus den Zeugen als Menschensohn erschien und in denen den Jüngern die mit Jesu Menschensohnworten ... gegebene Verheißung seiner Auferweckung als erfüllt offenbart wurde" – entfaltet Pesch in 4 Schritten: Die Inhalte des Auferweckungsbekenntnisses (Erhöhung zur Rechten Gottes; universale Vollmachtsübertragung; Parusie als Menschensohn-Endrichter) gehören in die Menschensohnmessianologie; die frühesten Auferstehungstexte wurden ihrer christologischen Konzeption nach im Horizont der Menschensohnchristologie formuliert; die sog. Ostererscheinungen waren Menschensohnvisionen; Jesus selbst legte seine Sendung im Horizont der Menschensohnerwartung aus[71]. Als ein erstes, spezifisches Problem ergibt sich dabei, daß exegetisch der Nachweis nur schwer zu erbringen sein wird, Jesus habe seinen Sendungsanspruch in solch umfassender Weise mit dem Menschensohn-Titel formuliert, ja formulieren können. Nun läßt sich das Argument, daß es „eine jüdische Vorstellung von der Erhöhung und Einsetzung eines Toten zum Menschensohn (nicht) gab"[72], vielleicht noch mit dem Hinweis relativieren, daß Jesus unter den gegebenen Umständen (v. a. im Kontext der Botschaft des Täufers mit der Ankündigung des zum Gericht kommenden Menschensohnes) „sein eigenes messianisches Selbstverständnis im Horizont der Menschensohnmessianologie geortet hat", dann aber auch (für den Fall seines Todes) seine „notwendige" Auferstehung vorausgesagt hat[73]. Das würde dann bedeuten: Die Jünger hatten von Jesus eine Menschensohn-Vorstellung vermittelt bekommen, die über den Tod hinaus auch schon die durch die Auferweckung garantierte

---

[70] *R. Pesch,* Entstehung II 87.

[71] *R. Pesch,* Entstehung II 87.88–96. Zu Darstellung und Kritik *H. Giesen,* Osterglaube 120–123.

[72] *H. Kessler,* Sucht den Lebenden 210.

[73] *R. Pesch,* Entstehung II 94f. Auf die Problematik der Identifizierung des vom Täufer angekündigten Richters mit dem Menschensohn sei hier nur hingewiesen.

Richterfunktion Jesu (im Sinne des Logions Lk 12,8f par) als notwendigen Bestandteil enthielt. Da stellt sich dann wieder unvermeidlich die Frage nach dem Stellenwert der „Erscheinungen". R. Pesch versucht, diese als historisch und theologisch notwendig zu integrieren mit der Formulierung, daß erst durch sie den Jüngern die „*de facto-Evidenz* der Auferstehung" zuteil wurde. „Die Ostervisionen sind also der historische Ort, die notwendige Vorgabe der Entstehung des Glaubens an Jesu Auferstehung nach dem Karfreitag, in der der gekreuzigte Messias als der erhöhte Menschensohn kraft seiner Auferweckung identifiziert werden kann."[74] Und doch wird hier deutlich: Die *Begründung* des Osterglaubens ist (inhaltlich gesehen) nicht gebunden an die Ostervisionen; denn nicht die „Erscheinungen" des Gekreuzigten[75], sondern das Wort Jesu bestimmt seine darin „geoffenbarte" (aber eben: schon bekannte) Funktion als Menschensohn. Der Hinweis auf die „Notwendigkeit" von „Erscheinungen" kann nur noch als Versuch einer Integrierung historisch gut bezeugter Sachverhalte (nämlich der Erscheinungen) in ein theologisches System (die Menschensohn-*Christologie*) bewertet werden, in welchem sie allenfalls die Funktion geschichtlich zufälliger Ereignisse zugesprochen bekommen können. Als entscheidende Frage bleibt: Welche offenbarungsgeschichtliche Funktion kommt der Ostererfahrung in Sicht auf den geschichtlich wirkenden und den gekreuzigten Jesus zu? Oder bezogen auf die uns als Zeugnis in der historischen Rückfrage einzig zugängliche „Realität": Ist Jesus im Glauben der Osterzeugen im Vergleich mit der Zeit seiner Wirksamkeit etwas „anderes" geworden? Bringt also der Osterglaube nur einen *Erkenntnisfortschritt* der Jünger, oder ist mit ihm auch und wesentlich verbunden ein *Fortschritt im Bekenntnis zur Funktion Jesu?*

Damit ist auf ein weiteres Problem wenigstens noch hinzuweisen, welches sowohl für die historische Begründung des Osterglaubens

---

[74] *R. Pesch*, Entstehung II 96f. Vgl. auch 86: „Die Erscheinungen *des Auferstandenen* ... sind ... als der Ort des Durchbruchs der *de facto-Evidenz* zu bestimmen."

[75] Historisch gesehen kann man im Blick auf die Begründung des Osterglaubens einzig von den „Erscheinungen *des Gekreuzigten*" sprechen; als der Auferstandene „erscheint" er dann im Glauben der Jünger. Die Formulierung von *R. Pesch* – „Die Erscheinungen *des Auferstandenen* – nur so darf von den Ostervisionen gesprochen werden – sind dann als der Ort des Durchbruchs der *de facto-Evidenz* zu bestimmen" (Entstehung II 86) – ist Resultat der Bindung der Erscheinungen an das Menschensohn-Verständnis Jesu. Vgl. oben S. 70f.

als auch für die Bestimmung von dessen Funktion im Rahmen der frühen Christologie Beachtung finden muß, das aber häufig zu wenig Beachtung findet. Es ging für die Jünger Jesu nach dem Karfreitag nicht bloß um die Bewältigung des Todes Jesu, eine Integrierung desselben in ihren auf Jesu Wort und Tat gründenden Glauben (vergleichbar etwa mit dem Tod des Täufers, der als Martyrer für seinen Glauben, für die unbedingte Gültigkeit des im Gesetz niedergelegten Willens Gottes stirbt, und der deshalb *als Getöteter* Verehrung erfahren kann). Es ging vielmehr einmal um die Bewältigung der unüberbrückbar erscheinenden Kluft zwischen Jesu Vollmachtsanspruch in Wort und Wirken auf der einen Seite und seiner in der Hilflosigkeit des Leidens und der Hinrichtung offensichtlichen Ohnmacht auf der anderen Seite. Und es war zugleich der zutiefst theologisch bestimmte Konflikt um das Recht der Anhänger Jesu, *wie* sie angesichts der von diesem selbst heraufbeschworenen Auseinandersetzung um die Auslegung des Willens Gottes und dem damit in Verbindung stehenden Tod der Gottverlassenheit am Kreuz weiterhin auf Jesu Gottesverkündigung bauen konnten.

Wenn R. Pesch „abschließend" zur „Krise der Kreuzigung Jesu für seine Bekenner, seine Jünger" noch zu bedenken gibt, daß Jesus „durch seinen Tod, zu dem er im Namen des Gesetzes und des Kaisers, von Religion und Politik, verurteilt wurde, der Kommunikation mit den Jüngern entzogen (ist), deren Glaubensgemeinschaft er nicht mehr in leibhafter Gegenwart unmittelbar trägt", dann ist das eine deutliche Verharmlosung des durch das Kreuz bestimmten Konflikts für die Jünger; bedenklich verkürzt, der Hypothese vom vorgängigen Menschensohn-Bewußtsein angepaßt, klingt auch die Fortsetzung: „Die offene Frage, ob sich die mit der Sendung Jesu gegebene, im Glauben erkennbare Verheißung seiner Auferstehung tatsächlich erfüllte, fiel zur Beantwortung den Jüngern zu."[76]

3. Beim Versuch einer Erklärung der Entstehung des Osterglaubens müssen die genannten Bedingungen Berücksichtigung finden. Sie sind einerseits als historische und theologische Vorgaben Garantie für die Kontinuität des Jüngerbekenntnisses; sie bedingen gleichzeitig den Bruch. Beides kommt treffend zum Ausdruck in der Formu-

---

[76] *R. Pesch*, Entstehung II 96.

lierung von K. M. Fischer: „Jesus ist mit Ostern zu etwas geworden, was er vorher nicht war."[77] Wenn folglich der Osterglaube eine neue Einsicht zur Person und Funktion Jesu eröffnet, dann erweist sich die geläufige Aussage, die Erscheinungserfahrungen würden als „Bestätigung der Vollmacht Jesu" wirken[78], als nur bedingt zutreffend, und sie ist ergänzungsbedürftig, etwa im Sinne der Formulierung von A. Vögtle: „Gott hat durch die als Erhöhung in den Himmel verstandene Auferweckung Jesu die von diesem für sein Erdenwirken beanspruchte heilsmittlerische Funktion bestätigt und endgültig in Geltung gesetzt, damit er vom Himmel her als Mittler des Endheils in Erscheinung trete. Dieses österliche Urbekenntnis blickt in die Zukunft und erwartet das Endheil von der Parusie des Erhöhten ..."[79] Der in den Jüngern durch die Erscheinungen erweckte Glaube ist durchaus auch an der Vergangenheit orientiert, insofern sowohl die Gottesverkündigung Jesu als auch ihre Entscheidung zu Jesus durch das Kreuz widerlegt schienen, nun aber durch dieses Widerfahrnis der „Erscheinung" eben dieses Gottesbild Jesu und der Glaube der Jünger als eschatologisch bedeutsam erwiesen worden sind.

Die inhaltliche Hinordnung des mit Ostern eröffneten Glaubens auf Jesus und seine die Vollendung bringende Wiederkunft bei der Parusie[80] gibt die Möglichkeit, die Frage noch einmal aufzugreifen, ob das Bekenntnis zur Auferweckung notwendig als die älteste Formulierung des in den Jüngern durch die „Erscheinungen" gewirkten Glaubens anzusehen ist. Dazu kommt die Einsicht, daß in der Formulierung „er ist auferweckt worden" (ἠγέρθη) das Eigentliche des Bekenntnisses, nämlich Jesu neue Stellung und Funktion als Heilsmittler im Heilsplan Gottes noch gar nicht ausgesprochen ist[81].

---

[77] *K. M. Fischer,* Ostergeschehen 82.

[78] So z.B. *Ch. Demke,* Jesus Christus 86.

[79] *A. Vögtle,* Jesus Christus 73f. Vgl. auch *H. Merklein,* Auferweckung Jesu 12: Es ging „nicht nur um die Bestätigung von etwas Vergangenem, sondern weit mehr noch um die bleibende Geltung des eschatologischen Anspruchs Jesu".

[80] Vgl. etwa auch *H.-W. Bartsch,* Parusieerwartung und Osterbotschaft, in: EvTh 7 (1947/48) 115–126; *J. H. Hayes,* The Resurrection as Enthronement and the Earliest Christology, in: Int 22 (1968) 333–345; *F. J. Durwell,* Mystère pascal et Parousie, in: NRTh 105 (1973) 253–278; *H. Vorgrimler,* Hoffnung auf Vollendung. Aufriß der Eschatologie (QD 90) (Freiburg i.Br. 1980) 45f; 47–51.

[81] Vgl. *H. Kessler,* Sucht den Lebenden 281.

Deutlich wird dies auch bei Formulierungen des Inhalts der Osterbotschaft, die mit der Aussage von der Auferweckung Jesu seine neue „Funktion" verknüpfen[82] oder mit der frühen Christologie „die Auferweckung als Einsetzung in das messianische Amt" deuten[83]. An dieser Stelle ist noch einmal daran zu erinnern, daß streng genommen nicht die Auferweckung gedeutet wird und im Glauben gedeutet werden kann, sondern nur die „Erscheinung" des Gekreuzigten. Das Bekenntnis zur Auferweckung Jesu ist wie das zu seiner messianischen Einsetzung, zu seiner Einsetzung als Kyrios, Retter und Richter bereits eine „Interpretation" des Osterglaubens, und zwar eine unter anderen, wie v. a. die sicher gleichursprüngliche Erhöhungsaussage deutlich machen kann (vgl. bes. Phil 2,8 f; ähnlich 1 Tim 3,16)[84]. Es ist deshalb auch die Hypothese von E. Schweizer durchaus ernst zu nehmen, „daß das Osterereignis zuerst als Erhöhung, d. h. als göttliche Rechtfertigung (1 Tim. 3,16!), als Einsetzung in eine Würdestellung vor Gott, nicht eigentlich als Auferstehung im Sinne der Überwindung des Todes verstanden war"[85]. Gerade der letzte Gesichtspunkt verdient eigens betont zu werden. Es steht außer Zweifel, daß gegenüber der Redeweise von der Auferstehung Jesu das theologisch geortete Bekenntnis zur Auferweckung als das ursprünglichere zu gelten hat; es ist dies die Konsequenz aus der

---

[82] Vgl. *G. Friedrich,* Bedeutung 311: „Durch die Auferweckung hat Jesus Christus von Gott eine Funktion erhalten, die er vorher noch nicht gehabt hat. Er ist zum Erretter (Acta 5,30 f.), Richter (Acta 10,40–42) und zum Kyrios geworden (Acta 2,22–36)."

[83] Vgl. *H. Merklein,* Auferweckung Jesu 13. Ähnlich *U. Wilckens,* Auferstehung 38, zur „ältesten Christologie": „Für sie war Jesu Auferweckung als solche seine Erhebung in den Himmel zu Gottes rechter Hand."

[84] Vgl. dazu *W. Thüsing,* Erhöhungsvorstellung. Zu „Auferstehung" und „Erhöhung" auch *H. Schlier,* Auferstehung Jesu Christi 22–26; zu Mißverständnissen Anlaß geben könnte die Formulierung, daß „Auferstehung" und „Erhöhung" „vielleicht ursprünglich jeweils selbständige Interpretationen desselben Vorganges (!) waren" (23).

[85] *E. Schweizer,* Der Menschensohn, in: ders., Neotestamentica (Zürich/Stuttgart 1963) 56–84, hier 76. Auch nach *A. Vögtle* ist dieser Vorschlag zumindest „nicht einfach undiskutabel" (Osterglauben 114).

Vgl. auch *D. Zeller,* Entrückung zur Ankunft als Menschensohn (Lk 13,34 f; 11,29 f) (erscheint in der FS J. Dupont; ich danke Herrn Kollegen Zeller herzlich für die freundliche Zusendung des Manuskripts). Mit der These, „daß Auferstehung und Entrückung religionsgeschichtlich verschiedene Typen von Hoffnung auf Überwindung des Todes sind", läßt sich nach Zeller auch für „die Q-Tradenten" die Berührung mit dem Osterglauben belegen; zur Entrückungsvorstellung gehören die Parusieerwartung und die Menschensohnvorstellung.

theologisch ausgerichteten Verkündigung Jesu. Jesus wird hier mitgenannt als gewissermaßen Betroffener, als der, an dem sich Gottes Vollmacht in einmaliger Weise gezeigt hat. Blicken wir nun aber auf Jesu Gottesverkündigung, so hatten wir für die Charakterisierung der Stellung Jesu im Rahmen dieser Verkündigung den Begriff „heilsvermittelnd“ als zutreffend anerkannt. Die Erfahrung der „Erscheinung“ verlangte von dieser Vorgabe her nun auch eine Antwort auf die Frage nach dem Platz Jesu im Heilsplan Gottes nach dem Karfreitag. Das Problem lag somit nicht in erster Linie in Jesu Tod an sich; der kritische Punkt war Jesu Tod in der besonderen Konstellation einmal des Kreuzes und dann der von Jesus beanspruchten und nun in die Krise geratenen Vollmacht. Die Lösung dieses Problems war nicht mit der bloßen Behauptung von der Überwindung des Todes möglich; sollte der kritische Punkt eine Klärung und eine Lösung erfahren, galt es, den gegenwärtigen Status Jesu in der Beziehung Gottes zu den Menschen im Glauben neu zu bestimmen. Die „Erscheinungen“ des Gekreuzigten führten die Jünger nicht nur zum Bekenntnis zur Vollmacht *Gottes*, der den Fluchtod durch seine Tat der Auferweckung Jesu gewendet hatte; sie führten zugleich – und m. E. notwendigerweise von Anfang an[86] – zum *christologischen Bekenntnis*.

Diese ursprüngliche Bekenntnisformulierung im einzelnen auch titular festlegen zu wollen, erscheint nur bedingt möglich. Anknüpfungspunkte dafür boten jedoch die beiden für die Jünger nun zentralen Daten der Geschichte Jesu im Rahmen der Heilsgeschichte: der Tod am Kreuz und seine Parusie. Spätestens mit der „Hinrichtung Jesu als Messiasprätendent“[87] war die Frage akut geworden, inwieweit diese „Kategorie des Messianischen“ zutreffend war[88]. Unter Aufnahme der Anklage und des Verurteilungsgrundes konnte (und mußte) nun die Gemeinde ihren Osterglauben formulieren in dem Bekenntnis zu Jesus, „geboren aus dem Samen David, eingesetzt zum Sohn Gottes seit (aufgrund) der Auferstehung von den To-

[86] Vgl. auch *E. Schweizer,* Auferstehung 17. In der Formulierung von *H. Merklein,* daß „der Glaube an die Auferweckung Jesu, der zunächst eine Aussage über Gott zum Inhalt hatte, sehr bald auch zu christologischen Aussagen führen (mußte)“ (Auferwekkung Jesu 4f), liegt eine überflüssige zeitliche Einschränkung vor.
[87] *A. Vögtle,* Osterglauben 117.
[88] Vgl. *H. Merklein,* Auferweckung Jesu 12.4–16.

ten“ (vgl. Röm 1,3b.4)[89]. Die an Jesus als den Messias Glaubenden lebten jetzt aber auch in einer durch die „Erscheinungen“ gesteigerten und intensivierten Naherwartung[90]. Der zu Gott erhöhte und mit Vollmacht ausgestattete Jesus wurde als der zum unmittelbar bevorstehenden Gericht Wiederkommende erwartet, und dafür bot sich der in der zeitgenössischen apokalyptischen Erwartung im Himmel weilende und zum Gericht kommende Menschensohn unmittelbar an. Es wäre deshalb „voll verständlich, daß diese Vorstellung von dem als Richter offenbar werdenden himmlischen Menschensohn auf den erhöhten Jesus übertragen wurde, um den Glauben an seine Parusie auch von einer verfügbaren Form eschatologischer Erwartung her zu begründen“[91]. Einen Beleg für diese im Osterglauben gründende Parusieerwartung gibt uns die ebenfalls von Paulus übernommene Formel 1 Thess 1,9f, in deren Mitte die Erwartung Jesu als „Sohn Gottes aus den Himmeln“ und die Errettung der Seinen „vom kommenden Zorngericht“ steht. Für die ursprüngliche Form dieser summarischen Zusammenfassung einer Missionspredigt ist mit guten Gründen zu vermuten, daß anstelle des Sohnes-Titels zu Anfang vom „Menschensohn“ die Rede war, und daß auch die Auferweckungsaussage sekundär zusammen mit dem Sohnes-Titel eingesetzt worden ist[92].

Man muß sich von der Vorstellung frei machen, der entscheidende Schritt in der Begründung des christologischen Bekenntnisses habe darin gelegen, daß die Jünger die Auferweckung/Auferstehung Jesu deuten und in ihr Glaubensverständnis integrieren muß-

---

[89] Zur Diskussion um die Röm 1,3.4 zugrundeliegende traditionelle Formel sind stellvertretend zu nennen *K. Wengst,* Christologische Formeln und Lieder des Urchristentums (StNT 7) (Gütersloh 1972) 112–117; *J. Becker,* Auferstehung der Toten 18–31. Ein Überblick zur Diskussion (mit Lit.) bei *H. Merklein,* Auferweckung Jesu 13ff mit Anm. 48 u. 49.

[90] Vgl. *A. Vögtle,* Osterglauben 119. Vgl. auch *H. Balz,* Eschatologie und Christologie, in: Das Wort und die Wörter. FS G. Friedrich (hrsg. v. H. Balz und S. Schulz) (Stuttgart 1973) 101–112.110: „Wer Jesus war und was er den Seinen bedeutete, ließ sich ... nicht ohne die Elemente der Eschatologie aussagen.“

[91] *A. Vögtle,* Jesus Christus 75. Vgl. auch *S. Schulz,* Q. Die Spruchquelle der Evangelisten (Zürich 1972) 63; *P. Hoffmann,* Art. Auferstehung 496f; *W. Thüsing,* Die neutestamentlichen Theologien und Jesus Christus. Bd. I Kriterien aufgrund der Rückfrage nach Jesus und des Glaubens an seine Auferweckung (Düsseldorf 1981) 120 (118–125).

[92] So *J. Becker,* Auferstehung der Toten 33–35 (32–41); *P. Hoffmann,* Art. Auferstehung 488. Anders *H. Merklein,* Auferweckung Jesu 18–24.

ten. Die entscheidende Krise ihres Glaubens war das Kreuz; und in der durch das Widerfahrnis der „Erscheinungen" des Gekreuzigten ermöglichten Bewältigung dieser Krise liegt der Ursprung des christologischen Bekenntnisses. Die Aussage von der Auferweckung ist ein in dieses Bekenntnis gehörendes Interpretament; sie ist Konsequenz des durch Ostern ermöglichten Glaubens, daß Jesus die in seiner Botschaft verkündete Verheißung der Neubestimmung im Verhältnis des Menschen zu Gott als der zur Parusie wiederkommende Menschensohn einlösen wird.

IV

Die österliche Dimension des Todes Jesu

Zur Osterverkündigung in Mt 27,51–54

Von Ingrid Maisch, Freiburg

Mattäus überliefert im Anschluß an den Tod Jesu eine merkwürdige, nur ihm eigene Szene: wunderbare Dinge geschehen, gipfelnd in der Auferstehung der Toten (Mt 27,51b–53). Was gemeinhin im NT als Folge der Auferstehung Jesu verkündet wird, gilt hier als Frucht seines Todes. Was bedeutet diese Szene? Handelt es sich um eine fragmentarische Schilderung der Hadesfahrt Christi zur Befreiung der Toten[1] oder um eine altertümliche Überlieferung, in der sich die Stimmung der ersten Tage erhalten hat, einschließlich des Wissens darum, daß die Auferstehung Jesu kein isoliertes Ereignis, sondern mit vielen Auferstehungen[2] verbunden war? Oder sind Tod und Auferstehung Jesu bei Mattäus zu einer Einheit verschmolzen? Bei der Beantwortung dieser Fragen kann keines der Zeichen – auch nicht die spektakuläre Totenauferstehung – isoliert betrachtet werden, da alle aufs engste miteinander verbunden sind. Der folgende Aufsatz wird sich daher – anders als die Spezialliteratur zu diesem

---

[1] Die Apokryphen kennen die mythische Vorstellung von der Hadesfahrt Christi – sei es zur Predigt vor den Entschlafenen (PetrEvg 41; Epistula Apostolorum 21, aeth. und kopt. Version), sei es zur Überwindung der Todesmacht und zur Befreiung der Toten („es wurden die ehernen Tore zerschlagen und die eisernen Querbalken zerbrochen und die gefesselten Toten alle von ihren Banden gelöst und wir mit ihnen", Höllenfahrt Christi 5,3). Allerdings ist die Auferstehung der Toten, die sich vielen in Jerusalem zeigen und deren Gräber man geöffnet und leer findet (Höllenfahrt 1,1), an die Auferstehung Jesu gekoppelt (vgl. die Lichterscheinungen zu mitternächtlicher Stunde, Pilatusakten 15,6; Höllenfahrt 2,1).
Während *M. Dibelius*, Die Formgeschichte des Evangeliums (Tübingen [5]1966) 270, und *J. Schniewind*, Das Evangelium nach Markus. Das Evangelium nach Matthäus (Göttingen [8]1959) 273, in Mt 27,52f „vielleicht" eine Andeutung der Hadesfahrt erkennen, werden derartige Bezüge heute eher abgelehnt, vgl. *E. Schweizer*, Das Evangelium nach Matthäus (Göttingen [15]1981) 338.

[2] So *J. Jeremias*, Neutestamentliche Theologie I (Gütersloh [2]1973) 293, der in Mt 27,52f „ein Stück Urgestein der Überlieferung" erkennt, ebd. 294.

Text – mit der gesamten Szene (einschließlich der Verse 51 a und 54) befassen.

1. Synoptischer Vergleich (Mk 15,38.39; Mt 27,51–54)

Nach der knappen Erwähnung des Sterbens Jesu unter lautem Schreien bringt Markus als deutendes Begleitzeichen dieses Sterbens das Zerreißen des Tempelvorhangs. Der römische Hauptmann, der dem Kreuz und damit dem Sterbenden gegenübersteht, erkennt an der Art des Sterbens („daß er so starb"), wer dieser Sterbende ist; er bekennt, daß dieser Mensch (ein? der?) Sohn Gottes war. Innerhalb des Evangeliums nimmt dieses Bekenntniswort eine bedeutsame Stelle ein; es ist das Schlußwort in einer Reihe von Sohn-Gottes-Aussagen, die das Evangelium durchziehen (Mk 1,1.11; 5,7; 9,7) und beim Kreuz im Wort eines Heiden gipfeln. Die Deutenotiz vom Zerreißen des Tempelvorhangs ist offensichtlich nur für den Leser gedacht; der Hauptmann ist nicht Zeuge dieses Geschehens, sondern nur des Sterbens Jesu. Sein Bekenntnis ist demnach allein auf das Sterben, nicht auf sonstige Begleiterscheinungen bezogen. Im Tod endlich offenbart sich, daß der Mensch Jesus der Sohn Gottes ist; die schon in der Überschrift geäußerte Absicht des Markus, seinen Lesern Jesus als den Sohn Gottes zu zeigen, ist damit erreicht (vgl. Mk 1,1).

Mattäus folgt nach der Erwähnung des Sterbens Jesu (Mt 27,50) zunächst dem Markusfaden: eine erste Konsequenz des Todes Jesu ist das symbolträchtige Zerreißen des Tempelvorhangs (V. 51 a). Er nimmt aber schon in diesem Versteil zwei Änderungen vor: die Wortfolge wird umgestellt (die Betonung liegt auf εἰς δύο, entzwei), und das einfache „und" wird durch „und siehe" aufgewertet. Durch dieses Signalwort werden alle folgenden Ereignisse der besonderen Aufmerksamkeit des Lesers empfohlen.

Die weiteren Begleitzeichen des Todes Jesu (V. 51 b–53) sind ohne Parallele bei Markus.

Der Markusfaden wird mit V. 54 wieder aufgenommen, wobei die Vorlage mehrfach verändert wird. Das bei Markus verwendete Lehnwort κεντυρίων (Kenturion, lat. centurio) wird bei Mattäus durch das griechische Wort „Hundertschaftsführer" ersetzt (ἑκατόνταρχος, vgl. Lk 23,47 ἑκατοντάρχης). Außer dem Hauptmann werden auch jene erwähnt, „die mit ihm Jesus bewachten"; daher werden die folgenden Handlungen (sehen, sich fürchten, sagen) aus dem Singular in den Plural übertragen und das Bekenntniswort wird als Chorschluß vorbereitet.

Die Gruppe beim Kreuz sieht „das Erdbeben und die (übrigen) Geschehnisse"; die Formulierung läßt offen, was zu den „Geschehnissen" gehört. Vom Wortlaut her wäre jedenfalls anzunehmen, daß der Hauptmann und die Wachmannschaft im Augenblick des Todes Jesu bereits Dinge „sehen", die sich erst nach seiner Auferstehung ereignen; bei einer Streichung der Zeitangabe wären auch die in V. 53 genannten Ereignisse von den Zeugen zu sehen.

Über Markus hinaus wird die Reaktion dieser Zeugen erwähnt: „sie fürchten sich sehr", und sie legen ein Bekenntnis ab. Nicht mehr die Art des Sterbens Jesu wie bei Markus, sondern die äußeren Begleitumstände lösen die Reaktion aus. Der Tod bzw. das Sterben Jesu wird – vordergründig gesehen – nicht mehr reflektiert, wohl aber durch die ihm folgenden Zeichen und die aus Theophanieschilderungen bekannte „Furcht" gedeutet.

Das Wort des Hauptmanns wird durch die mattäischen Veränderungen zu einem bekennenden Chorschluß. Inhaltlich sind mehrere Änderungen zu notieren. Die Wortfolge wird umgestellt; der Bekräftigungsformel „wahrhaft" folgt sofort die Gottessohn-Aussage. Während bei Markus das artikellose „Sohn Gottes" immerhin auch die mißverständliche Deutung „(ein) Sohn Gottes (neben vielen anderen)" zuläßt, wird der Leser bei Mattäus durch die Umstellung von „Sohn Gottes" zu „Gottes Sohn" auf das richtige Verständnis festgelegt: des einzigen Gottes einziger Sohn war dieser! Die bedeutsamste Veränderung liegt in der Streichung des Wortes „Mensch"; die mattäische Erzählung berichtet nicht mehr vom Menschen Jesus, der als Sohn Gottes erkannt wird, sondern sie berichtet vom Gottessohn!

2. *Die Verse 51b–53 in der Diskussion*

2.1 Zu Herkunft und Intention der Verse 51b–53

Schon ein flüchtiger synoptischer Vergleich zeigt, daß die Erwähnung der wunderbaren Zeichen, die den Tod Jesu begleiten bzw. auf ihn folgen, zum Sondergut des Mattäus gehören. Woher aber bezieht Mattäus diesen Text?

Zunächst wird man davon ausgehen dürfen, daß dem Mattäus keine zusätzlichen historischen Nachrichten über die Todesstunde Jesu zur Verfügung standen. Die Diskussion wird daher nicht auf der historischen, sondern auf der literarischen Ebene ansetzen müssen. Die theologische Aussage der Stelle ist damit in keiner Weise gemindert, denn „auch die ‚Legende' redet von Wirklichkeiten, die im Wort Jesu und in der Predigt der ersten Gemeinde beständig verkündet wurden" – so J. Schniewind zum „Sonderbericht" des Mattäus[3].

In der Diskussion um die Herkunft der Verse 51b–53 werden unterschiedliche Entstehungsmöglichkeiten genannt, die letztlich in der Frage gipfeln, ob Mattäus ein älteres Traditionsstück in die Markusvorlage eingearbeitet oder die Szene selbst geschaffen hat. Damit hängt die weitere Frage zusammen, welche Ziele Mattäus mit der Einarbeitung dieses Textes in seine Darstellung des Todes Jesu verfolgt hat.

Im einzelnen werden folgende Möglichkeiten diskutiert:

- Herkunft aus einem fragmentarisch überlieferten Osterbericht (1),
- Herkunft aus einer alten Ostertradition, wie sie auch in apokryphen Texten bezeugt ist; die Vorlage des Mattäus kann rekonstruiert werden (2),
- Herkunft aus einem jüdisch-apokalyptischen Hymnus, der die Auferstehung der Toten in der Endzeit beschreibt; die Vorlage des Mattäus kann rekonstruiert werden (3),
- Herkunft aus einer älteren jüdischen (judenchristlichen?) Tradition, die dem Mattäus schriftlich vorlag; die Vorlage des Mattäus kann rekonstruiert werden (4),
- Herkunft aus der mattäischen Redaktion unter Verwendung alttestamentlich-jüdischer Motive (5).

---

[3] AaO. (Anm. 1) 273.

Da sich die neueren Diskussionsbeiträge um Herkunft und Bedeutung des mattäischen Textstücks sehr stark mit dem inhaltlich verwandten Text Ez 37 und dessen Auslegungsgeschichte befassen, sollen diese Bezüge in einem Exkurs eigens dargestellt werden.

ad 1) Herkunft aus einem fragmentarisch überlieferten Osterbericht
Eine frühe Vermutung, wonach Mattäus einen bereits geformten Bericht in sein Evangelium einträgt, findet sich in einer Arbeit von *H. Zeller,* der allerdings nur die Verse 52b und 53 als traditionelles Erzählstück bewertet[4]. Eine gewisse Unsicherheit ergibt sich lediglich bei der Zeitangabe „nach seiner Auferstehung"; nach Abwägung verschiedener Argumente hält Zeller eine mattäische Interpolation aus theologischen Gründen für nicht zwingend[5], so daß die Vorlage des Mattäus folgenden Inhalt hatte: Viele Heilige, die entschlafen waren, wurden auferweckt; nach seiner Auferstehung verließen sie ihre Gräber, gingen in die heilige Stadt und erschienen vielen. –

In den folgenden Jahren gewann die Meinung, Mattäus habe eine Vorlage übernommen und bearbeitet, immer mehr Anhänger; allerdings wurde die postulierte Vorlage selten genauer untersucht. Manche Autoren begnügen sich mit dem vagen Hinweis auf einen fragmentarischen Osterbericht, über dessen Alter und Herkunft die Meinungen weit auseinanderliegen. Exemplarisch seien hier die Überlegungen von Ph. Seidensticker und W. Trilling erwähnt.

Ph. Seidensticker geht von zwei Modellen zur literarischen Darstellung der österlichen Offenbarung aus. Die ursprünglichere Form ist der Galiläische Typ, bei dem Jesus mit apokalyptischen Stilmitteln als der erhöhte und in Macht eingesetzte Menschensohn erfahren wird; eine andere Form ist der Jerusalemer Typ, bei dem Jesus im Horizont der eschatologischen Auferstehungs-Erwartung gedeutet wird[6]. Seidensticker vermutet, daß sich der Jerusalemer Typ (Auferstehung der Toten dem Fleische nach) unter dem wachsenden Ein-

---

[4] *H. Zeller,* Corpora Sanctorum (Mt 27,52–53), in: ZKTh 71 (1949) 385–465.400.
[5] Ebd. 405–407; die Präposition „nach" ist hier nicht zeitlich, sondern sachlich verstanden, d.h. die Abhängigkeit der Auferweckung der Heiligen von der Auferstehung Jesu soll betont werden, ebd. 407.
[6] *Ph. Seidensticker,* Auferstehung Jesu 54f; 146f; *ders.,* Zeitgenössische Texte zur Osterbotschaft der Evangelien (SBS 27) (Stuttgart ²1968) 43.52.

fluß pharisäischer Judenchristen durchsetzt, obwohl die galiläisch-apokalyptische Osterüberlieferung reicher an heilsgeschichtlichen Bezügen ist[7]. Diese ist in einigen Texten des NT (Mt 28,16–20; Mk 9,2–10; 2 Petr 1,16–19) sowie in zwei Fragmenten apokalyptischer Osterberichte noch greifbar (Mt 28,2–5 Öffnung des Grabes durch den Engel; Mt 27,51–53 die apokalyptischen Zeichen). Die Verse 51–53 sind demnach Teil eines älteren Osterberichts[8], dem Mattäus lediglich eine redaktionelle Zeitkorrektur beigegeben hat[9]. Ziel des apokalyptischen Osterfragments war es, „die eschatologische Bedeutung des Kreuzestodes" zu beleuchten; vor allem die Auferstehung der Gerechten interpretiert Ostern als „Vollendung der Heilsgeschichte der Menschheit"[10].

Auch für *W. Trilling* spricht manches für die Annahme, hinter dem mattäischen Text werde das „Fragment eines alten Osterberichts" erkennbar; jedenfalls könnte der Einschub „nach seiner Auferstehung" ein Indiz für ein ursprünglich selbständiges Stück sein, das anderswo beheimatet ist[11]. Mit letzter Sicherheit möchte Trilling diese Frage aber nicht beantworten, da das Stück durch mattäischen Stil geprägt ist; abschließend wählt er jedenfalls eine vorsichtige Formulierung: „Wir stoßen auf geprägte biblische Sprache, die der Evangelist bewußt aufnimmt."[12] Insgesamt hält er – anders als Seidensticker – das mattäische Sondergut für eine eher späte als frühe Tradition.

Gegenüber diesen und anderen Versuchen, Mt 27,51b–53 aus einem verlorenen Osterbericht abzuleiten, ist allerdings darauf hinzuweisen, daß die apokalyptischen Zeichen durch die Angabe „nach seiner Auferstehung" nur mühsam mit dem Ostergeschehen verbunden sind; ihr ursprünglicher Ort dürfte daher – sofern sie judenchristlichen Ursprungs sind – die Todesszene sein.

[7] *Ph. Seidensticker*, Auferstehung Jesu 57.
[8] Ebd. 55.147.
[9] Texte 51.
[10] Ebd. 50f.
[11] *W. Trilling*, Christusverkündigung in den synoptischen Evangelien (Bibl. Handbibliothek 4) (München 1969) 196.
[12] Ebd. 223.

ad 2) Herkunft aus einer alten Ostertradition, wie sie auch in apokryphen Texten bezeugt ist

Nach der These von *D. Hutton*[13] benützt Mattäus für die Schilderung der Ereignisse bei Tod und Auferstehung Jesu eine ihm vorliegende Epiphaniegeschichte, die auch der Verfasser des apokryphen Petrusevangeliums – unabhängig von Mattäus – verwendet. Mattäus verbindet demnach bei seiner Darstellung des Ostermorgens Teile der alten Epiphaniegeschichte mit der Markus-Vorlage: Hinweis auf die nächtliche Stunde (vgl. Mt 28,1; PetrEvg 35a), kosmische Zeichen (vgl. Mt 28,2a; PetrEvg 35b), Herabkunft einer himmlischen Gestalt (vgl. Mt 28,2b; PetrEvg 36a), Lichterscheinung (vgl. Mt 28,3; PetrEvg 36b) sowie Öffnung des Grabes (vgl. Mt 28,2c; PetrEvg 37). Da die kanonischen Evangelien davor zurückschrekken, die Auferstehung Jesu – genauer: das Herauskommen aus dem Grab – direkt zu beschreiben, verzichtet Mattäus darauf, die Epiphaniegeschichte weiter auszuschreiben. Es geht dabei vor allem um folgende, im PetrEvg noch erhaltene Motive: die Erscheinung der beiden himmlischen Gestalten mit Christus und dem Kreuz, die Furcht der Wächter und ihr Zeugnis vor Pilatus sowie das Sohn-Gottes-Bekenntnis. Diese in Mt 28 unterdrückten Elemente habe Mattäus in seine Darstellung des Todes Jesu eingearbeitet, um so die eschatologische Bedeutung dieses Todes zu unterstreichen; es handelt sich um die Auferstehung der Heiligen (als Ersatz für die tabuisierte Darstellung der Auferstehung Jesu), um die Furcht der römischen Wächter und um das Bekenntnis zu Jesus als dem Sohn Gottes.

Die alte Epiphaniegeschichte berichtet demnach von den Osterereignissen zu nächtlicher Stunde, von den kosmischen Begleitzeichen und den Vorbereitungen der Auferstehung Jesu, von der Auferstehung aus dem Grab heraus, von der Furcht der Wächter und dem abschließenden Bekenntnis zum Auferstandenen als Sohn Gottes. Diese Abfolge der Ereignisse ist im Petrusevangelium noch zu erkennen; die Erzählung ist aus Mattäus rekonstruierbar, sofern man die Ereignisse aus Mt 27 und 28 umstellt. Mattäus hat demnach

---

[13] *D. D. Hutton,* The Resurrection of the Holy Ones (Mt 27,51b–53) (ungedruckte Diss. Harvard 1969). Ein ausführliches Referat dieser Arbeit findet sich bei *D. Senior,* Death of Jesus; vgl. auch *M. Riebl,* Auferstehung Jesu 66.

die alte Epiphaniegeschichte gekannt, ihre Elemente aufgeteilt und an verschiedenen Stellen seines Evangeliums neu verwendet. Mt 27,51b–53 ist nach dieser Meinung der Abschluß der alten Ostergeschichte und erzählt in verhüllter Weise die Auferstehung Jesu selbst.

Diese These wurde aus unterschiedlichen Gründen (Wortstatistik, Redaktionskritik) von der Kritik zurückgewiesen[14]; vor allem ist zu bedenken, daß das Petrusevangelium hier wie an anderen Stellen stark vom Mattäus-Evangelium abhängig ist und sich daher zur Rekonstruktion einer mattäischen Vorlage denkbar schlecht eignet[15].

Exkurs: Mt 27,51b–53 im Horizont von Ez 37

Während der endzeitlich-apokalyptische Hintergrund der einzelnen Bildelemente in Mt 27 längst gesehen wird, suchen einige Autoren (z.B. Schenk, Senior, Riebl) auch nach Parallelen für den gesamten Bildkomplex. Dabei rückt besonders Ez 37,1–14 in den Blick; es handelt sich um eine Vision (V. 1–10) sowie deren Deutung (V. 11) und einen Auftrag an den Propheten (V. 12–14).

Die *Vision:* der Prophet wird im Geist in die Ebene geführt, die mit Totengebeinen erfüllt ist. Auf die Frage, ob diese Gebeine wohl jemals wieder lebendig werden können, antwortet er ausweichend, eher verneinend. Daraufhin soll er die Gebeine mit seinem Prophetenwort ansprechen, bis sie mit Sehnen, Fleisch, Haut umgeben und schließlich mit lebendigem Atem erfüllt sind; aus den Totengebeinen sind lebendige Wesen geworden.

Die *Deutung:* die Totengebeine sind ein Bild für Israel im Exil, ein Volk ohne Hoffnung, ohne Leben.

Der *Prophetenauftrag:* der Prophet soll dem mutlosen Volk verkünden, daß Gott seine Gräber öffnet, es aus den Gräbern heraufholt und lebendig macht und in sein Land zurückbringt. – Vor allem das Gotteswort innerhalb des Auftrags hat Ähnlichkeiten mit der mattäischen Szene: die Gräber werden von Gott geöffnet – die To-

---

[14] Zur Auseinandersetzung mit D. D. Hutton vgl. *D. Senior,* Death of Jesus 315–318, und *M. Riebl,* Auferstehung Jesu 66.

[15] Über Theologie und Entstehungsgeschichte des Petrusevangeliums informiert *Chr. Maurer,* Petrusevangelium, in: Neutestamentliche Apokryphen I (hrsg. v. E. Hennecke – W. Schneemelcher) (Tübingen 1968) 119–121.

ten kommen heraus aus den Gräbern – die Auferweckten gehen hinein (in das Land Israel, in die heilige Stadt).

Die Totengebeine und ihre Beseelung sind ursprünglich ein Bild zur Deutung der trostlosen Wirklichkeit im Exil und ein Aufruf zur Hoffnung auf Befreiung – gegen alle Hoffnung. Das „Öffnen der Gräber" durch Gott selbst (V. 12f), das ohne Anhaltspunkt in der Vision ist, ist ein neues Hoffnungsbild für Befreiung und heilvolle Zukunft. Was dem gesunden Menschenverstand unmöglich erscheint (das Herauskommen der Toten aus den Gräbern), ist bei Gott möglich; im Bild gesprochen: er macht Tote lebendig, ohne Bild gesprochen: Israel wird wieder in seinem Land leben. – Die ursprüngliche Intention von Ez 37,1–14 liegt in der Zusage, daß das politisch untergegangene Gesamtisrael von Gott gesammelt und als Einheit im Lande wiederhergestellt wird[16]. Im Verlauf der Auslegungsgeschichte dieses Textes trat der ursprüngliche geschichtliche Sinn in den Hintergrund; das Interesse verlagerte sich auf die endzeitliche Totenerweckung. Ein deutliches Beispiel für diese jüngere Auslegung findet sich im unteren Fries der Nordwand von Dura-Europos: „Das Synagogenbild von Dura versteht die Erweckung der Toten nicht als Bild für das Befreiungsgeschehen an den Verbannten Israels, sondern als eine reale Totenerweckung. Indem es diese Erwekkung auf dem Hintergrund eines gespaltenen Berges darstellt, auf dem ein Haus im Erdbeben zerbricht, verrät es", daß es den Vorgang analog zu dem Erdbeben in Ez 38,19f „als ein endzeitliches Geschehen verstanden hat und in Ez 37 die Zusage einer kommenden Totenauferweckung ausgesprochen findet"[17] Für einen Vergleich mit Mt 27 eignet sich daher weniger der ursprüngliche Text als vielmehr seine spätere bildliche Darstellung in Dura-Europos. *H. Riesenfeld* hat bereits vor Jahren „auf die mehrfachen Übereinstimmungen zwischen Matth 27,51b–53 und der Auferstehungsdarstellung nach Ez 37 in Duras-Europos (!) hingewiesen"[18]. In der Folgezeit haben mehrere Neutestamentler diese Vermutung aufgegriffen und die

[16] *W. Zimmerli,* Ezechiel (BKAT XIII,2) (Neukirchen 1969) 900.

[17] Ebd. 899. Zimmerli erinnert daran, daß diese Zusammenhänge auch für die späteren christlichen Darstellungen von Bedeutung wurden.

[18] *W. Schenk,* Der Passionsbericht nach Markus (Gütersloh 1974) 78, mit Bezug auf *H. Riesenfeld,* The Resurrection in Ezechiel 37 and the Dura-Europos Paintings (Uppsala 1948) 11.

Einzelmotive sowie deren charakteristische Verbindung in Mt 27 mit der von Ezechiel zu Dura-Europos führenden Auslegungstradition in Verbindung gebracht[19].

Folgende Bildelemente sind für Mt 27 – über die genannten Motive hinaus – von besonderer Bedeutung: die Erweckung der Toten – der gespaltene Berg – das Erdbeben. Die Einzelbilder von Mt 27 sind demnach in der geistigen Welt, aus der Mattäus (oder seine Vorlage) stammt, im einzelnen und im geschlossenen Bildzusammenhang durchaus bekannt. Allerdings dürfen bei der Herausstellung dieser Bezüge andere alttestamentlich-apokalyptische Parallelen nicht völlig ausgeschlossen werden. Hinter Mt 27 steht die lebendige Erfahrung der umfassenden alttestamentlich-jüdischen Bildwelt.

ad 3) Herkunft aus einem jüdisch-apokalyptischen Hymnus

Auch *W. Schenk*[20] sieht Ähnlichkeiten zwischen Mt 27 und 28; er setzt aber – anders als D. Hutton – keine in der Reihenfolge umgestellte Ostergeschichte voraus, sondern vermutet hinter beiden Darstellungen eine gemeinsame Tradition. Dadurch würden sich die gemeinsamen Elemente erklären lassen: das Erdbeben, die geöffneten (Felsen-)Gräber bzw. das geöffnete (Felsen-)Grab, das Herauskommen aus den Gräbern bzw. aus dem Grab, der Gang in die Stadt und die Erscheinung vor vielen bzw. die Erscheinung vor den Frauen, die sich auf dem Weg in die Stadt befinden. Allerdings sind auch Unterschiede zwischen Mt 27 und 28 zu beachten: die Öffnung der Gräber geschieht in Mt 27 durch das Erdbeben, in Mt 28 durch den Engel; in Mt 27 erbebt die Erde, in Mt 28 erbeben auch die Wächter beim Grab; in Mt 27 kommen die Auferweckten aus den Gräbern, während die Auferweckung Jesu nicht erzählt wird. Die Zusammenhänge zwischen den mattäischen Sonderangaben seiner

[19] *W. Schenk,* aaO. (Anm. 18) 77f, sieht den hinter Mt 27 stehenden jüdisch-apokalyptischen Text als ein Zwischenstück zwischen der ursprünglichen Bedeutung von Ez 37 und der bildhaften Gestaltung in Dura-Europos; *D. Senior* (Death of Jesus 321) nimmt an, daß Mt die Motive aus Ez und ihre spezifische Verwendung im damaligen Judentum kennt und eigenständig verarbeitet hat; für *M. Riebl* (Auferstehung Jesu 48) ist eine direkte oder indirekte Abhängigkeit zwischen Ez 37 und der hinter Mt 27 stehenden Tradition anzunehmen.

[20] AaO. (Anm. 18) 75–82.

Passions- und Ostergeschichte lassen sich nach Schenk durch die Annahme erklären, „daß Matthäus einen apokalyptischen Hymnus hier direkt wie dort indirekt benutzt, um sowohl den Tod Jesu als auch seine Auferweckung apokalyptisch zu beschreiben und zu deuten“ (78).

Bei der Vermutung, Mattäus benutze einen apokalyptischen Hymnus, geht Schenk von folgenden Beobachtungen aus: das von Markus übernommene apokalyptische Ereignis (Zerreißen des Tempelvorhangs) wird durch sieben weitere Ereignisse erweitert. Die umständliche Verknüpfung des Schicksals der Heiligen mit der Auferstehung Jesu am dritten Tage – „die Auferweckten sind danach drei Tage in den Gräbern, ehe sie aus ihnen heraus- und in die Stadt hineingehen“ (75) – macht deutlich, daß es sich bei den Versen 51b–53 um eine Sondertradition handelt, die erst Mattäus mit der Passionsgeschichte verbindet und redaktionell bearbeitet. Als mattäische Bearbeitung notiert Schenk zunächst die Zeitangabe „nach seiner Auferstehung“, mit der Mattäus „die zeitliche Vorordnung der Auferweckung Jesu festhält“ (75). Für die *Rekonstruktion* der Vorlage geht Schenk vom analogen Aufbau der ersten drei Glieder aus (V. 51b.52a): Konjunktion – Artikel – Substantiv – (finites) Verb im Passiv[21]:

(1) kai hē gē eseisthē / *und die Erde wurde erschüttert*
(2) kai hai petrai eschisthēsan / *und die Felsen wurden gespalten*
(3) kai ta mnēmeia aneōchthēsan / *und die Gräber wurden geöffnet.*
Das vierte Glied (V. 52b) kann in Analogie dazu bestimmt werden:
(4) kai (ta) sōmata ēgerthēsan / *und (die) Leiber wurden auferweckt.*
Mattäus hat hier den bestimmten Artikel durch „viele“ ersetzt und die Leiber als die der „entschlafenen Heiligen“ näher bestimmt.

Während in den Versen 51 und 52 das theologische Passiv auf das göttliche Handeln verweist, handeln in V. 53 die Auferweckten selbst. Die formale Anordnung der drei Glieder folgt dem Muster: (vorangestelltes) Verb – (nachgeordnetes) Objekt.

In V. 53 ist der Partizipialanschluß für das fünfte Glied rückgängig zu machen. Im sechsten Glied ist das Adjektiv ein Zusatz, falls hier nicht ursprünglich überhaupt der Name „Jerusalem“ stand. Danach ergibt sich folgender Text:

---

[21] Die Umschrift für den griechischen Text stammt von *W. Schenk.*

(5) kai exēlthon ek tōn mnēmeiōn / *und sie gingen heraus aus den Gräbern*
(6) (kai) eisēlthon eis tēn polin / *(und) sie gingen hinein in die Stadt*
(7) kai enefanisthēsan pollois / *und sie erschienen vielen.*

Dieser Siebenzeiler läßt einen klaren Aufbau erkennen: „Im Zentrum steht die Aussage von der Auferweckung der Leiber. Je drei Zeilen führen auf diese Aussage hin, und drei weitere kommen von ihr her." (77) Das Lied beschreibt also die endzeitliche Auferstehung der Toten. Da es keine besondere christliche Prägung aufweist, ist seine Herkunft aus jüdisch-apokalyptischer Tradition wahrscheinlich[22], wobei die Vorlage aus dem mattäischen Sondergut ein Bindeglied zwischen Ez 37 und der bildlichen Darstellung in Dura-Europos darstellen könnte (s. Exkurs).

Die Übernahme des apokalyptischen Liedes in Mt 27 hängt nach Schenk mit den auch sonst von Mattäus in die Passion eingebauten Parusiehinweisen zusammen. Zwar wendet er sich gegen die verschiedentlich vorgetragene Hypothese, für Mattäus beginne die Parusie bereits mit dem Tode Jesu, und hält dementsprechend an der strikten Zukunftserwartung der Parusie für Mattäus fest; aber er sieht in der Todesdarstellung und -deutung durch Mattäus „eine Prolepse im strengen Sinn, eine Vorwegnahme, die die künftige Vollendung um so gewisser machen will" (80). Tod und Auferstehung jetzt sind in gleicher Weise wie die Parusie ein Gericht, sie sind Heil für die einen und Unheil für die anderen: Heil für die Auferweckten, die deshalb bei Mattäus zu auferweckten Heiligen werden, Unheil für den Tempel, (Gerichts-)Furcht bei den Wächtern (28,4), Freude bei den Frauen (28,8f); auch die Reaktion des Hauptmanns und seiner Leute ist nicht mehr – wie in der Mk-Vorlage – ein Bekenntnis, sondern Ausdruck von (Gerichts-)Furcht. Der sterbende Jesus ist demnach schon jetzt der künftige Menschensohn-Weltenrichter. Die Deutung des Todes Jesu als Vorwegnahme der Parusie des Weltenrichters wird bei Schenk offensichtlich dadurch erleichtert, daß nach seiner Meinung bei Mattäus „dem Tode Jesu keine besondere Heilsbedeutsamkeit zuerkannt wird" (8).

Bei der Entwicklung von Schenks These, Mattäus habe ein ihm

---

[22] *W. Schenk* hält auch die Herkunft aus judenchristlicher Tradition für möglich, doch geht er auf diese Überlegung nicht weiter ein, aaO. (Anm. 18) 77.

bekanntes apokalyptisches Lied aus einem jüdischen in einen christlichen Kontext verpflanzt und dabei die ursprünglich rhythmische Form zerstört, liegen die Argumente hauptsächlich im formalen, nicht im inhaltlichen Bereich. Insofern Schenk von einer derartigen literarischen Vorlage ausgeht, sind ihm andere Autoren nicht gefolgt[23]; wohl aber haben sich seine Überlegungen bezüglich des Inhalts als äußerst anregend erwiesen[24].

ad 4) Herkunft aus einer älteren jüdischen Tradition
Die umfangreichste Auseinandersetzung mit Mt 27 findet sich bei *M. Riebl* „Auferstehung Jesu in der Stunde seines Todes? Zur Botschaft von Mt 27,51b–53"[25]. Aufgrund detaillierter Untersuchungen sowohl der sprachlichen Gestalt als auch der verwendeten Motive kommt M. Riebl zu dem Ergebnis, daß Mattäus „einen bereits geformten Bericht, dessen sprachliche Gestalt ihm weitgehend fremd war, aufgegriffen und mit manchen Veränderungen wiedergegeben" hat (60). Gegen mattäische Herkunft nennt sie v.a. die regelmäßige Folge von „und – Subjekt – Prädikat" sowie die parataktische Anordnung der ersten Sätze (56f). Riebl schält zwei Zusätze aus dem jetzt vorliegenden Text heraus, von denen einer auf die mattäische Redaktion („herausgegangen aus den Gräbern", 60f), der andere auf einen späteren Glossator („nach seiner Auferstehung", 55.61) zurückgeht. Als Vorlage des Mattäus kann demnach folgender Text bestimmt werden:

Und die Erde wurde erschüttert
und die Felsen wurden gespalten
und die Gräber wurden geöffnet
und viele Leiber der entschlafenen Heiligen wurden auferweckt
und (herausgegangen aus den Gräbern) (nach seiner Auferstehung) *gingen sie in die heilige Stadt*
und zeigten sich vielen. (Übersetzung nach M. Riebl 57)

---

[23] Zur Auseinandersetzung mit Schenk vgl. *M. Riebl,* Auferstehung Jesu 60; *D. Senior,* Death of Jesus 319f.
[24] Vgl. *D. Senior,* Death of Jesus 320; die Frage, ob sich apokalyptische und soteriologische Deutung der Stelle und ihres Kontextes in jedem Fall ausschließen müssen, wird noch zu besprechen sein.
[25] Anm. 13.

Mattäus kannte diesen Text wahrscheinlich nicht nur durch mündliche Überlieferung, sondern benutzte eine schriftliche Quelle aus palästinisch-jüdischen Kreisen, „in denen apokalyptisches Denken besonders lebendig war“[26]. Literarisch gehört der Text zur Gattung der Theophanietexte; näherhin zu solchen Texten, die Verwandtschaft zur prophetischen Tradition des Tages Jahwes aufweisen. Während allerdings die alt- wie die neutestamentlichen Texte dieses Umfeldes den Katastrophen- und Gerichtsaspekt der geschilderten Naturereignisse betonen, sind diese im vor-mattäischen Text auf die Auferweckung und das vollendete Leben der Heiligen hingeordnet (45–47); diese Beobachtung und damit die Abweisung des Gedankens an ein (künftiges) Gericht wird bei der Endformulierung von Riebls These eine besondere Rolle spielen.

Im Zusammenhang der Todesszene ist noch eigens auf das Furchtmotiv in V. 54 hinzuweisen; während es hier von Mattäus redaktionell eingefügt wurde, ist es in der Grabesgeschichte Mt 28 aus Mk 16 vorgegeben. Anders als W. Schenk, der die Furcht in beiden Fällen als Gerichtsfurcht interpretiert und so zu seiner Deutung der Verse 51b–53 als Parusiehinweise kam, deutet M. Riebl das doppelte Furchtmotiv als Epiphanie-Furcht; nicht nur die Ostererzählung, sondern auch die Ereignisse beim Tode Jesu sollten „als eine epiphanieartige Szene“ (64) dargestellt werden.

Ausgehend von den hier nur knapp referierten Analysen kommt Riebl zu folgenden Aussagen bezüglich der Absicht des Mattäus bei Übernahme und Bearbeitung des älteren Textes:

1. Aussage: „Jesus stirbt in seine Auferstehung hinein“ (75). Tod und Auferstehung Jesu werden in der Darstellung des Mattäus einander angeglichen. Hinzu kommt, daß die Auferstehung der Heiligen eine unmittelbare Folge des Todes Jesu ist und dennoch der (zeitliche?) Vorrang der Auferstehung Jesu vor der Auferstehung der anderen Toten für Mattäus gewahrt bleibt. Daraus ergibt sich, daß der Tod Jesu bereits seine Auferstehung beinhaltet. Dem Einwand, daß die Kunde vom geöffneten Grab auch bei Mattäus auf den dritten Tag datiert wird, begegnet Riebl mit dem Hinweis, daß die Auf-

---

[26] Auferstehung Jesu 59f. Ob die Vorlage aus jüdischen oder schon judenchristlichen Kreisen stammt, bleibt bei Riebl offen. Immerhin verweist sie in anderem Zusammenhang auf den nicht-ausgeprägten christologischen Bezug der Vorlage – eine Bemerkung, die bei einer rein jüdischen Vorlage überflüssig wäre, vgl. 78.

erstehung Jesu als eschatologisches Geschehen bereits in seinem Tod anbricht, während sie für die Menschen erst am Ostermorgen als Ereignis erfahrbar wird; die Übernahme der Verse 51b–53 kann verdeutlichen, daß im Tode Jesu „die Macht des Todes bereits gebrochen“ ist (76). – Die Titelfrage des Buches „Auferstehung Jesu in der Stunde seines Todes?“ ist demnach zu bejahen.

2. Aussage: „In Tod und Auferstehung Jesu wurde Gott erfahren“ (77). Die mehrfache Verwendung des theologischen Passivs, der alttestamentlich-jüdische Hintergrund sowie der Engel des Herrn als Stellvertreter Gottes verweisen auf ein endzeitliches Handeln Gottes. Die in V. 51b–53 berichteten Ereignisse sind als „Begleiterscheinung beziehungsweise als Frucht des ‚Kommens‘ Gottes in Tod und Auferstehung seines Sohnes zu verstehen“ (78). Umgekehrt gilt, daß die Erscheinung Gottes eng an die Person Jesu gebunden ist, d.h. die Theophanie kann auch als Christophanie gesehen werden.

3. Aussage: Die in V. 51b–53 genannten Ereignisse werden ausdrücklich „als Ereignisse in der gegenwärtigen Zeit“ (79) beschrieben, d.h. die neue Welt und Zeit ist in Tod und Auferstehung Jesu bereits Wirklichkeit geworden. Die Zeit der Kirche ist die eschatologische Zeit, in der der Auferstandene bleibend gegenwärtig ist (vgl. Mt 28,20); daraus folgt für Riebl, „daß Mattäus nach Ostern nichts wesentlich Neues mehr erwartet“ (79).

4. Aussage: Die Bezüge zwischen Mt 27,51b–53 und Ez 37,1–14 lassen eine bestimmte heilsgeschichtliche Bedeutung stärker hervortreten: das neue Gottesvolk verdankt sich der Passion und der Auferstehung Jesu; „die Auferweckung der Heiligen im Augenblick des Todes Jesu“ (81) macht deutlich, daß Gott mit dieser Schöpfungstat sein bisheriges Heilsschaffen überbietet.

ad 5) Herkunft aus der mattäischen Redaktion unter Verwendung von alttestamentlich-jüdischen Motiven

D. Senior[27] entwickelt seine These zu Herkunft und Bedeutung von Mt 27,51b–53 in einer differenzierten Auseinandersetzung mit W. Schenk. Dessen Suche nach einer geschlossenen literarischen Vorlage hält er für nicht zwingend, da Mattäus selbst apokalyptische Bilder verarbeiten konnte; wohl aber bewertet er Schenks

[27] Anm. 13.

Hinweis auf Ez 37 und die Darstellung in Dura-Europos als beachtenswert.

Die Bildelemente aus Ez 37 (Erdbeben, Öffnung der Gräber, Auferstehen, Hineingehen), die ursprünglich in den Kontext der Hoffnung auf Befreiung (s. Exkurs) gehörten, wurden in der späteren jüdischen Auslegung auf die künftige messianische Hoffnung bezogen. Mattäus seinerseits hat diese Vorstellung gekannt und selbständig verarbeitet (321). Der parataktische Stil der ersten Glieder muß dabei nicht gegen mattäische Herkunft sprechen, da Mattäus, obwohl er gewöhnlich Parataxen vermeidet, sie doch mehrfach gegenüber den Parallelen einfügt (z. B. Mt 7,25.27 gegen Lk 6,48f), wenn eine Reihe von Ereignissen oder Handlungen zu beschreiben ist (319f).

Wenn Mattäus das kleine Textstück tatsächlich selbst gebildet hat, muß sich gerade dort ein wichtiger Hinweis auf die mattäische Deutung des Todes Jesu finden lassen: Mattäus hat die Zeichen der Markus-Vorlage (Zerreißen des Tempelvorhangs und gläubige Gegenwart des Hauptmanns und der Frauen) durch das apokalyptische Zeichen der Auferstehung erweitert; das Bekenntnis zur Gottessohnschaft beruht jetzt auf der göttlichen Bezeugung des Sohnes Gottes (322), d. h. die Zeichen, die dem Tode Jesu folgen, sind epiphaner Natur; die Furcht als Reaktion auf die Zeichen ist daher Epiphaniefurcht (gegen Schenk: Gerichtsfurcht) und als solche ein Hinweis auf den Glauben der Betroffenen (324).

Daraus ergibt sich für Senior eine dreifache Todesdeutung (325–328):

1. Bekenntnisdeutung (confessional): Jesus wird durch die Zeichen als der Sohn Gottes erwiesen; die Soldaten sagen aufgrund der Zeichen, daß er der Sohn Gottes ist;

2. heilsgeschichtliche Deutung (salvation-historical): das Kreuz wird zum Wendepunkt der Erlösungsgeschichte; die heidnischen Soldaten und die Frauen sind die neue Gemeinschaft, die die Botschaft des Auferstandenen in die Welt tragen;

3. soteriologische Deutung (soteriological): der Tod Jesu im Kontext des Mattäus-Evangeliums ist nicht nur ein Stück auf dem Weg zur Verherrlichung, sondern ein heilsbedeutsames Geschehen. Die Auferstehung der Toten in enger zeitlicher Nähe zum Tode Jesu ist ein Hinweis auf eine implizit-soteriologische Deutung dieses Todes.

Für Senior war daher schon am Beginn seiner Überlegungen wichtig, daß Mattäus das einfache „und" aus Mk 15,38 durch „und siehe" (V. 51) ersetzt, „which links the events more tightly with the moment of Jesus' death in vs. 50" (312). Senior unterstützt seine soteriologische Interpretation durch Querverweise zu anderen mattäischen Stellen, die den Tod bzw. das gesamte Leben und Auftreten Jesu mit der Erlösung von den Sünden in Verbindung bringen (v.a. Mt 1,21; 26,28)[28].

2.2 Die mattäische Herkunft der Verse 51b–53

Eine Durchsicht der Arbeiten zu Mt 27,51b–53 läßt erkennen, daß die meisten Autoren vermuten, Mattäus habe diese Verse aus einer bereits fest formulierten Vorlage übernommen. Zugleich fällt auf, daß die Rekonstruktionsversuche von unterschiedlichen Beobachtungen ausgehen und dementsprechend zu unterschiedlichen Ergebnissen führen:

– die einen (z.B. Zeller) legen den Schwerpunkt auf das *Schicksal der Heiligen,* die anderen (z.B. Schenk, Riebl) sind mehr an den *Vorgängen in der Natur* interessiert (Erde, Felsen, Gräber);

– die Auskünfte über den Umfang der Vorlage sind nicht einheitlich; die Partizipialwendung „herausgegangen aus den Gräbern" gilt als mattäische *Änderung* der Vorlage (z.B. Schenk), aber auch als mattäischer *Zusatz* (z.B. Riebl);

– Unklarheit herrscht bezüglich der Zeitbestimmung „nach seiner Auferstehung", die als *mattäische* (z.B. Schenk) und als *nachmattäische* (z.B. Riebl) Glosse verstanden wird;

– die Vorlage soll *jüdischen* (z.B. Schenk, Riebl), aber auch *judenchristlichen* (z.B. Hutton, Seidensticker) Kreisen entstammen;

– während die Mehrzahl der Autoren in der Vorlage *altertümliche* Vorstellungen erkennt, spricht Trilling von einer eher *späten* als frühen Tradition.

Bereits dieser Überblick zeigt, daß ein Konsens bezüglich Herkunft, Alter und Umfang der Vorlage nicht in Sicht ist. Die Entschei-

---

[28] Death of Jesus 326–329. Bei der soteriologischen Deutung durch Senior sei wenigstens anmerkungsweise an die rein apokalyptische (Parusie-)Deutung durch W. Schenk erinnert.

dung, ob Mattäus wirklich auf eine Vorlage zurückgegriffen hat, bleibt offen. Ähnliche Unsicherheiten ergeben sich bei der Untersuchung der sprachlichen Gestalt des Textes. M. Riebl, die die umfangreichste Analyse des wortstatistischen Befunds vorgelegt hat, kommt daher zu dem Ergebnis, daß „zahlreiche Wörter und Wortverbindungen" dem Mattäus fremd sind, daß es aber „auch Entsprechungen zu (seiner) sonstigen Ausdrucks- und Darstellungsweise" gibt; die Einzelentscheidungen bei der Zuordnung zu Tradition oder Redaktion sind daher „nur Vermutungen mit verschieden hohem Wahrscheinlichkeitsgrad"[29].

Die Schwierigkeiten bei der Entscheidung über mattäische oder nichtmattäische Formulierungen sollen hier exemplarisch am ersten Satz aufgezeigt werden: καὶ ἡ γῆ ἐσείσθη (und die Erde wurde erschüttert).

Die Vorstellung von Erdbeben als wunderbarer Begleiterscheinung außerordentlicher Vorgänge ist Mattäus nicht fremd, wenngleich er bei ihrer Erwähnung eine andere sprachliche Gestalt vorzieht:
Mt 8,24 καὶ ἰδοὺ σεισμὸς μέγας ἐγένετο ἐν τῇ θαλάσσῃ (und siehe, es entstand ein großes Beben im Meer) statt Mk 4,37 καὶ γίνεται λαῖλαψ μεγάλη ἀνέμου (und es entstand ein großer Sturmwind);
Mt 28,2 καὶ ἰδοὺ σεισμὸς ἐγένετο μέγας (und siehe, es entstand ein großes Beben) – ohne Markus-Vorlage;
in Mt 27,7 werden σεισμοὶ κατὰ τόπους (Erdbeben) wörtlich aus Mk 13,8 übernommen;
in Mt 21,10 wird gegenüber der markinischen Notiz vom Einzug in Jerusalem hinzugefügt: die ganze Stadt wurde erschüttert (ἐσείσθη); die gleiche Reaktion findet sich bei den Wächtern am Ostermorgen (ἐσείσθησαν, Mt 28,4).

Mattäus kennt also im Zusammenhang mit dem Motiv des (Erd-)Bebens sowohl die Substantiv- als auch die Verbform, die er beide selbständig in Markus-Texte einträgt. Darüber hinaus ist bei Mt 27,51 b zu beachten, daß er seine Lieblingswendung „und siehe" bereits in V. 51 a als Vorzeichen vor der gesamten Zeichenreihe eingefügt hat. Der Gebrauch der Verbform („wurde erschüttert" statt „ein großes Beben") dürfte mit der durchgehenden Verwendung des

[29] Auferstehung Jesu 56.58.

theologischen Passivs zusammenhängen: es ist Gott, der an Dingen und Menschen handelt (Vorhang, Erde, Felsen, Gräber, die toten Heiligen). – Obwohl Mattäus in V. 51 eine für ihn nicht typische Formulierung wählt, kann der Satz durchaus auf ihn zurückgehen; eine Vorlage ist nicht zwingend anzunehmen. Dieser Befund kann für das gesamte Textstück verallgemeinert werden, zumal sich hier mehrere spezifisch mattäische Besonderheiten erkennen lassen[30]. Angesichts dieses Befunds überrascht die Sicherheit, mit der M. Riebl die Vorlage rekonstruiert; sie ist von der Wortstatistik her jedenfalls nicht gerechtfertigt und hängt letztlich mit den grundsätzlichen Bedenken zusammen, die parataktische Reihung der Sätze auf Mattäus zurückzuführen[31]. – Diese grammatische Besonderheit ist im Anschluß an D. Senior und M. Riebl[32] zu überprüfen.

Eine Durchsicht aller bei Senior genannten Stellen ergibt, daß Mattäus parataktische Reihungen sowohl in seine Vorlagen einbaut[33] als auch in redaktionellen Stücken selbständig formuliert[34]. Hinzu kommen solche Fälle, bei denen Mattäus eine markinische Parataxe übernimmt bzw. verstärkt und dann eigenständig durch Neuformulierungen weiterführt (vgl. Mt 4,23f mit Mk 1,39; Mt 24,9–14 mit Mk 13,9.13; Mt 24,30 mit Mk 13,26).

Eine grundsätzliche Abneigung des Mattäus gegenüber Parataxen läßt sich jedenfalls nicht feststellen. Zwar finden sich mit Ausnahme von Mt 2,11f keine gänzlich neu formulierten Parataxen, aber das ist – recht gesehen – auch in Mt 27,51b–53 nicht der Fall. M. Riebl verstellt sich die Sicht auf den mattäischen Sprachgebrauch, indem sie ihre Untersuchung (ähnlich W. Schenk) erst mit V. 51b beginnt; sie übersieht dabei, daß die Verse 51–54 bei Mattäus eine Einheit bil-

---

[30] Dazu gehört der Partizipialanschluß („und herausgehend", V. 53a), den Mt oft verwendet, vgl. „und hineingehend" (Mt 21,10) statt „und er ging hinein" (Mk 11,11), „und hinzutretend" (Mt 28,2.18) und öfter; das Verb „auferwecken" (V. 52b), das *M. Riebl* als mt Vorzugswort nachweist (Auferstehung Jesu 53.58); die Umschreibung „heilige Stadt" (V. 53a; vgl. dazu die Ersetzung des Namens „Jerusalem" durch „hl. Stadt" in Mt 4,5 gegenüber Lk 4,9).

[31] Auferstehung Jesu 56f.

[32] *D. Senior,* Death of Jesus 319f; *M. Riebl,* Auferstehung Jesu 57 A. 54.

[33] Vgl. Mt 11,5 statt Lk 7,22f; Mt 7,25.27 statt Lk 6,48f: 11mal „und + Prädikat + wechselndes Subjekt"; Mt 9,35 statt Mk 6,6: zweimal „und + Partizip"; Mt 27,7 statt Mk 13,8.

[34] Vgl. Mt 2,11f: viermal „und" mit partizipialem Anschluß.

den. Hier wie in anderen Fällen übernimmt Mattäus zunächst die markinische Vorlage („und“ + theologisches Passiv) und führt sie dann eigenständig durch Neubildungen fort. Die Parataxen in Mt 27 können daher nicht als Argument gegen die mattäische Herkunft des Textes herangezogen werden.

Ein besonderes Problem innerhalb des Textes bildet die Zeitangabe in V. 53 „nach seiner Auferstehung“. Das hier verwendete griechische Wort für Auferstehung (ἔγερσις statt ἀνάστασις) ist im Neuen Testament sonst nicht belegt und taucht erst später in der frühchristlichen Literatur auf. Da es hier außerdem in Spannung zum Kontext steht (Auferstehung der Heiligen in der Todesstunde Jesu – Verlassen der Gräber nach der Auferstehung Jesu), nehmen die meisten Autoren eine nach-mattäische Interpolation an[35] und verbinden sie mit der auch sonst im Neuen Testament belegten Überzeugung, daß Jesus der Erstling der Entschlafenen ist (1 Kor 15,20; Kol 1,18). Der Glossator vertritt die Meinung, die Auferwekkung der Heiligen werde nicht durch den Tod, sondern durch die Auferstehung Jesu bewirkt[36].

Eine vorsichtige Wertung der wortstatistischen und grammatischen Beobachtungen macht die Annahme einer bereits formulierten Vorlage nicht zwingend und läßt zumindest die Möglichkeit offen, Mattäus habe das Textstück – mit Ausnahme der Zeitangabe – aus biblischem und apokalyptischem Material selbständig formuliert. Dabei ist auch zu bedenken, daß Mattäus sein Buch zu einer Zeit schreibt, der apokalyptische Bilder nicht fremd sind, wie das Entstehen von jüdischen und christlichen Apokalypsen in diesen Jahren und Jahrzehnten zeigt (Offenbarung des Johannes, 4 Esra, Baruchapokalypse).

---

[35] *J. Kremer,* Art. ἔγερσις, in: EWNT I (Stuttgart 1980) 910. *M. Riebl,* die die Wortgruppe „nach seiner Auferstehung“ ebenfalls für eine spätere Ergänzung hält, macht zu Recht darauf aufmerksam, daß diese sehr früh erfolgt sein muß, da sie „in den ältesten und besten Handschriften eindeutig bezeugt ist“ (Auferstehung Jesu 55).

[36] Vgl. *E. Klostermann,* Das Matthäusevangelium (Tübingen ²1927) 53 (mit Verweis auf Origenes); *E. Lohmeyer – W. Schmauch,* Das Evangelium nach Matthäus (Göttingen 1958) 396f; *E. Schweizer,* aaO. (Anm. 1) 337f. – Als mattäische Korrektur einer älteren Vorlage gilt die Zeitangabe bei *W. Schenk,* aaO. (Anm. 18) 76 und eventuell bei *J. Jeremias,* aaO. (Anm. 2) 293.

3. Der Text Mt 27,51–54

„Und siehe, der Vorhang des Tempels wurde von oben bis unten entzweigerissen,
und die Erde wurde erschüttert,
und die Felsen wurden gespalten,
und die Gräber wurden geöffnet,
und viele der verstorbenen Heiligen wurden auferweckt,
und herausgekommen aus den Gräbern (...) gingen sie hinein in die heilige Stadt
und erschienen vielen.
Als der Hauptmann und die, die mit ihm Jesus bewachten, das Beben und die Geschehnisse sahen, fürchteten sie sich sehr und sprachen: Wahrhaftig, Gottes Sohn war dieser."

Die dem Tode Jesu folgenden Geschehnisse werden durch die mattäische Vorzugspartikel *„und siehe"* eingeleitet, mit der Mattäus in bewußter Nachahmung des Septuaginta-Stils auf besonders wichtige Inhalte hinweist[37]. Im Rahmen mattäischer Erzähltexte handelt es sich um Ereignisse, die von der Ursache her „eine übernatürliche Erklärung" verlangen und von der Situation her in besonderem Maße auf „Gottes Ratschluß und Walten" hinweisen[38]; der Leser wird auf einen besonderen Höhepunkt der Heilsgeschichte hingewiesen[39], begleitet von wunderbaren Zeichen.

Das einleitende Zeichen – das *Zerreißen des Tempelvorhangs* als Bild für die Zerstörung des Tempels überhaupt – ist in der Vorstellung des Mattäus kein beliebiges Zeichen (vgl. Mt 24,1, wo die künftige Zerstörung des Tempels stärker betont wird als in Mk 13,1), sondern jener Einschnitt in der Heilsgeschichte, mit dem die Hinwendung zu „allen Völkern" (Mt 28,19) beginnt. Es darf daher im Sinne des Mattäus nicht ausschließlich als Gerichtszeichen verstanden werden, zumal auch die jüdische Tradition der Tempelzerstörung durchaus einen positiven, heilsgeschichtlichen Aspekt abgewinnen konnte, wie das Wort eines rabbinischen Lehrers belegt: „An dem Tage, an dem der Tempel zerstört wurde, ist eine

---

[37] Vgl. *P. Fiedler,* „(καὶ) ἰδού" im Neuen Testament (München 1969) 28f.49 und passim.
[38] Ebd. 54.
[39] Ebd. 82f.

eiserne Mauer, die zwischen Israel und Gott gewesen war, gefallen."[40]

Die nächsten Ereignisse betreffen die gesamte Natur: Erdbeben, gespaltene Felsen, geöffnete Gräber. Diese Zeichen gehören in einen festen theologischen Zusammenhang. Kosmische Erschütterungen wie *Erdbeben* gehören zunächst zu den Begleiterscheinungen des Wirkens Gottes und werden später als „Anzeichen oder Auswirkung des richtenden Kommens Gottes" verstanden[41]; aber auch die heilvolle, Zukunft eröffnende Gotteserscheinung kann unter dem Erbeben von Himmel und Erde, Meer und Festland und dem Erzittern der Völker geschehen (vgl. Hag 2,6f.21–23). Erdbeben gehören bei Mattäus zu den Katastrophen, die den „Anfang der Wehen" bilden (Mt 24,7f) und die Parusie des Menschensohns begleiten (Mt 24,29f); bei der zur Epiphanieszene umgestalteten Sturmstillung erbebt das Meer (Mt 8,24 gegen Mk 4,37); beim feierlichen Einzug in Jerusalem erbebt die ganze Stadt (Mt 21,10 gegen Mk 11,11); am Ostermorgen steigt der Engel des Herrn unter Beben herab, und die Wächter erbeben vor Furcht (Mt 28,2.4). Das Beben kann – je nach Kontext – Gerichts- oder Heilszeichen sein; auf jeden Fall ist es ein überwältigendes, machtvolles Zeichen der Erscheinung Gottes.

Das gilt auch für das *Spalten der Felsen;* nach Sach 14,1–11 kommt es am Tag des Herrn zum Gericht über Jerusalem und zum Krieg gegen die Völker; an diesem Tag wird sich der Ölberg „in der Mitte spalten" (V. 4), Gott wird sich als König über die ganze Erde erweisen (V. 9), und Jerusalem wird – nach dem Strafgericht – hoch emporragen und für immer sicher und bewohnbar sein (V. 10f)[42].

Das *Öffnen der Gräber* verweist auf die siegreiche göttliche Macht über den Tod. Nach Ez 37,12f öffnet Gott die Gräber und holt das Volk aus den Gräbern heraus, damit man ihn als Herrn erkenne; nach Offb 20,13f geht der Erscheinung der neuen Welt Gottes die

---

[40] Zitiert nach *E. L. Ehrlich,* Erfahrungen im christlich-jüdischen Dialog, in: Im Gespräch mit dem Dreieinen Gott (hrsg. v. M. Böhnke u. H. Heinz) (Düsseldorf 1985) 419–427.422f. Ehrlich schreibt erläuternd dazu: „Dieser Lehrer wollte sagen, Gottes Nähe sei nicht durch eine Stätte, nicht durch ein Haus bestimmt, sondern durch den Menschen selber, der Gott nahe oder Gott fern ist ... Der Tempel sei also eine Mauer zwischen dem Menschen und dem einen, lebendigen Gott gewesen", ebd. 423.

[41] *M. Riebl,* Auferstehung Jesu 27; vgl. die Motivübersicht ebd. 25–29, dort findet sich eine Auflistung der biblischen Belegstellen.

[42] Weitere Belegstellen bei *M. Riebl,* Auferstehung Jesu 29.

Vernichtung von Tod und Hades voraus, und das Meer muß die Toten herausgeben. Das Verb „öffnen“ [43], vor allem in der Form eines theologischen Passivs, und die Öffnung der Gräber als Überwindung des Todes deuten wie schon die beiden anderen Naturereignisse auf das machtvolle, heilschaffende Handeln Gottes hin.

Bei den drei Ereignissen in V. 51 b und 52 a handelt es sich demnach um bekannte apokalyptische Erscheinungen, in denen zeichenhaft sichtbar wird, was hier geschieht: es ist nicht die Trauer des Kosmos[44], und es sind nicht die Prodigien wie beim Tode eines großen Menschen[45]; es ist die mit apokalyptischen Bildern geschilderte und von Gott bewirkte Offenbarung der eschatologischen Bedeutung des Todes Jesu[46].

Das nächste Ereignis (V. 52 b) verläßt den Bereich der Natur: die *Toten werden auferweckt;* das Handeln Gottes (theologisches Passiv!) erstreckt sich jetzt auf die Menschen.

Das im übertragenen Sinn gebrauchte Verb „schlafen“ ist eine im neutestamentlichen Schrifttum beliebte Umschreibung für „sterben, entschlafen, tot sein“ [47]. Der Ausdruck „Leib“ in der umständlichen Beschreibung „Leiber der Heiligen“ kann für die Übersetzung wegfallen, da ihm personale Bedeutung zukommt: die Leiber der Heiligen sind die Personen und damit die toten Heiligen selbst[48]. Das substantivisch gebrauchte Wort „heilig“ bezeichnet jene, die zu Gott gehören (vgl. Dan 7,21 ff; Tob 8,15; 12,15), die Frommen und Gerechten aus dem Gottesvolk[49]. Es sind vor allem solche, die der wi-

---

[43] Mattäus, der die Taufszene zu einer besonderen Offenbarungsszene umgestaltet, ersetzt das Spalten der Himmel (Mk 1,10) durch das Öffnen der Himmel (Mt 3,16) und verbindet diesen Theophaniehinweis wie auch das Ertönen der Himmelsstimme mit der Deutepartikel „und siehe“; weitere Belegstellen bei *M. Riebl,* Auferstehung Jesu 30–32.

[44] *J. Schniewind,* aaO. (Anm. 1) 273.

[45] *E. Klostermann,* aaO. (Anm. 36) 225; *R. Bultmann,* Die Geschichte der synoptischen Tradition (Göttingen [6]1964) 305.

[46] *W. Schenk,* aaO. (Anm. 18) 78 f; *E. Schweizer,* aaO. (Anm. 1) 337; *E. Lohmeyer,* aaO. (Anm. 36) 395.

[47] *W. Bauer,* Griechisch-deutsches Wörterbuch (Berlin [5]1963) 865.

[48] Zur grammatischen Begründung vgl. *M. Riebl,* Auferstehung Jesu 20.

[49] Dieser Sprachgebrauch begegnet in späten Schriften des Alten Testaments, in den Schriften von Qumran sowie häufig in Formulierungen der Septuaginta; das Neue Testament übernimmt das Wort und die damit verbundene Vorstellung als Selbstbezeichnung der Christen, vgl. *H. Balz,* Art. ἅγιος κτλ., in: EWNT I (Stuttgart 1980) 38–48.

dergöttlichen Macht für eine Weile ausgeliefert sind (1 Makk 1,46; Dan 7,25), dann aber von Gott gerettet werden. In der Zuordnung der Begriffe „heilig“ und „Auferweckung“ wird eine ältere Vorstellung von der Auferstehung der Gerechten greifbar; die Auferstehung ist eine eschatologische Heilsgabe[50], die den Anbruch der Heilszeit markiert. Die für den heutigen Leser befremdliche Vorstellung von einer leiblichen Auferstehung aus dem Grab heraus muß auf dem Hintergrund apokalyptischer Bildsprache gesehen werden. Es handelt sich nicht um eine Wiedererweckung zum irdischen Leben mit erneut nachfolgendem Tod; das wäre nur ein relativer Machterweis über den Tod; vielmehr ist hier mit einem eschatologischen Geschehen, d.h. mit einem endgültigen Heilserweis, zu rechnen[51]. Mit der Aussage „und viele der verstorbenen Heiligen wurden auferweckt“ hat die Reihe der apokalyptischen Zeichen einen vorläufigen Höhepunkt erreicht.

Das Ziel der ganzen Zeichenreihe findet sich in V. 53: mit der Offenbarung der Auferweckten in der *heiligen Stadt*. Die Heilserwartungen von Juden und Christen sind in vielfältiger Weise mit Jerusalem verbunden. In der Septuaginta ist Jerusalem „die Stadt schlechthin“; nach der Zerstörung des irdischen Jerusalems wird im frühen Judentum (vgl. 4 Esr 7) wie im Neuen Testament (vgl. Offb 21) ein neues himmlisches Jerusalem erwartet[52]. Die heilige Stadt ist der besondere Ort der Gegenwart Gottes und der Gemeinschaft mit Gott. Es ist daher vom Zusammenhang her sinnvoll, daß die auferweckten Heiligen im heiligen Zug in die heilige Stadt einziehen[53]; sie kommen zum Ort des Heils, und sie „treten ein in die Fülle des Lebens ihres Gottes“[54]. Ihr Einzug in die heilige Stadt ist Heilsgeschehen, ist aber auch funktional bestimmt: *sie erscheinen vielen*. Das hier verwendete Verb ist Offenbarungsausdruck und kann mit

---

[50] Nach einer anderen Vorstellung werden alle Verstorbenen zum Gericht auferstehen; auch das Neue Testament kennt beide Traditionen: bei Paulus ist die Auferstehung ausschließlich eine Heilsgabe für die Christen, für die Johannesoffenbarung betrifft die Auferstehung alle und ist Voraussetzung für das Gericht, vgl. *A. Vögtle,* Das Neue Testament und die Zukunft des Kosmos 111.172–174.180f.

[51] Diese Meinung wird durchweg in der Frühzeit der Kirche vertreten, vgl. *H. Zeller,* aaO. (Anm. 4) 457f.

[52] *U. Hutter,* Art. πόλις, in: EWNT III (Stuttgart 1983) 308–310.

[53] *E. Lohmeyer,* aaO. (Anm. 36) 396.

[54] *M. Riebl,* Auferstehung Jesu 40.

„sichtbar werden, jemandem erscheinen" übersetzt werden[55]. Die Zahlenangabe in V. 53 fin. steht in Korrespondenz zu V. 52b: viele Heilige, viele Erscheinungsempfänger; an einer genaueren Bestimmung ist der Text nicht interessiert – wohl aber daran, daß das Wunder der Auferstehung öffentlich wirksam wird. Diese Vorstellung kennt auch die gleichzeitig oder bald nach Mattäus entstandene Baruchapokalypse: die Erde gibt die Toten in gleicher Gestalt und gleichem Aussehen zurück, wie sie sie empfangen hat: „Denn alsdann ist es nötig, denen, die leben, zu zeigen, daß die Toten (wieder)aufgelebt sind und daß (wieder)gekommen sind, die fortgegangen waren. Und wenn einander erkannt haben, die (sich) jetzt kennen, alsdann wird das Gericht mächtig sein ..." (syrBar 50,3 f)[56]. Nach der Erscheinung der Toten vor den Lebenden und nach dem gegenseitigen Erkennen werden das Gericht und die Verwandlung stattfinden: „Wenn sie (= die Gesetzlosen) nun sehen werden, daß die, über welche sie sich jetzt erhaben dünken, alsdann erhoben sind und verherrlicht werden mehr als sie, dann werden verwandelt werden diese und jene: diese zum Glanz der Engel, und jene werden noch mehr dahinschwinden zu staunenerregenden Erscheinungen und zu (wunderbar) anzusehenden Gestalten" (syrBar 51,5). Nach der Verwandlung in die himmlische Herrlichkeit sind die auferweckten Toten nicht mehr erkennbar, deshalb müssen die Toten „zuerst in materiell-irdischer Leiblichkeit auferstehen, bevor sie verwandelt werden in ihre neue Daseinsweise"[57]. Das Schicksal der Gottlosen interessiert den Verfasser nur nebenbei („sie werden dahinschwinden"), der Akzent liegt auf der Herrlichkeit der Gerechten.

Mattäus stellt sich den Vorgang offenbar anders vor: die Erscheinung der Toten vor den Lebenden dient nicht der Identifikation, sondern als Zeugnis für die bereits geschehende Auferstehung. Da im mattäischen Kontext nur die Heiligen auferstehen, ist eine erst nachträgliche Verwandlung nicht nötig; die Auferstandenen sind bereits im neuen Leben. Die Frage, ob dies im irdischen oder im himmlisch-verklärten Leib geschieht, wird nicht eigens gestellt, obwohl man letzteres annehmen könnte.

---

[55] Vgl. *W. Bauer,* aaO. (Anm. 47) 510 f.

[56] Zit. nach *E. Kautzsch,* Die Apokryphen und Pseudepigraphen des Alten Testaments, 2. Band (Darmstadt 1975).

[57] *G. Stemberger,* Der Leib der Auferstehung 90 f.

Eine Spekulation über das weitere Schicksal der Heiligen wird vom Text selbst abgewehrt. Der Blick wendet sich zur Todesszene zurück: Der Hauptmann und die Wache haben die Zeichen *gesehen* und *fürchten* sich angesichts der wunderbaren Geschehnisse. Alle genannten Zeichen weisen auf das göttliche Handeln in der eschatologischen Zeit hin. Die Reaktion (Furcht) und das Bekenntnis im Chorschluß geben dem Leser einen Schlüssel zur Deutung in die Hand: der Tote ist Gottes Sohn, sein Tod ist die Überwindung des Todes schlechthin. Der Weg Jesu, der mit dem öffentlichen Auftreten in Kafarnaum am See begonnen hat, ist zur Vollendung gekommen; dort wurde Jesus mit den Worten alttestamentlicher Prophetie als Licht für jene, „die im Schattenreich des Todes waren", vorgestellt (Mt 4,16); der Gedanke an Tod und Überwindung des Todes wird den mattäischen Jesus auch weiterhin begleiten: Jairus erbittet das Leben für seine bereits verstorbene Tochter (vgl. Mt 9,18 statt Mk 5,23); gegenüber den Jüngern des Johannes verweist Jesus auf sein Wirken, zu dem auch die Auferweckung der Toten gehört (vgl. Mt 11,5 aus Q); selbst den Zwölfen wird neben der Verkündigung des Himmelreiches und dem Auftrag zu Krankenheilungen eigens die Auferweckung der Toten aufgetragen (vgl. Mt 10,7f statt Mk 6,7 und Lk 9,1f); jetzt – im Tode Jesu (Mt 27) – ist der Tod selbst entmachtet.

4. Tod und Auferstehung

Zur Aussage der mattäischen Todesszene

„Die Bedeutung dieser Verse kann nur darin gesehen werden, im Tode Jesu schon den Beginn des neuen Äons, einer den ganzen Kosmos umgreifenden Wende anzukündigen."[58] Die mit der mattäischen Vorzugspartikel „und siehe" dem Leser zur besonderen Aufmerksamkeit empfohlene Folge übernatürlicher Zeichen sowie der Inhalt des Bekenntnisses als Reaktion auf diese Zeichen lassen in der Tat keine andere Deutung zu: der Tod des Gottessohnes ist der Beginn der eschatologischen Zeit, genauer: der eschatologi-

[58] *W. Trilling*, aaO. (Anm. 11) 221f.

schen Heilszeit. Denn die von Mattäus zusammengestellten Bilder aus prophetisch-apokalyptischer Tradition sind solche, die die eschatologische Heilswende begleiten; das gilt insbesondere für die Auferweckung der Heiligen. Durch den Verzicht auf die Erwähnung einer allgemeinen Totenauferstehung bleibt der Gedanke an ein nachfolgendes Gericht und das Schicksal der Gottlosen ausgespart; die Auferstehung der Toten und die sie vorbereitenden Ereignisse sind ausschließlich als Heilsereignisse zu verstehen[59].

Wie ist dann aber das (zeitliche und theologische) Verhältnis von Tod und Auferstehung zu bestimmen?

Die Interpretation, Mattäus verkünde die „Auferstehung Jesu in der Stunde seines Todes", und die bereits im Tode wirksame Auferstehung Jesu sei „aus den unmittelbaren Folgen des Todes ersichtlich"[60], stößt sich mit der von Mattäus wie der gesamten urchristlichen Verkündigung – mit Ausnahme von Teilen des johanneischen Schrifttums – festgehaltenen Überzeugung, bei Tod und Auferstehung Jesu handle es sich um getrennte Ereignisse. Allerdings weiß das Kerygma, daß beide Ereignisse eng aufeinander bezogen sind. Daher wird man statt von der Identität beider Ereignisse eher von einer zeichenhaften Vorwegnahme der Auferstehung Jesu in seinem Tode sprechen[61].

Die Deutung, im Tode Jesu vollziehe sich bereits seine Auferstehung, ist bei M. Riebl – unter ausdrücklicher Bezugnahme auf Mt 28,20 – mit der Aussage gekoppelt, „daß Mattäus nach Ostern nichts wesentlich Neues mehr erwartet"[62]. Nun hat aber A. Vögtle – gerade bei der Auslegung von Mt 28,20 (= Beistandszusage für die Dauer dieser Weltzeit) – den Zukunfts- und Vollendungsgedanken herausgearbeitet[63]. Nach seiner Interpretation läßt die Beistandszusage Raum „für eine noch unbestimmt lange Zeitspanne bis zur Parusie"[64]; Erlösung und Heilsvollendung sind „kommende" Heilser-

---

[59] Gegen *W. Schenk,* der im toten Jesus v.a. den künftigen Weltenrichter und in den Zeichen bei seinem Tod eine andeutende Vorwegnahme von Gericht und Parusie erblickt, aaO. (Anm. 18) 80f; aber auch die bei *D. Senior* herausgestellte soteriologische Deutung des Todes Jesu ist von den apokalyptischen Zeichen her zu stark gewichtet, Death of Jesus 326–329.

[60] *M. Riebl,* Auferstehung Jesu 75f.

[61] Vgl. *W. Trilling,* aaO. (Anm. 11) 195.222.

[62] *M. Riebl,* Auferstehung Jesu 79.

[63] *A. Vögtle,* Ostern, v.a. 85–101. [64] Ebd. 96.

eignisse[65]. Heil – in neutestamentlicher wie in mattäischer Sicht – ist eingespannt zwischen die beiden Pole Heilsgegenwart und Heilszukunft, deren keiner zu leugnen ist. Die Zeugen des Neuen Testaments widersprechen daher den gnostischen Irrlehren, die „die volle Gegenwärtigkeit des Heils" behaupten und daher „die noch ausstehende Heilsvollendung als überflüssig" ablehnen[66].

Es kann also keine Rede davon sein, daß Tod, Auferstehung und endzeitliche Vollendung für Mattäus in einem einzigen Akt zusammenfallen. Die mattäische Todesszene ist vielmehr die bildhafte Vorausdarstellung des Beginns der eschatologischen Wende, die in der Auferstehung Jesu ihren Höhepunkt erreicht und bei der Parusie zur Vollendung kommt. Die Macht, die dem österlichen Jesus gegeben wurde (Mt 28, 18), ist bereits am toten Jesus wirksam; wie Mattäus das Ostergeheimnis später (Mt 28, 18–20) als Selbstaussage des auferstandenen Jesus entfaltet, so deutet er es hier (Mt 27, 51–54) in apokalyptischer Bildsprache an. Somit sind die Geschehnisse in Mt 27 von ihrem heilsgeschichtlichen Ort her zu bestimmen; wie das Erdbeben den Tod Jesu, seine Auferstehung und seine künftige Parusie begleitet, so ist es auch mit der Hoffnung für die Toten: die zeichenhafte Vorwegnahme der Auferweckung vieler Heiligen verbürgt unsere Auferweckung bei der Vollendung der Welt (Mt 28, 20). Die Entscheidung über die Heilszukunft ist gefallen: das erlösende Heilshandeln Gottes ist im Tode Jesu grundgelegt, es ist seit der Auferstehung an die Person Jesu gebunden[67] und wird offenbare Wirklichkeit bei der Parusie Jesu.

---

[65] Ebd. 97.98.100.

[66] Ebd. 101; in einer früheren Veröffentlichung zu Mt 28 hat *A. Vögtle* unterstrichen, daß gerade Mattäus „die noch ausstehende machtvolle Parusie des Erhöhten" im Anschluß an das Kommen mit den Wolken aus Dan 7, 13 „stärkstens betont", in: ders., Das Evangelium 254.

[67] „Auch das noch ausstehende Kommen der endzeitlichen Gottesherrschaft ist nun an die Person Jesu gebunden": *A. Vögtle,* Ostern 47.

V

Die Gegenwart als österliche Zeit – erfahrbar im Gottesdienst

Die „Emmausgeschichte" Lk 24,13–35

Von Peter Fiedler, Freiburg

1. Die Zeit jeder christlichen Generation ist österliche Zeit. Mit dieser Feststellung wird der fundamentale Unterschied zwischen der Anfangszeit und allen „nachapostolischen" Epochen der Kirche nicht eingeebnet. In jener Anfangszeit geschieht die Grundlegung des christlichen Glaubens durch die Verkündigung der Osterzeugen. Darauf gründet der sich entfaltende Glaube der Kirche. So gibt es die „Ur-Kunde" unseres Glaubens, das Neue Testament, zu erkennen. Die in ihm gesammelten Schriften markieren die Übergangsphase, in der sich die Kirche von ihren „apostolischen" Grundlagen aus zu „nachapostolischen" Formen entwickelt. In der Vielfalt dieser Formen spiegelt sich das zeit- und situationsbedingte Bemühen um Klärung und Festigung des christlichen Selbstverständnisses. Die für dieses Bemühen unerläßliche Traditionssicherung knüpft im Fall der Evangelien – im Unterschied etwa zu den Paulusbriefen (einschließlich der nachpaulinischen), wo die Autorität des Apostels maßgebend war – an der „unmittelbar" Autorität beanspruchenden Jesusüberlieferung an. Dies gilt jedenfalls, soweit diese Überlieferung noch zugänglich und aktualisierbar war. Daraus resultieren bekanntlich die Unterschiede zwischen den Evangelien.

2. Der Verfasser des Lukasevangeliums hat bereits im Vorwort Zielsetzung und Vorgehen benannt: dem (christlichen) Leser Sicherheit bezüglich der Glaubens-„Worte" zu vermitteln, in denen er unterwiesen worden ist[1]. Diese Sicherheit will Lk verschaffen, indem er eine neue Darstellung der Jesusüberlieferung abfaßt, die über die Werke von Vorgängern hinaus (für uns sind Mk und die Reden-

[1] Dazu *A. Vögtle,* Was hatte die Widmung des lukanischen Doppelwerks an Theophilos zu bedeuten?, in: *ders.,* Das Evangelium, 31–42, hier 37–40.

quelle identifizierbar) auf (die) Verkündigung der Anfangszeit in eigenständigem „geschichtlichen" Bemühen zurückzugreifen sucht.

Zu den Glaubensworten (um nicht zu sagen: Glaubenssätzen), deren Gewißheit der Evangelist durch sein Werk untermauern will, gehört selbstverständlich das Bekenntnis zum Auferstandenen. Die Veränderungen an und die Erweiterungen zu Mk 16,1–8 im Osterkapitel Lk 24 verraten das gesteigerte Bedürfnis nach Erläuterungen und Absicherungen für den Osterglauben: Nicht bloß die Offenbarung der Auferstehungsbotschaft im leeren Grab durch nun zwei himmlische Boten (= Zeugen), sondern auch Erscheinungen des Auferstandenen müssen jetzt erzählt werden, wie das ja beim etwa gleichzeitig abgefaßten Matthäusevangelium und dann auch in Joh 20 und 21 ebenfalls geschieht.

3. Hält man die Erscheinungserzählungen von Lk 24 neben die von Mt 28, so lassen sich – bei allen Unterschieden der Konzeption und ihrer jeweiligen Ausführung – strukturelle Ähnlichkeiten nicht übersehen. Sie betreffen Motive des Zweifels der Jünger und der Selbstbekundung des Auferstandenen, der Beauftragung der Jünger zu missionarischer Tätigkeit und der Zusagen des Erhöhten. Diese Entsprechungen bestehen freilich nur zwischen Mt 28,16–20 und Lk 24,36ff. Dagegen sucht man für die Emmausgeschichte bei Mt vergeblich nach Analogien[2].

Lk 24,13–35 fällt jedoch auch innerhalb des Lukasevangeliums aus dem Rahmen. Nicht allein, daß sich diese Perikope so leicht aus ihrem Kontext lösen läßt, daß keine Lücke empfunden würde, wenn sie fehlte. Vielmehr wäre es für den Erzählzusammenhang geschickter, wenn V. 36 an V. 12 anschlösse[3]. Dann gäbe es nämlich nicht die unnötige Verdoppelung der Schrifterklärung durch den Auferstandenen (vgl. V. 25–27 mit V. 44–46) oder der befremdliche Gesamteindruck für V. 36–46 wäre vermieden, die Berichterstattung der beiden Emmausjünger habe bei den in Jerusalem Versammelten keinerlei Wirkung (mehr).

---

[2] Die Singularität der Emmausgeschichte wird von den Erklärern immer wieder unterstrichen, neuerdings etwa von *Ch. Perrot,* Emmaüs ou la rencontre du Seigneur (Lc 24,13–35), in: La Pâque du Christ 159–166, hier 159f.

[3] Oder an V. 11 – je nach der textkritischen Entscheidung.

Dieser etwas „sperrige“ Charakter von Lk 24,13–35 hat weithin zur Anerkenntnis geführt, daß der Evangelist hier eine Tradition verarbeitet hat. Die Frage ist, welche Absicht(en) er mit ihrer Aufnahme verfolgte (III.). Die Beantwortung wäre durch die genaue(re) Kenntnis dieser Tradition gewiß sehr erleichtert (II.). Wenn hier zunächst einmal (I.) einige Überlegungen zur Frage der Historizität der Emmausgeschichte vorangestellt werden, so führen sie zur Beschäftigung mit den beiden anderen Aufgaben hin[4].

I. Unzulänglichkeiten eines historischen Verständnisses

4. Die Erzählung erweckt den Eindruck, mitten aus dem Leben gegriffen zu sein: Wir können uns sehr gut in die Situation der beiden Jünger hineinversetzen. Da sind gutwillige Gefolgsleute Jesu. Die Katastrophe des Karfreitags zerstört ihre lauteren Hoffnungen. Nun versuchen sie eben, das Vorgefallene im Gespräch „aufzuarbeiten“. Wir sind geradezu versucht, uns ihre Gespräche Satz für Satz auszumalen, weil der gegenseitige Trost angesichts enttäuschter Hoffnungen von zeitloser Bedeutung ist. Die Erzählung ist aber dadurch noch sympathischer, daß den beiden Enttäuschten ihre Hoffnung in überreichem Maß zurückgegeben wird – vom selben Jesus, auf den sie trotz aller Sehnsucht nicht mehr zu setzen gewagt hatten. Die innere Bewegung der Jünger bis hin zum Erkennen Jesu läßt sich lebhaft nachfühlen, zumal der Evangelist seine Leser und Hörer über die Identität des hinzukommenden Wanderers nicht so lange im unklaren läßt wie der Auferstandene seine Anhänger.

5. Hier beginnen jedoch schon die Merkwürdigkeiten, wenn man vom historischen Standpunkt aus urteilt. Hat sich denn der Auferstandene in den zwei Tagen seit der Kreuzigung so verändert? Aber in der anschließenden Szene, wo er in Jerusalem vor versammelter Jüngerschar erscheint, kommen Zweifel ja nur an der Wirklichkeit auf, nicht jedoch an der Identität – handelte es sich um ein Gespenst (V. 37), so trüge es doch die Züge Jesu! Die Jünger werden nur auf

---

[4] Die hier vorgelegte Erörterung der mit den genannten Aufgaben verbundenen Einzelprobleme kann nur einen geringen Teil der geleisteten Vorarbeiten aufnehmen, denen sie sich insgesamt verpflichtet weiß; vgl. den Forschungsüberblick bei *J. Dupont,* Les disciples 167–181 (bzw. 185).

Hände und Füße gewiesen (V. 39); es heißt aber nicht etwa: „Schaut mir ins Gesicht!" Natürlich kann man auf die im Johannesevangelium erzählte Begegnung mit Maria Magdalena verweisen, wo die Frau Jesus auch nicht sofort erkennt (20,11–18). Doch in der dort anschließenden Begegnung mit den Jüngern (20,19–23) ist diesen keineswegs zunächst einmal die Möglichkeit verwehrt, Jesus zu identifizieren. Allerdings läßt sich für Lk 24,13–35 einwenden: Hier ist es eben Gott (bzw. der Auferstandene), der das Erkennen verwehrt (V. 16) und gibt (V. 31).

Doch weshalb ist mit dem Erkennen bis zum „Brotbrechen" überhaupt gewartet? Muß da nicht die Binde über den geistigen (und nicht allein leiblichen) Augen der Jünger sehr fest gebunden gewesen sein, daß sie nicht schon bei Jesu Bibelerklärung zur Erkenntnis gelangten? Der äthiopische Kämmerer von Apg 8, der ebenfalls über die Schriftauslegung zum Glauben geführt wird, wirkt da um einiges verständiger – obwohl er zum ersten Mal dem christologischen Gebrauch von Schrifttexten begegnet[5]. Die Jünger dagegen waren – jedenfalls Lk (18,31) zufolge – von Jesus auf die bevorstehende Erfüllung all dessen, „was durch die Propheten über den Menschensohn geschrieben worden war", ausdrücklich aufmerksam gemacht worden. Auch wenn ihnen 18,34 totales Unverständnis bescheinigt wird, so hätte ihnen wenigstens der massive Tadel des Auferstandenen und seine Schrifterklärung, die ja Worte aus seiner irdischen Zeit aufgreift, die Augen öffnen müssen.

Die Unwahrscheinlichkeit des Geschilderten wird sicher nicht gemildert durch den im gleichen Zusammenhang gebrachten Hinweis der Jünger auf den Besuch der Frauen am Grab und die folgenden Geschehnisse (24,22–24). Wenn die Frauen von der Engelbotschaft erzählt hatten, daß Jesus lebe, und sich ihre Nachricht vom leeren Grab bestätigt hatte, dann müßte sich doch bei den Worten des Auferstandenen jetzt die Erkenntnis der Jünger einstellen. Aber vielleicht hat Lk an dieser Stelle eine Erkenntnis der Jünger noch gar nicht gebrauchen können, weil sonst die Szene des Brotbrechens nicht mehr sinnvoll anzuschließen gewesen wäre!

---

[5] Auf die Parallelität von Lk 24,13–35 und Apg 8,26–39 bzw. 40 wird immer wieder hingewiesen, z. B. von *J. Kremer,* Osterevangelien 129f, oder von *E. Charpentier,* L'officier éthiopien (Ac 8,26–40) et les disciples d'Emmaüs (Lc 24,13–35), in: La Pâque du Christ 197–201.

6. Angesichts derartiger Merkwürdigkeiten besitzt jedenfalls die bekannte Tatsache weniger Gewicht, daß die Angabe der Entfernung des Ortes Emmaus von Jerusalem (V. 13: 60 Stadien, etwa elf Kilometer) mit den geographisch-archäologischen Gegebenheiten nicht in Einklang zu bringen ist[6]. Das eine Emmaus liegt zu nahe (35 Stadien; es heißt ‚kulonje', weil von Vespasian, Kaiser von 69 bis 79, zur ‚colonia' gemacht), das andere zu weit von Jerusalem weg (176 Stadien; in 1 Makk und bei Josephus Flavius genannt). Wenn der Schreiber des Codex Sinaiticus bzw. einer seiner Vorgänger, der offenbar – im Unterschied zum Evangelisten – eine Vorstellung von den Entfernungen in Judäa hat, die 60 Stadien zu 160 korrigiert, so hat er wohl an diese entferntere Ortschaft gedacht. Doch hilft das nichts. Denn wie soll man damit die Rückwanderung der beiden Jünger nach Jerusalem am selben Abend vereinbaren – abgesehen davon, daß dann dort noch einiges geschehen soll? Da waren mittelalterliche Pilger besser beraten, die sich an die Entfernungsangabe des Evangelisten hielten und das 11 km von Jerusalem entfernte ‚elkubebe' anpeilten. Unglücklicherweise müssen wir heute aufgrund besserer historischer Kenntnisse einräumen, daß dieser Ort niemals den Namen Emmaus getragen hat.

Nun läßt sich diese Schwierigkeit von der Annahme einer durch den Evangelisten aufgenommenen Tradition aus leicht beheben: Die Entfernungsangabe kann von ihm eingefügt oder geändert worden sein, um die Tradition seinem kirchlichen „Mutterort Jerusalem"[7] möglichst anzunähern. Ergeben sich von einer solchen Annahme aus dann auch für die zuvor genannten Schwierigkeiten Lösungsmöglichkeiten? Das ist grundsätzlich kaum zu bestreiten, wie die nahezu einhellige Auffassung unter den Exegeten bestätigt[8]. Allerdings werden Tradition und Redaktion unterschiedlich bestimmt, so daß sich eine etwas eingehendere Prüfung empfiehlt.

---

[6] Zur Emmaus-Frage s. *J. Wanke*, Die Emmauserzählung. Eine redaktionsgeschichtliche Untersuchung zu Lk 24,13–35 (EThSt 31) (Leipzig 1974) 37–42, und *R. J. Dillon*, Eye-Witness 85–89.

[7] *H. Conzelmann*, Mitte 198.

[8] Abweichende Auffassungen, wonach der Evangelist die Emmausperikope (fast) ganz als Einheit übernommen oder – das andere Extrem – überhaupt erst geschaffen habe, registriert *R. J. Dillon*, Eye-Witness 77 A.27.

7. In Lk 24, 13–35 geht es offensichtlich um zwei Hauptanliegen, die Erschließung eines christologischen Schriftverständnisses durch den Auferstandenen und das von ihm vollzogene „Brotbrechen" (V. 35). Beides wird durch das Motiv des Sich-(nicht-) zu-erkennen-Gebens umspannt (V. 16 und 31). Das bringt jedoch eine Überdehnung dieses Motivs mit sich (s.o.). Wenn es dem Evangelisten vorgegeben war, dann paßt es nur zu dem einen oder dem andern Hauptanliegen. Aber zu welchem? Es lassen sich aufs ganze gesehen folgende Lösungstypen unterscheiden:

1. Die Mahlszene ist vorgegeben; Lk hat das Schriftgespräch hinzukomponiert.

2. Das unterwegs stattfindende Schriftgespräch ist vorgegeben; die Mahlszene ist vom Evangelisten hinzugefügt.

3. Erwogen wird schließlich auch, beides als traditionell anzusehen – unter Berufung auf „die relative Eigenständigkeit des Weggespräches ... und der Mahlszene"[9].

Allerdings wird hierzu nicht auf die genannten Schwierigkeiten mit dem Motiv des Sich-(nicht-)zu-erkennen-Gebens des Auferstandenen eingegangen. Zu welcher der beiden eigenständigen Einheiten hat es gehört? Darüber hinaus ist zu fragen, ob „relative Eigenständigkeit" die vorlukanische Herkunft beider Einheiten einschließt oder ob sich dieser Eindruck nicht auch schon dadurch ergeben kann, daß eine der beiden Einheiten dem Evangelisten vorgegeben war und er die andere hinzukomponiert hat. Das heißt, es kann ernsthaft nur um die beiden erstgenannten Lösungstypen gehen.

8. Die Vertreter von 1. rechnen mit diesen Möglichkeiten:

a) Die vorlukanische Gestalt der Mahlszene läßt sich deutlich abheben. So nimmt U. Wilckens als „ältesten Kern" die Verse 13.15b.28–31(.32a.33a.35) an[10].

b) Eine durch das Einkehren vorbereitete Mahlszene ist zwar

---

[9] *J. Ernst,* Das Evangelium nach Lukas (RNT) (Regensburg 1977) 657, vgl. 655ff.

[10] Auferstehung 56f. Weitere Vertreter dieses Lösungstyps, der auf *P. Schubert* (Structure) zurückzuführen ist, bei *R. J. Dillon,* Eye-Witness 76f.

dem Evangelisten unverkennbar vorgegeben. Doch lasse sie sich aus diesem Grund nicht mehr präziser erfassen: „Es gibt keinen Vers, ja keine zusammenhängende Wendung, die nicht luk Spracheigentümlichkeiten oder luk Vorzugsvokabeln enthält.“ [11]

Die Erörterung dieses Lösungstyps muß sich auf die Mahlszene konzentrieren. Denn die angenommene Einleitung kann ja ebenso gut – wenn nicht sogar passender! – von den Vertretern des 2. Lösungstyps beansprucht werden. Für die Mahlszene liegt aber von Lk 9,16 her die Annahme äußerst nahe, daß sie der Evangelist nach diesem Muster gebildet hat[12]. Jesus handelt dort als Gastgeber bei der Speisung der Fünftausend. Der Vers enthält alle vier Verben wie 24,30. Der Bezug auf 9,16 wird gestützt durch die Beobachtung, daß für „danksagen/segnen“ hier wie dort *eulogein* anstelle von *eucharistein* in der Abendmahlsszene verwendet wird, entsprechend das Imperfekt *(ep)edidou* („er gab“) im Unterschied zu 22,19. So läßt sich geradezu behaupten, die Mahlhandlung sei dem Evangelisten von seinem eigenen Stoff her bereits ausformuliert zur Verfügung gestanden. Darüber hinaus ist die Begründung für die dringende Einladung an den Unbekannten „weil der Tag sich schon geneigt hat“ offensichtlich lukanisch: Mit „der Tag aber begann sich zu neigen“ weicht Lk 9,12 von der Mk-Vorlage (6,35) ab. Schließlich findet das „Nötigen“ an sich mit der Bitte, hereinzukommen und zu bleiben (24,29), seine unmittelbare Entsprechung in Apg 16,15. Von einer dem Evangelisten vorgegebenen Mahlszene ist also nichts zu erkennen, weder direkt noch durch die Decke einer redaktionellen Bearbeitung hindurch. Somit bleibt nur die andere Möglichkeit, nämlich mit W. Schenk das Weggespräch als traditionell anzusehen[13].

9. Dieser 2. Lösungstyp muß sich selbstverständlich mit der Auffassung auseinandersetzen, das Gespräch zwischen den Jüngern und

---

[11] *J. Wanke,* Die Emmauserzählung (Anm. 6) 109. *R. J. Dillon's* Untersuchung führt diese Linie weiter (vgl. nur Eye-Witness 79f). Ferner *G. Schneider,* Das Evangelium nach Lukas (ÖTK 3/2) (Gütersloh/Würzburg 1977) 496; *W. Schmithals,* Das Evangelium nach Lukas (Zürcher Bibelkommentare, NT 3,1) (Zürich 1980) 234.

[12] Vgl. *B. P. Robinson,* The Place of the Emmaus Story in Luke-Acts, in: NTS 30 (1984)481–497; ihm zufolge sah der Evangelist „in the feeding-confession sequence of Luke 9 a foreshadowing of the feeding-recognition sequence in Luke 24“ (490).

[13] Die Einheit von Wortverkündigung und Herrenmahl in den urchristlichen Gemeindeversammlungen, in: Theologische Versuche II (hrsg. v. J. Rogge u. G. Schille) (Berlin 1970) 65–92, hier 77–81.

dem unbekannten Mitwanderer stamme aus der Feder des Lk. Dafür genügt es nachzuweisen, daß jedenfalls ein Grundstock dieses Gesprächs nicht (erst) lukanisch ist; eine Bearbeitung durch den Evangelisten läßt sich damit natürlich vereinbaren. Als sicher unverdächtiger Zeuge für das Vorhandensein eines vorlukanischen Grundstocks kann E. Schweizer gelten[14]. Denn er hält zwar nicht nur die Verse 13.15b und 16 (einschließlich des Namens Kleopas) für traditionell, sondern auch die Mahlszene, gibt aber die Schwäche dieser Rekonstruktion durch die Feststellung zu erkennen: „Lukanische Wiedergabe einer mündlichen Tradition wäre möglich." Er räumt indes gleich weiter ein: „Aber die deutlichsten nichtlukanischen Wendungen stehen gerade in V. (18.)19.23–25, wo man am ehesten seine Redaktion vermutete, abgesehen von den schon vorgeprägten Sätzen in V. 26.34." Ist es dann nicht in der Tat geraten, die Vorlage beim Weggespräch zu suchen, auch wenn man V. 23f anders als Schweizer dem Evangelisten zuschreibt, der damit (einschließlich V. 22) die Verbindung zu 24,1–12 herstellt?[15]

Geht man einmal von dem Bestand aus, den Schweizer als vorlukanisch zumindest möglich ansieht, kommt zunächst V. 17 hinzu – jedenfalls, soweit eine Frage des Auferstandenen nach dem Gesprächsinhalt der Jünger und ihrer im traurigen Blick *(skythropos)* sich äußernden Gemütsverfassung für den Fortgang der Geschichte unverzichtbar ist. Ferner ist in V. 20 „zur Verurteilung zum Tode ausliefern" für den vorlukanischen Bestand anzusetzen. Das gilt wohl ebenso für V. 21b, während V. 21a mit der „Erlösungshoffnung für Israel" *(lytrousthai)* deutlich genug auf 1,68 und 2,38 (jeweils *lytrosis*) zurückverweist. Schließlich kann V. 27 zu V. 25 hinzugenommen werden. Denn das Prädikat *dihermäneusen* („er legte aus") ist eigenständig gegenüber *diänoigen/diänoixen*, was der Evangelist schreibt (V. 32: „wie er uns die Schriften [er]öffnete" und V. 45: „er öffnete ihren Sinn, die Schriften zu verstehen").

10. Dagegen scheint mir V. 26 keineswegs eindeutig vorlukanisch zu sein. Der Auferstandene fragt hier: „Mußte nicht der Christus leiden und in seine Herrlichkeit eintreten?" Zwar kommt *eiselthein eis*

---

[14] Das Evangelium nach Lukas (NTD 3) (Göttingen 1982) 245.

[15] Für die weiteren literar- und motivkritischen Erörterungen bildet *R. J. Dillon's* gründliche Arbeit (Eye-Witness 82–155) den Ausgangspunkt.

tän doxan autou im NT nur an dieser Stelle vor, und das Muß des Leidens Christi ist dem Evangelisten sicher vorgegeben (vgl. 9,22 mit Mk 8,31) – weshalb Schweizers erwähnter Hinweis auf „vorgeprägte Sätze" sehr bedenkenswert ist. Für W. Schenk ist V. 26 sogar ein „Eckpfeiler" (neben V. 16 und 31) der ursprünglichen Erzählung, für die er V. 13–21.25f.31 beansprucht[16].

Schenks Zurückweisung lukanischer Züge wirkt jedoch für V. 26 nicht recht überzeugend. So muß man das Gewicht der Tatsache wirklich ernst nehmen, daß das ‚heilsgeschichtliche' Muß sehr stark in der Konzeption des Evangelisten verankert ist. Der Hinweis, für Lk träten Auferstehung und Erhöhung Jesu – anders als in 24,26 gesehen – auseinander, beeindruckt zwar auf den ersten Blick[17]. Hat er nicht in seinem Fortsetzungswerk, der Apg, Jesu Himmelfahrt weit von Ostern weggerückt? Und selbst wenn man von der historisch nicht nachvollziehbaren Zusammendrängung der Ereignisse auf den Ostersonntag in Lk 24 ausgeht, fährt Jesus erst nach den Erscheinungen gen Himmel: Ist somit der Eintritt des Auferstandenen in seine Herrlichkeit mit der wann auch immer zu datierenden Himmelfahrt gleichzusetzen und demnach die Terminierung von 24,26 als damit unausgleichbar anzusehen, so daß dieser Vers vorlukanisch sein muß? Das ist im Blick auf 23,43 zu verneinen. Das Wort Jesu an den einen Mitgekreuzigten: „Heute wirst du mit mir im Paradies sein!" schließt ein, daß Jesus bereits am Karfreitag, also unmittelbar vom Kreuz aus in seine Herrlichkeit eintritt[18]. Die zeitliche Versetzung der Himmelfahrt zielt dann nicht auf die Herausstellung einer unterschiedlichen Existenzweise des Auferstandenen, nämlich vor und nach der Erhöhung – mit unterschiedlicher Bewertung seiner *sarx*, seiner Leiblichkeit[19]. Vielmehr zielt sie, wie vor allem Apg mit ihrer großen Verschiebung von 40 Tagen zeigt, auf die Jünger als „Augenzeugen", denen der Auferstandene sich mitteilt, um sie für ihre zukünftigen Aufgaben vorzubereiten. Abgesehen von Schenks Hin-

[16] Die Einheit (Anm. 13) 79f.

[17] *W. Schenk* schließt sich hier ohne die nötige Reserve der Sicht *H. Conzelmanns* an, die dieser selbst so nicht aufrecht erhalten hatte: Die Einheit (Anm. 13) 79 mit Anm. 115.

[18] *J. Ernst,* Lukas (Anm. 9) 637f, sieht diese Konsequenz, weicht ihr jedoch aus, weil er das s.E. „für das christliche Verständnis Problematische" daran vermeiden möchte.

[19] Bezeichnenderweise berücksichtigt *H. Conzelmann,* Mitte, Lk 23,43 überhaupt nicht.

weis auf Apg 2,31 – woraus sich besser ein Argument gegen als für seine Sicht herleitet, bestätigt die Darstellung der Berufung des Paulus in Apg 9 (parr), daß die Erscheinung des Auferstandenen seine Erhöhung nicht ausschließt, sondern voraussetzt[20]. Übrigens ist dies auch von der Emmausperikope her für Lk deutlich. Denn er formuliert in V. 35 „er gab sich ihnen zu erkennen" *(egnosthä)* in offenkundiger Parallele zur (Gottes-)Erscheinungsformel des Osterbekenntnisses von V. 34 „er gab sich dem Simon zu sehen" *(ophthä)*. Schließlich kann noch auf die lukanische Um- und Neuformulierung zu Mk 9,4 in der Verklärungsgeschichte verwiesen werden: Aus dem Satz „es erschien ihnen Elias mit Moses" macht Lk 9,30–32: „... die in Herrlichkeit erschienen ..."; dazu über die Jünger und Jesus: „... sie sahen seine Herrlichkeit ..."[21].

Diese Zuweisung von Lk 24,26 zur Redaktion läßt sich dadurch erhärten, daß die vom Evangelisten bearbeitete Vorlage ganz auf eine Prophetenchristologie abstellt, die eben erst durch V. 26 überboten und so in das vom Redaktor gewünschte Licht gestellt wird[22]. Hierzu bietet sich als Vergleich der Schluß der Naim-Perikope (7,11–17) an. Diese Totenerweckungserzählung, in der Jesus das Wunder des Propheten Elia (1 Kön 17,17–24) überbietend wiederholt[23], endete vorlukanisch mit der stilgemäßen Preisung Gottes durch die Anwesenden: „Ein großer Prophet wurde unter uns erweckt." Dem Evangelisten war das offensichtlich für sein Verständnis Jesu zu wenig oder nicht deutlich genug. Deshalb fügte er als Zitat aus 1,68 den Satz an: „und Gott hat sein Volk heimgesucht" (7,16). Entsprechend bearbeitet der Redaktor die Vorlage für sein „Weggespräch", indem er zwischen die Verse 25 und 27, die einander direkt entsprechen, noch V. 26 einschiebt. Es ist also wohl nicht

---

[20] Wenn *H. Conzelmann* behauptet: „Während der 40 Tage erfolgen die Erscheinungen nicht vom Himmel her" (Mitte 189), dann bleibt er die Angabe einer Alternative schuldig.

[21] Zur lk Redaktion der Mk-Vorlage s. *J. M. Nützel,* Die Verklärungserzählung im Markusevangelium (fzb 6) (Würzburg 1973) 289–299: Es geht Lk darum, dem Leser „die Herrlichkeit des Erhöhten anschaulich zu machen" (293).

[22] So bereits *J. Wanke,* „... wie sie ihn beim Brotbrechen erkannten". Zur Auslegung der Emmauserzählung Lk 24,13–35, in: BZ N.F. 18(1974)180–192, hier 188f.

[23] Dazu *A. Harbarth,* „Gott hat sein Volk heimgesucht". Eine form- und redaktionsgeschichtliche Untersuchung zu Lk 7,11–17 (Diss. Freiburg 1977); zu V. 16 besonders 59–70.

möglich, aber gewiß auch nicht nötig, sich bei der Rekonstruktion der Vorlage auf diesen Vers zu berufen.

11. Für das vorlukanische Gespräch Jesu mit seinen Jüngern bleiben dann die Verse 16 und 31 als „Eckpfeiler" stehen, genauer: V. 16 und 31 a. Das Motiv des Sich-(nicht-)zu-erkennen-Gebens baut die erzählerische Spannung auf und löst sie[24]. Das muß jedoch nicht heißen, jenseits davon auf eine weitere Suche nach der Vorlage zu verzichten. Denn V. 16 erfordert unbedingt eine Einleitung. Darin muß das Herzukommen des Auferstandenen zu den Jüngern erzählt worden sein. Als Entsprechung hat dann das Unsichtbarwerden von V. 31 b zu gelten. Doch ist zu bedenken, daß für eine derartige Entsprechung nicht dieselbe Notwendigkeit wie für die erzählerische Einleitung vor V. 16 besteht. Denn V. 31 a ist als ursprünglicher Schluß gut vorstellbar: Darin käme die bleibende Erkenntnis Jesu in der Schrift zur Geltung. Zu vergleichen wäre der entsprechend offene Schluß Mt 28,20; auch in Joh 20,23.29; 21,22 wird nicht von einem Entschwinden oder Unsichtbarwerden Jesu gesprochen. Umgekehrt eröffnet V. 31 b die Möglichkeit eines stilgemäßen Abschlusses, nämlich der Schilderung der Jüngerreaktion in V. 32; dabei ist der Schlußteil dieses Verses als lukanische Verdoppelung und Verdeutlichung anzusehen. Vielleicht muß man V. 31 b.32 a auch einer vorlukanischen Bearbeitung der ursprünglichen Erzählung zuweisen.

Was läßt sich schließlich noch zur Einleitung der Vorlage sagen? Unbestreitbar ist der Ortsname Emmaus vorlukanisch[25]. Anders steht es dagegen mit Jerusalem (einschließlich der Entfernungsangabe). Denn es ist der Evangelist, der allein (um mit Wanke zu sprechen) „für die Erzählung – so wie er sie berichten will – ein Emmaus in nur geringer Entfernung von Jerusalem (braucht)"[26].

Ob dann auch der Name des einen Jüngers dem Endredaktor vorgegeben war, muß wohl offen bleiben. Kleopas tritt ja – das ist in jedem Fall merkwürdig – nur in V. 18 als einzelner Sprecher auf. Dagegen stellt Jesus in V. 19 nicht ihm allein, sondern „ihnen",

---

[24] *W. Schenk*, Die Einheit (Anm. 13) 79.

[25] Allerdings bleibt zu überlegen, ob Emmaus von Anfang an zur Vorlage gehörte oder später dazukam (vgl. u. Anm. 28).

[26] Die Emmauserzählung (Anm. 6) 41.

den Jüngern insgesamt, die Gegenfrage, worauf sie dann im Chor antworten. Deshalb könnte V. 18 auch zuerst als gemeinsam formulierte Frage der Jünger erzählt worden sein. Aber die Ursprünglichkeit der Namensnennung hat ebenfalls gute Gründe. Ihre Wahrscheinlichkeit erhöht sich sogar, wenn man angesichts der Tatsache, daß die Zweizahl der Jünger vom lukanischen Zeugenmotiv verursacht ist, mit einer größeren (unbestimmten) Zahl von Jüngern in der ursprünglichen Erzählung rechnet. Die namentliche Nennung eines Einzigen aus einer größeren Gruppe fällt weniger auf, als wenn von einem Paar einer anonym bleibt. Dieser Kleopas dürfte dann eine gewisse Bedeutung in der Christengemeinde von Emmaus gehabt haben – worüber hier, ob mit oder ohne Einbeziehung von Joh 19,25, nicht zu spekulieren ist[27]. Wie vorhin bei der Frage der Zugehörigkeit von V. 31b.32a zur ursprünglichen Erzählung läßt sich jetzt noch erwägen, ob die Nennung des Kleopas mit seiner Frage V. 18 (und der dazugehörigen Gegenfrage Jesu V. 19a) nicht erst nachträglich, aber doch schon vor Lukas der ursprünglichen Erzählung eingefügt wurde. Es ist immerhin beachtenswert, daß nach V. 13 erst und nur dieser V. 18 – soweit es sich um Stoff handelt, den man als vorlukanisch beanspruchen kann – eine Verbindung der Geschichte zu Jerusalem herstellt.

Unabhängig davon bleibt jetzt noch zu überlegen, wie die Vorlage die Jünger mit Emmaus und dann Jesus mit diesen in Verbindung brachte. Zwar könnte man zunächst einmal bezweifeln, ob eine solche Frage überhaupt angebracht ist. Denn auch die Vertreter des Lösungstyps, die mit der Ursprünglichkeit der Mahlszene rechnen, gehen ja nahezu selbstverständlich davon aus, daß Jesus den Jüngern unterwegs begegnet und sie ihn dann erst ins Haus einladen (s. o.). Nur – beinhaltet eine solche Auffassung nicht eine erhebliche Schwächung der vertretenen Position? Zum einen nimmt man nämlich eine deutliche Gewichtsverlagerung in Kauf, weg vom Zentrum, der Mahlszene, zu einer unnötig angeschwollenen Einleitung. Und zum andern gibt man damit das Argument aus der Hand, daß das Weg-/Reise-Motiv eindeutig lukanisch ist. Natürlich mag man einwenden, daß der redaktionelle Charakter dieses Motivs die Annahme nicht verbietet, daß es auch anderswo, vor und neben Lk,

[27] Einiges dazu bei *J. Ernst,* Lukas (Anm. 9) 657.

auftaucht. So sind etwa in Mt 28,16 die Elf unterwegs *(poreuesthai)* zur Erscheinung Jesu in Galiläa. Wenn man aber mit der Erklärung des Weg-Motivs als lukanisch auskäme? Es ist doch denkbar, daß die Vorlage des Evangelisten von der Einkehr des Auferstandenen bei (den) in Emmaus versammelten Jüngern erzählte – so wie es dann Lk 24,36(ff) der Fall ist (vgl. auch in Joh 20,19ff.24ff). Eine solche Einleitung genügt vollständig[28]. Zusammen mit dem Motiv, daß sich der göttliche Gast nicht zu erkennen gibt, kann dazu auf biblische und heidnische Erzählmuster verwiesen werden, etwa auf die Geschichte von Philemon und Baukis, bei denen Zeus und Hermes unerkannt einkehren, oder auf den Besuch der drei Männer bei Abraham und Sara[29]. Diese Erzählmuster konnten übrigens von sich aus den Evangelisten zur Hinzufügung der Mahlszene ermuntern. Die Annahme einer solchen ursprünglichen Einleitung, die Jesus einigen (bzw. den) im Haus versammelten Jüngern gegenübertreten läßt, legt sich also nicht bloß von der Erzählung her nahe, sondern kann auch die Beobachtungen der lukanischen Herkunft des Wegmotivs und sonstiger Eigentümlichkeiten zu ihrem Recht kommen lassen.

12. Bevor von dieser Basis aus die lukanische Ausgestaltung der Emmausperikope in den Blick genommen wird, soll als Zusammenfassung der bisherigen Überlegungen die erschlossene Vorlage im ganzen skizziert und nach ihrem Sitz im Leben gefragt werden. Bei dieser Skizze ist die fortbestehende Unsicherheit im Detail stets mitzuberücksichtigen. Dies gilt vor allem auch hinsichtlich der Unterscheidung zwischen der ursprünglichen Erzählung und ihrer vorlukanischen Bearbeitung. Hierfür hatten sich ja bei der Einleitung, bei V. 18.19 a, und am Ende (V. 31 b.32 a) Anhaltspunkte ergeben. Was für diese Bearbeitung in Betracht kommt, wird jetzt in runde Klammer gesetzt:

(Einige) Jünger waren im Haus (des Kleopas in Emmaus)[30], und Jesus kam zu ihnen. Ihre Augen aber wurden gebannt, damit sie ihn nicht erkannten. Er sagte zu ihnen: ‚Was für Dinge (= Worte) redet ihr zueinander, traurig blik-

---

[28] Grundsätzlich muß man die Möglichkeit offen halten, daß ursprünglich von „den Jüngern“ allgemein (und ohne Ortsnennung) gesprochen wurde.

[29] Dazu etwa *R. Bultmann,* Die Geschichte der synoptischen Tradition (Göttingen [7]1967) 310.

[30] Vgl. *R. J. Dillon,* Eye-Witness 152.

kend?' Und sie antworteten ihm: (,Du weißt nicht, was in Jerusalem in diesen Tagen geschehen ist?' Und Jesus sagte: ,Was?' Und sie sagten ihm.) ,Das mit Jesus von Nazaret, der ein Prophet war, mächtig in Tat und Wort vor Gott und dem ganzen Volk. Aber die Hohenpriester haben ihn zur Verurteilung zum Tod ausgeliefert. Und jetzt ist schon der dritte Tag, seitdem dies geschehen ist.' Und er sagte zu ihnen: ,Ihr Unverständigen und Herzenslahmen, um allem zu glauben, was die Propheten gesagt haben!' Und beginnend bei Moses und allen Propheten, legte er ihnen in den Schriften das über ihn [Geschriebene] aus[31]. Da wurden ihre Augen geöffnet, und sie erkannten ihn. (Und er wurde unsichtbar vor ihnen. Und sie sagten zueinander: ,Brannte nicht unser Herz in uns, wie er [zu] uns sprach!').

Somit liegt eine formal und inhaltlich klar aufgebaute Erzählung vor, in der der Auferstandene den Jüngern das ihnen nicht verstehbare Geschick des (Endzeit-)Propheten Jesus als schriftgemäß auslegt und sie so dazu führt, ihn „zu erkennen", das heißt: an ihn zu glauben.

13. Diese Eröffnung des christologischen Schriftverständnisses besagt zweierlei: Einmal, daß es erst nach Ostern möglich ist; zum andern, daß es nicht menschlicher Willkür entspringt, sondern durch den Auferstandenen selbst autorisiert ist. Diese Glaubensgewißheit verkündet die rekonstruierte Vorlage mit Hilfe zeitgemäßer Erzählmotive. Die Frage nach dem Sitz im Leben beantwortet sich leicht, wenn man die Anfechtung bedenkt, der das christologische Schriftverständnis des Urchristentums in seinem jüdischen Horizont von Anfang an ausgesetzt war. Denn – um mit A. Vögtle zu sprechen: „Die ersten Verkünder der Jesusbotschaft konnten gar nicht versucht sein, von der Frage auszugehen: Ist das im Alten Testament verheißene Heilsgeschehen durch und an Jesus wirklich in Erfüllung gegangen? Von vornherein war ja klar: weder eine alttestamentliche Schrift, etwa eine Spätschrift, noch die nachkanonische Exegese hat im wesentlichen, ja auch nur entfernt, im Alten Testament verstreute Züge der Heilsprophetie zu *dem* Gesamtbild von der Heilsverwirklichung, von der Person, der Botschaft, vom Weg und Wirken des Erlösers kombiniert und bereitgestellt, das dem durch Ostern begründeten Christusglauben eigen war." [32]

---

[31] Das wiederholte „alle(s)" geht zumindest teilweise auf den Evangelisten zurück (V. 25.27).
[32] Christologie im Spannungsverhältnis von Altem und Neuem Testament 165.

Wenn man aber in Person und Werk Jesu die endzeitliche Heilsverwirklichung Gottes angebrochen und grundgelegt sah, wie es ja der Osterglaube tat (und tut), dann mußte diese Heilsverwirklichung auch in der Heiligen Schrift als dem gültigen Verheißungswort Gottes zu erkennen sein. Von dieser mit dem Christusglauben geradezu zwangsläufig gegebenen Voraussetzung aus ist es zu begreifen, „daß die neutestamentlichen Autoren alttestamentlichen Texten vielfach einen Sinn unterlegen, der dem alttestamentlichen Wortlaut und Kontext nicht entspricht, vereinzelt sogar widerspricht oder doch beachtlich über denselben hinausgeht"[33]. Eine so verfahrende Schriftauslegung, die bereits auf den Überlieferungsstufen vor der Abfassung der neutestamentlichen Schriften praktiziert wurde, braucht an sich nicht zu befremden. Denn die verschiedenen Gruppierungen des Frühjudentums besaßen alle ihre je eigene Schriftauslegung zur Legitimation ihres Selbstverständnisses, das von dem der andern abgegrenzt werden mußte. Das Beispiel der Qumran-Gemeinschaft ist wohl das bekannteste. Dort gilt „der Lehrer der Gerechtigkeit" als die maßgebende Autorität für das Schriftverständnis. Analog verhält es sich bei der Gemeinschaft der Jesus-Jünger nach Ostern. Nur war hier die Lage dadurch schwieriger, daß der irdische Jesus den Jüngern weder sein Todesleiden noch dessen Überwindung durch das rettende Handeln Gottes vorausgesagt, geschweige denn diese Geschehnisse im Licht biblischer Verheißungen als gottgewollt gedeutet hatte (was ja aufgrund des erwähnten Fehlens solcher Verheißungen ausgeschlossen war). Und selbst wenn man für Jesus „mit einer Strukturform rechnen (darf), die das ganze Alte Testament durchzieht, daß nämlich alte Texte im Lichte neuer Situationen und Ereignisse neu gelesen und ausgelegt werden", ist die Frage keineswegs eindeutig zu entscheiden, in „welchem Sinne und Umfang Jesus seine eschatologische Botschaft, sein Wirken und sich selbst im Lichte des Alten Testaments sah"[34]. Wenn also eine Ostererzählung wie diejenige, die den ursprünglichen Kern

---

[33] *A. Vögtle*, ebd. 164.

[34] Ebd. 160. Von den Problemen und Anfechtungen, denen sich das – in sich natürlich auch wieder vielfältige – urchristliche Schriftverständnis ausgesetzt sah, kann man sich z.B. auch aus der Polemik ein eindrucksvolles Bild machen, die Paulus in 2 Kor 3,4–4,6 einsetzt. Dazu meine Hinweise in *G. Biemer u.a.*, Freiburger Leitlinien zum Lernprozeß Christen Juden (Düsseldorf 1981) 43f, vgl. 40–46.

von Lk 24,13–35 gebildet hat, den Jüngern bescheinigt, sie täten sich – auf der Basis einer Prophetenchristologie – äußerst schwer damit, Jesu Wirken und Leiden als schriftgemäß zu erkennen, dann spiegelt sie das (nachösterliche) Bemühen wider, der angedeuteten Schwierigkeiten nach innen (Glaubensvergewisserung) und nach außen (Apologie) Herr zu werden. Die pauschale Aussage von „den Schriften, angefangen von Moses und den Propheten", liegt dabei etwa auf der Ebene, wie wir sie auch in der Formel 1 Kor 15,3b–5a („gemäß den Schriften") antreffen. Die Heranziehung einzelner Schrifttexte im Sinn von direkten „Schriftbeweisen" hat auf dieser Ebene noch keinen Platz, wird jedoch von hier aus als sich aufdrängende Weiterentwicklung verständlich.

III. Vergewisserung für den Osterglauben im Gottesdienst[35]

14. Lukas hat die Zielsetzung des ihm vorgegebenen Textes aufgenommen, indem er die Erzählung in eine Darstellung einband, die den Gottesdienst seiner Zeit durchscheinen läßt[36]. Das ist von den Vertretern der verschiedenen Lösungstypen der Vorgeschichte von Lk 24,13–35 weithin anerkannt[37]. Der Evangelist hat ja die beiden unverkennbaren Pole seiner Emmauserzählung durch V. 28f eng miteinander verknüpft[38] und durch das Motiv des Sich-(nicht-)zu-er-

---

[35] *J. M. Nützel,* Vom Hören zum Glauben, in: Praesentia Christi. FS J. Betz (hrsg. v. L. Lies) (Düsseldorf 1984) 37–49, interpretiert V. 13–35 innerhalb von Lk 24 (41f) gemäß dem Untertitel seines Aufsatzes: „Der Weg zum Osterglauben in der Sicht des Lukas". Dabei schließt er den Bezug auf den Gottesdienst nicht aus. – Ähnlich *Ch. Perrot* (Anm. 2): „Le récit des pèlerins d'Emmaüs est celui d'un passage qui va de l'immédiateté de la rencontre pascale à la condition actuelle du chrétien" (165).

[36] Eigenartigerweise übergeht *H. Auf der Maur,* Feiern im Rhythmus der Zeit I. Herrenfeste in Woche und Jahr (Gottesdienst der Kirche. Handbuch der Liturgiewissenschaft, Teil 5) (Regensburg 1983) 36–39, zum Thema Sonntag(sgottesdienst) ausgerechnet die Emmausperikope.

[37] Zu den wenigen, die diese communis opinio ablehnen, gehören *W. Schmithals,* Lukas (Anm. 11) 234f, und *B. P. Robinson* (Anm. 12) 487–494. Was an diesem Vorbehalt berechtigt ist, umschreibt *J. Wanke* für die s.E. ursprüngliche Mahltradition so, daß nämlich „Jesu Abendmahlshandlung durch die Gegenwart des nunmehr erhöhten Herrn österlich ‚umgeschmolzen' wurde ... Der erhöhte Herr gibt sich in neuer Weise den Seinen": „... wie sie ihn ..." (Anm. 22) 185.

[38] *E. Schweizer,* Lukas (Anm. 14) 245, will die doppelte Zeitangabe Lk 24,29 als Hinweis auf übernommene Tradition werten – als ob der Evangelist nicht auch hier wie

kennen-Gebens als Klammer zu einer großen Einheit zusammengeschlossen. Hinzu kommt diese Eigenart der Darstellung: Obwohl beide Male die Anregung von den Jüngern ausgeht – sie unterhalten sich unterwegs, sie laden am Ziel ihres Wegs zum Abendmahl ein[39] –, ist es doch der Auferstandene, der die Schrift auslegt und ihnen als Gastgeber das Brot bricht und sich so zu erkennen gibt. Deshalb läßt sich V. 29 geradezu als erzählerische Umsetzung des gottesdienstlichen Flehrufes *marana-tha* („unser Herr, komm!" – vgl. 1 Kor 16,22; Offb 22,20) verstehen[40]. Der Auferstandene kommt im Gottesdienst zu seiner Gemeinde, der er das Verständnis der Heiligen Schrift erschlossen hat und immer wieder das Brot seiner Gegenwart bricht.

Gemäß dem in Lk 1,1–4 ausgesprochenen Programm konnte es dem Evangelisten freilich nicht genügen, daß die Geschichte den Auferstandenen beim Gottesdienst seinen Jüngern begegnen läßt. Allein schon die Tatsache, daß die Vorlage eine andere Ortstradition als Jerusalem repräsentierte, erforderte die Anbindung an die in der Hauptstadt lokalisierten Ostergeschichten des Lk. Dabei konnte das Wegmotiv sehr nützlich sein, bot es doch eine ausgezeichnete Möglichkeit, diejenige Ostergeschichte, die eindeutig auf die Gemeindeebene hinausweist, in das Ganze des lk Osterkapitels zu integrieren: Die beiden Jünger, in denen sich die Gemeinde wiedererkennen soll, kommen von der Jerusalemer Kerngemeinde her und binden sich und ihre Erfahrung des Auferstandenen zurück an eben diese Kerngemeinde und ihr Grundbekenntnis (V. 34).

15. Von hier aus erscheinen die für eine historische Betrachtung befremdlichen Erzählzüge, zu denen außer den in I. genannten auch solche der Verknüpfung von Lk 24,13–35 mit dem Kontext gehören, in einem anderen Licht[41]. So spricht V. 24 davon, daß „einige" der Gefährten, aufgrund der von den Frauen heimgebrachten Nachrich-

---

gegenüber Mk hätte streichen können! Deshalb ist nach dem Sinn der Verdopplung zu fragen. *J. Ernst,* Lukas (Anm. 9) 663, vermutet mit Recht „einen versteckten Hinweis auf die Gottesdienstzeit".

[39] Vgl. auch *J. M. Nützels* Frage: „Dürfen wir in der kleinen Tischgemeinschaft ein Bild einer ‚Hausgemeinde' aufscheinen sehen?": Vom Hören (Anm. 35) 42 Anm. 21.

[40] Vgl. *J. Wanke,* „... wie sie ihn ..." (Anm. 22) 183 Anm. 11: „Die Einladung zum Mahl wird zur dringlichen, gebetsähnlichen Bitte".

[41] Grundsätzlich gilt hier ebenso, was *H.-J. Michel* hinsichtlich der untereinander

ten in Aufregung versetzt, zum Grab gegangen seien. Nach V. 11f hätte man diesen ‚Bericht' anders erwartet: Dort heißt es, die Worte der Frauen seien den (!) Aposteln „wie Geschwätz" vorgekommen, so daß diese jenen keinen Glauben geschenkt hätten (Zustands-Imperfekt). Allein Petrus sei dann doch zum Grab gelaufen. Doch wie schwer will man solche Unbekümmertheit im historischen Detail einem Autor anlasten, der seinen Aussageanliegen zuliebe himmlische Boten verdoppelt und ihnen neue Worte in den Mund legt (vgl. 24,4ff mit Mk 16,5–7), um so die Erscheinungen des Auferstandenen von Galiläa nach Jerusalem umzuplazieren!

Eine zumindest erzählerische Ungeschicklichkeit besteht dann in der Vorordnung des Bekenntnisses der in Jerusalem Versammelten vor den ‚Bericht' der Emmausjünger. Denn ihre ganze freudige Erregung, die sie zur sofortigen Rückkehr nach Jerusalem bewogen hat, wird dadurch unterlaufen, daß ihnen, bevor sie ihr übervolles Herz ausschütten können, das andere Erlebnis vorgesetzt wird. Aber in V. 34 geht es gar nicht um ein Erlebnis, sondern um das grundlegende Osterbekenntnis: Die Nähe zum zweiten Teil der in 1 Kor 15,3b–5a erhaltenen traditionellen Formel springt in die Augen, und das bekräftigende „wirklich" (*ontos* – im Sinn von „amen") macht es unzweifelhaft, daß der Bekenntnischarakter für den Evangelisten und seine Gemeinde klar ist. Die erzählerische Ungeschicklichkeit erklärt sich also ohne weiteres aus der ‚Sache', die für den Evangelisten Vorrang hat: Der in der ‚Ersterscheinung' vor Petrus grundgelegte Osterglaube der Christen ist die unverzichtbare Voraussetzung für den Glauben an die Selbstoffenbarung des Auferstandenen im Gemeindegottesdienst. Oder andersherum: Der Glaube an diese immer wieder sich ereignende Selbstoffenbarung hängt nicht wie eine Illusion in der Luft, sondern wird getragen vom ‚apostolischen' Glaubenszeugnis. Hier darf von Legitimation gesprochen werden[42].

---

nicht ausgleichbaren „Aussagereihen" zu Heilsgegenwart und Zukunft mit dieser Frage bemerkt: „Hat man in Lukas zuweilen doch zu stark den Historiker oder (systematischen) Theologen gesehen und zu wenig den praxisorientierten Pastoraltheologen, der sich bei seiner theologischen Reflexion sehr stark von der konkreten pastoralen Situation hat leiten lassen?": Heilsgegenwart und Zukunft bei Lukas, in: Gegenwart und kommendes Reich. Schülergabe A. Vögtle zum 65. Geb. (hrsg. v. P. Fiedler / D. Zeller) (Stuttgart 1975) 101–115, hier 112.

[42] Vgl. z. B. *J. M. Nützel,* Vom Hören (Anm. 35) 42.

Damit erklärt sich schließlich auch die eingangs erwähnte Spannung zu Lk 24,36–46. Die Erfahrung der Emmausjünger *kann* gar nichts für die Jerusalemer Kerngemeinde austragen. Vielmehr wird die Selbstbekundung des Auferstandenen ihr gegenüber, die den Zweifel überwindet, und seine Schriftauslegung die Bekräftigung dafür, daß das den Emmausjüngern widerfahrene Geschehen keine Selbsttäuschung darstellt. Diese Auffassung erhärtet sich durch die Beobachtung, daß eine solche Selbstbekundung des Auferstandenen vor den Jerusalemern durch das Bekenntnis der ‚Erscheinung' vor Petrus als überflüssig erscheint. Doch entsprechend der ‚Auffüllung" der Formel 1 Kor 15,3b–5a mit weiteren ‚Erscheinungsempfängern' wird in Lk 24 die Bekenntnisaussage von V. 34 durch die anschließende Erscheinungserzählung nicht nur plastisch veranschaulicht, sondern eben auch auf eine größere Zahl von ‚Erscheinungsempfängern' ausgeweitet. Die Erfahrung der Emmausjünger ist somit doppelt abgestützt: durch das ‚Urbekenntnis' V. 34 und durch die Erzählung, die dieses Bekenntnis entfaltet, und zwar nicht bloß umfangmäßig, sondern auch inhaltlich – gemäß den Intentionen des Evangelisten.

16. Daß er sich dabei nicht starr an Traditionen bindet, läßt sich an Lk 24,13–35 (wie auch an V. 35–46) leicht nachprüfen. Gegenüber 1 Kor 15,3b–5a fehlt die Aussage der Heilsbedeutsamkeit des Todes Jesu („für unsere Sünden"). Falls der „Langtext" der lk Abendmahlsüberlieferung zu halten wäre[43], hätte der Evangelist in 22,19b.20 diese soteriologische Konzeption zwar einmal aufgenommen – dann eben doch wohl, weil die ihm zur Verfügung stehende liturgische Tradition so feststand. Doch spielt die Heilsbedeutsamkeit des Todes Jesu für die soteriologische Botschaft des Evangelisten anerkanntermaßen keine Rolle. Vielmehr besitzt ihr zufolge das Leben, Leiden und Verherrlichtwerden Jesu Christi insgesamt Heilsbedeutung. Daraus erklärt sich der Rückgriff auf die Prophetenchristologie, wie sie die für die Emmausgeschichte erschlossene Vorlage bot und wie sie auch sonst im Werk des Lk als Tradition aufgenommen und dann entsprechend bearbeitet worden ist.

17. Versuchen wir abschließend die Botschaft der Emmauserzäh-

---

[43] Jetzt wieder von *B. P. Robinson* (Anm. 12) 488f bestritten.

lung in ihren Hauptzügen zusammenzufassen, wie sie sich aus der Unterscheidung von Tradition und Redaktion sowie aus der Einordnung in den Zusammenhang des lk Werks ergeben haben! Es geht dem Evangelisten um den Gottesdienst seiner Zeit, seiner Adressaten. Nach Lk 1,1–4 befinden wir uns in der dritten Generation des Urchristentums, für die sich das Bedürfnis der Vergewisserung des Glaubens und damit der Traditionssicherung unabweisbar stellt. Der Evangelist, der sein ganzes Werk diesem Anliegen widmet, bekräftigt den Glauben an die Christusbegegnung im Gemeindegottesdienst durch die Erzählung von den beiden Emmauswanderern, denen der Auferstandene den christologischen Sinn der Heiligen Schrift erschließt und als Gastgeber das Brot bricht. Dabei war die Autorisierung des christologischen Schriftverständnisses, die das zentrale Anliegen der Vorlage bildete, für Lk höchst willkommen. Denn er konnte sie für sein Konzept der fortschreitenden Erfüllung der Voraussagen Jesu (bzw. dann des Auferstandenen) unmittelbar in Dienst nehmen[44]. Die Notwendigkeit zur Bekräftigung des christologischen Schriftverständnisses bestand ohnehin fort, je länger desto mehr, nur daß der Evangelist eben die „Lösung“ dieses Problems in der Vorlage auf die Schriftauslegung im Gottesdienst anwendete.

Mit dem anderen Pol der Emmausgeschichte, der Mahlszene, bekräftigt der Evangelist den Glauben der Gemeinde, daß der auferstandene Christus als Gastgeber ihre Mahlfeier ‚be-herrscht‘, daß somit im christlichen Gottesdienst die Selbsterschließung des verherrlichten Christus – in Kontinuität zu der des irdischen Jesus bzw. unter Einschluß derselben – immer wieder vollzogen wird. Das „er gab sich zu sehen“ der Bekenntnisaussage (V. 34) realisiert sich für den Christen der nachapostolischen Zeit im Gemeindegottesdienst, in dem sich der Auferstandene „zu erkennen gibt“ (V. 35). Die Heraushebung des Bekenntnisses in V. 34 hat aber auch die Aufgabe, die Verankerung des Gemeindeglaubens im Glaubenszeugnis derer zu betonen, „die Augenzeugen von Anfang an (waren) und Diener des Wortes (der Verkündigung) wurden“ (1,2). Indem der Evangelist auf diese Weise durch die Emmausgeschichte den Vollzug des Osterglaubens im Gottesdienst auf seine ‚geschichtlichen‘ Wurzeln

---

[44] Zu diesem Konzept vgl. *G. Schneider,* Lukas (Anm. 11) 503f.

VI

Der Ostermorgen im 4. Evangelium (Joh 20,1–18)

Von Dieter Zeller, Mainz

Die Ereignisse am leeren Grab, wie sie der 4. Evangelist, traditionell Johannes genannt, schildert, sind durch die Person der Maria Magdalene (= MM) und die Zeit („früh“ V. 1; dagegen V. 19 „abends“) zusammengehalten. Man kann das so abgegrenzte Stück in seinen Strukturen und in seinen Beziehungen zum restlichen Kap. und zum ganzen Evangelium synchron untersuchen[1]. Bei aller Faszination, die es vor allem in der zweiten Hälfte ausübt, wirft es jedoch auch viele Fragen historischer und literarischer Art auf. So hat die Überlieferungskritik z. B. in V. 1 f ein archaisches Fragment finden wollen, das nur ein leeres Grab ohne Auferstehungsverkündigung durch Engel kannte[2]. Manche Autoren halten auch die Visite der beiden Jünger V. 3–10 für geschichtlich denkbar[3]. Schließlich gilt einigen die Ersterscheinung vor MM V. 14–18 für alte, zuverlässige Tradition. Sie sei bei Markus durch den Hinweis auf die Vision der apostolischen Amtsträger verdrängt worden[4].

Ferner lassen sich in unserer Perikope Bezüge zu den ersten drei Evangelien aufweisen, so daß an ihr immer wieder das Verhältnis des 4. Evangelisten zu den Synoptikern diskutiert wird. V. 2–10

---

[1] Vgl. *D. Mollat,* La foi pascale selon le chapitre 20 de l'Évangile de saint Jean, in: Resurrexit 316–339; *L. Dupont/C. Lash/G. Levesque,* Recherche sur la structure de Jean 20, in: Bib 54 (1973) 482–498; *I. de la Potterie,* Genèse de la Foi Pascale d'après Jn. 20, in: NTS 30 (1984) 26–49.

[2] *P. Benoit,* Marie-Madeleine et les disciples au tombeau selon Joh 20 1–18, in: Judentum – Urchristentum – Kirche. FS J. Jeremias (hrsg. v. W. Eltester) (BZNW 26) (Berlin 1960) 141–152; im Anschluß daran *J. Jeremias,* Neutestamentliche Theologie (Gütersloh 1971) 289.

[3] So *E. Ruckstuhl,* in: *ders./J. Pfammatter,* Auferstehung 40.

[4] So *P. Benoit* (Anm. 2) 150 ff; *M. Hengel,* Maria Magdalena und die Frauen als Zeugen, in: Abraham unser Vater. FS O. Michel (hrsg. v. O. Betz u. a.) (Leiden – Köln 1963) 243–256, 252–256; *E. Ruckstuhl* (Anm. 3) 96; *J. Jeremias* (Anm. 2) 290; *T. A. Mohr,* Markus- und Johannespassion 388; *F. Bovon,* Le Privilège Pascal de Marie-Madeleine, in: NTS 30 (1984) 50–62.

taucht die rätselhafte Gestalt des Lieblingsjüngers (= LJ) auf. Ist sie original oder erst vom Evangelisten oder gar einer „kirchlichen Redaktion", der sich auch Kap. 21 verdankt, eingebracht worden? So verdichten sich in Joh 20,1–18 interessante Probleme des 4. Evangeliums.

1. Überblick über den Text und seine Schwierigkeiten

– V. 1 erzählt von der Entdeckung des geöffneten Grabes. Wir erfahren nicht, weshalb MM dahin ging; eine nachträgliche Salbung kommt nicht in Frage, weil der Leichnam nach 19,39f ordnungsgemäß beigesetzt wurde. „Der Stein" am Eingang erscheint selbstverständlich. Eine ausführlichere Geschichte dürfte in unserem Vers stark gerafft sein.

– Aus der Öffnung des Grabes schließt MM – voreilig und wohl ohne hineinzublicken –, daß der Leichnam Jesu an einen unbekannten Ort entfernt wurde. Sie meldet das Simon Petrus und dem LJ. Dabei fällt der Plural „wir wissen nicht" (V. 2c) auf.

– Daraufhin eilen Petrus und der LJ zum Grab. Merkwürdig berührt, daß der LJ dabei einen Vorsprung gewinnt, um dann doch Simon den Vortritt zu lassen.

– Die Pointe dieser Szene ist offenbar, daß der Anblick der Leinenbinden und des gesondert daliegenden Schweißtuches die Annahme einer Umbettung des Leichnams ausschließt. Vom LJ wird sogar gesagt, daß er so zum Glauben (an die Auferstehung Jesu) kommt (V. 8). Wie verhält sich dazu aber V. 9, wonach beide Jünger noch nicht die Schrift verstanden haben, die von der Auferstehung Jesu spricht?

– Die Besichtigung des Grabes durch die beiden hat keine Folgen für das Verhalten der Jünger V. 19.

– Aber auch MM, die, ohne daß ihre Rückkehr berichtet worden wäre, V. 11 am Grab steht, bleibt von der Erfahrung der Jünger unberührt. Sie weint. Erst jetzt schaut sie ins Grab hinein und sieht dort zwei Engel, von denen die Jünger wiederum nichts bemerkt hatten.

– Nach dem Grund ihres Weinens gefragt wiederholt sie ihre Folgerung von V. 2. Man erwartet nun, daß die Engel sie trösten und aufklären. Stattdessen folgt V. 14ff – nur durch Mariens Rückwendung vermittelt – die Begegnung mit dem Auferstandenen.

– Der wiederholt die Frage der Engel V. 13a. In ihrer Befangenheit macht MM den vermeintlichen Gärtner für die Verlegung des Leichnams verantwortlich und bietet sich an, diesen wieder zurückzuholen (wie?). In der Erkenntnis ihres Meisters – mit einer nochmaligen Hinwendung zu ihm V. 16b verbunden – löst sich die Spannung. MM erhält V. 17 den Auftrag an die Jünger, ihnen vom Aufsteigen Jesu zum Vater zu künden. Das ist zumindest für den LJ (V. 8) keine Neuigkeit mehr.

– V. 18 richtet sie diese Botschaft auch aus (am Versende nur in indirekter Rede referiert). Sie zeigt aber keinerlei Wirkung auf die Jünger V. 19. Erzählökonomisch scheint es wenig geschickt, daß MM nun zweimal zu den Jüngern geht (V. 2 und V. 18).

Das Vertrackte an unserem Text ist also vor allem, daß die Jüngerepisode V. 3–10 beziehungslos neben der Ostergeschichte MMs steht, die V. 1 beginnt und sich V. 11 fortsetzen könnte. Bei dieser wirkt wieder die Erscheinung Jesu V. 14ff auf die Engelszene aufgepfropft, deren Höhepunkt nun nicht mehr erhalten ist.

2. Berührungen mit den Synoptikern

Die Zusammensetzung der Erzählung kommt zutage, wenn wir feststellen, welche Teile bei den Synoptikern eine Entsprechung haben[5].

Das Gerüst von V. 1 steckt in Mk 16,2.4a. Die Wortstellung am Anfang des Verses, die straffe Erzählweise unter Auslassung von Mk 16,3 und die Konstruktion in V. 1b haben freilich größere Ähnlichkeit mit der Parallele Lk 24,1f. MM wird wie bei Mt 28,1 als Subjekt genannt. Bei den Synoptikern gehen im Unterschied zu Joh mehrere Frauen zum Grab. Ein Wissen darum könnte allerdings der Plural V. 2b noch verraten[6]. Sonst ist in diesem Vers noch der Lauf der

[5] Vgl. *B. Lindars,* The Composition of John XX, in: NTS 7 (1960/61) 142–147.

[6] Das verträgt sich durchaus mit der Erklärung von *E. L. Bode,* Easter Morning 74f, daß es eine Eigentümlichkeit des Evangelisten ist, eine Person stellvertretend für andere sprechen zu lassen (vgl. 3,2; 14,5). Mit orientalischer Redeweise rechnet hingegen *R. Bultmann,* Das Evangelium des Johannes (Göttingen [17]1962) 529 Anm. 4. Die Konzentration auf eine Einzelfigur kann gut vom Evangelisten stammen, da seine Quelle 19,25 mehrere Frauen kennt. Sie erfolgte wohl im Blick auf die V. 14ff verarbeitete Erscheinungsgeschichte, die nur von MM sprach. Vgl. *J. E. Alsup,* Appearance Stories 207.

MM in Mt 28,8 vorgebildet. „Wo sie ihn hingelegt haben" könnte ein Echo auf Mk 16,6fin sein.

V. 3–10 erscheinen Lk 24,12 knapp zusammengefaßt[7]; nur fehlt dort der LJ. Daß Lk in seiner Wiedergabe von V. 12 in 24,24 eine Mehrzahl von Jüngern erwähnt, dürfte keine Spur dieses Begleiters, sondern sekundäre Verallgemeinerung sein[8].

Die Bezüge zu den Synoptikern intensivieren sich erst wieder V. 12 (vgl. Mk 16,5; aber „Engel" wie Mt 28,2.5; Zweizahl wie Lk 24,4).

V. 13 entspricht der Anknüpfung des Engels an die Suche der Frauen Mk 16,6ab = Mt 28,5; Lk 24,5. Das synoptische ζητεῖτε wird allerdings erst in der Frage Jesu V. 15a verwertet.

Das Sehen des Auferstandenen V. 14–17 hat dagegen nur in Mt 28,9f eine Analogie. Der Kontakt wird vor allem in der Struktur der Szene[9] und im Ausdruck „meinen Brüdern" deutlich. V. 18 wird auch die Durchführung des Auftrags in ähnlichen Worten wie bei Mt 28,8 (entfernter Lk 24,9) festgehalten.

Diese unterschiedliche Nähe zu den Synoptikern erlaubt es, den Text in vier Blöcke einzuteilen. V. 2 und 11 bleiben als Übergangsverse übrig.

V. 1 = A (par. Mk, Lk, Mt)
V. 3–10 = B (par. Lk 24,12)
V. 12f = C (par. Mk, Lk, Mt)
V. 14–18 = D (par. Mt 28,9f)

Diese Blöcke decken sich mit den oben unter 1) beobachteten Brüchen. Bei aller stilistischen Einheitlichkeit unserer Perikope werden wir deshalb doch fragen müssen, wie sich in ihr Tradition und Redaktion verhalten.

[7] Der Vers wurde durch text- und redaktionskritische Überlegungen in jüngster Zeit wieder für Lk gesichert. Gegen *K. P. G. Curtis,* Luke XXIV. 12 and John XX. 3–10, in: JTS 22 (1971) 512–515, und *R. Mahoney,* Disciples 41–69, vgl. *J. Muddiman,* A Note on Reading Luke XXIV. 12, in: ETL 48 (1972) 542–548, und *F. Neirynck,* Evangelica (Leuven 1982) 313–334.390–455.

[8] Vgl. *J. Jeremias* (Anm. 2) 290 Anm. 24; *F. Neirynck,* John and the Synoptics: the Empty Tomb Stories, in: NTS 30 (1984) 161–187, 173.

[9] Vgl. *F. Neirynck* (Anm. 8) 169.

3. Lösungsmodelle in diesem Jahrhundert

Eine detaillierte Forschungsgeschichte muß hier nicht geboten werden[10]. Es werden nur einige Typen von Lösungen vorgeführt, die methodisch verschieden ansetzen.

a) Die neueste Arbeit von *F. Neirynck* will mit eindrucksvollen Argumenten dartun, daß der *4. Evangelist alle drei Synoptiker benutzt* hat[11]. Diese These würde wahrscheinlicher, wenn sich nachweisen ließe, daß Joh von stilistischen Eigenheiten und redaktionellen Änderungen der Vorgänger abhängt; das will aber nur schwer gelingen[12]. Im Gegenteil, die ausgesprochenen Lukanismen von Lk 24,12 sind bei Joh nicht übernommen. Mt 28,9f mag zwar stark vom Evangelisten geprägt sein, reicht aber als Grundlage für V. 14–18 nicht aus, da es sich hier von vornherein um eine Einzelerscheinung handelt, die noch zudem um das Motiv des allmählichen Wiedererkennens bereichert wurde. Die Vorstellung, daß Joh „tried to make one consistent narrative by relying on Luke in the first part (20. 1–10) and on Matthew in the second part (20. 11–18)“[13], vereinfacht die unter 2) aufgezeigten Verhältnisse doch zu sehr. So ließe sich zwar die Verdoppelung der Ankündigung MMs für die Jünger V. 2 und 18 erklären, kaum aber das seltsame Nebeneinander von V. 3–10 und V. 11–18[14]. Kann man sich einen Evangelisten denken, der die ersten drei Evangelien wie Farbkästen vor sich hatte und bei einzelnen Versen aus allen Töpfchen kräftig mischte, an anderen Stellen wie-

[10] Vgl. etwa *T. A. Mohr*, Markus- und Johannespassion 390ff; *R. Mahoney*, Disciples 172–193; *F. Neirynck* (Anm. 8) 162ff; *H. Thyen*, Aus der Literatur zum Johannesevangelium, in: ThR 42 (1977) 261–270.

[11] Siehe den in Anm. 8 genannten Aufsatz. Vgl. schon früher, wenn auch nicht so gründlich: *J. Finegan*, Überlieferung 93f.97.

[12] Die Übereinstimmung von V. 1 mit Lk 24,1f ist nicht spezifisch genug. Am ehesten könnte Lk 24,12 direkt hinter V. 4–6.10 stehen. Aber παρακύψαι ist – trotz weiterer Komposita mit κύπτω an anderen lukanischen Stellen (vgl. *F. Neirynck*, Evangelica [Anm. 7] 310) – doch nicht so typisch für Lk. Selbst wenn παρακύψας βλέπει über Mk 16,4 modelliert sein sollte (*F. Neirynck*, ebd. 331ff), so liegt doch Lk 24,12 keine ganz redaktionelle Doublette vor. Vorgegeben ist mindestens das Motiv der Leinenbinden (Joh 19,40!; Lk 23,53 dagegen: Leinentuch) ohne Leichnam.

[13] *F. Neirynck* (Anm. 8) 179.

[14] Für das unvermutete Dastehen der MM V. 11 verweist *Neirynck* (Anm. 8) auf den analogen Fall der Marta Joh 11,39 (vgl. 11,28). In der Tat ist dem Evangelisten eine solche Wiedereinführung zuzutrauen (s. u. 4d). Es befremdet aber immer noch die Unterbrechung des Erzählverlaufs durch V. 3–10.

der mit eigenen Farben frei darauflos malte? Warum hat er dann das Material aus Lk und Mt nicht besser aufeinander abgestimmt? F. Neirynck erläutert mir nun gesprächsweise, er habe es „nur im Kopf gehabt". Dann ist der Unterschied zum traditionsgeschichtlichen Modell (s. u. d) nicht mehr so groß. Andererseits ist, wo bewußt umgestellt wurde (s. u. 4c), eine literarische Vorlage anzunehmen.

b) Üblicherweise geht die Forschung von zwei selbständigen Parallelstücken[15] bzw. zwei miteinander konkurrierenden Geschichten vom leeren Grab[16] in 20, 1.11–18 und 20, 3–10 aus, die dann auf verschiedene literarische Ebenen verteilt werden. Der ältere *literarkritische* Zugang scheidet aus einem fertigen Bericht des Evangelisten spätere *Interpolationen* oder Eingriffe einer *nachträglichen Redaktion* aus. So wird V. 2(3)–10 als Einschub mit antignostischer bzw. kirchlich-traditioneller Tendenz betrachtet[17], der dem LJ die Priorität des Osterzeugnisses sichern soll[18]. Daß das Stück wegen Lk 24, 12 Anhalt an der Tradition hat, bedenkt man dabei erst in neuerer Zeit[19]. Andere Forscher schreiben V. 11 b–14 a einem Bearbeiter zu, der Joh an die Synoptiker angleichen wollte[20], wohl um ihn dadurch für die Orthodoxie zu retten. Das setzt anachronistisch eine kanonische Geltung der ersten drei Evangelien voraus; die Anspielungen darauf wären dem Leser zudem nicht einmal als solche erkennbar. *E. Schwartz*[21] nimmt gar beide Manipulationen zugleich an, obwohl die zweite keine Kenntnis von der ersten zeigt.

c) Seit R. *Bultmann* setzt sich mehr und mehr die Hypothese durch, daß auch in Kap. 20 ein *vorjohanneischer Passionsbericht* weiterläuft. Indizien dafür sind nicht nur die Örtlichkeit und die Figur

---

[15] So *L. Brun*, Auferstehung 15.

[16] So *S. Schulz*, Das Evangelium nach Johannes (Göttingen ^{3}1978) 241.

[17] So *E. Hirsch*, Studien zum vierten Evangelium (Tübingen 1936) 126 ff.

[18] Vgl. *W. Langbrandtner*, Weltferner Gott oder Gott der Liebe (Frankfurt/M. 1977) 30 ff; *T. A. Mohr*, Markus- und Johannespassion 394 ff.

[19] *G. Richter*, Studien zum Johannesevangelium (Regensburg 1977) 182 f; *P. Hoffmann*, Art. Auferstehung 506.

[20] So *F. Spitta*, Das Johannes-Evangelium als Quelle der Geschichte Jesu (Göttingen 1910) 389 ff.

[21] Aporien im vierten Evangelium, in: NGWG. PH (1907) 346 ff; ähnlich *J. Wellhausen*, Das Evangelium Johannis (Berlin 1908) 91 ff, der freilich mit seinem Modell Grundschrift–Bearbeitung eher dem unter c) aufgeführten Analysetyp nahekommt. Neuerdings *E. Haenchen*, Das Johannesevangelium (hrsg. v. U. Busse) (Tübingen 1980) 567–571 (Ergänzer).

der MM, sondern z. B. auch das Motiv der Binden (19,40; 20,6) und des Gartens (19,41; 20,15). Die vorhandenen Spannungen werden dann auf die *Ausgestaltung des Evangelisten* zurückgeführt[22]. Außerdem kann dann immer noch eine „Kirchliche Redaktion" bemüht werden[23].

d) Inzwischen ist die *traditionsgeschichtliche* Fragestellung weiter vorangetrieben worden. Man vermutet, daß die Unebenheiten von der Vereinigung unterschiedlicher Traditionen herrühren. So rekonstruiert *R. Brown*[24] drei einst unabhängige Geschichten, davon die erste in zwei Versionen, über deren vorjohanneische Verbindung er keine Auskunft mehr gibt. *J. Becker*[25] dagegen hat eine ziemlich genaue Vorstellung davon, wie sich diese Traditionen noch vor der Entstehung des Evangeliums in drei Phasen überlagert haben. Der Evangelist selbst bleibt bei ihm seltsam arbeitslos[26].

e) Eine Reihe neuerer Forscher mildert die Disparatheit der Jünger- und der Magdalenenüberlieferung, indem sie im vorjohanneischen Stadium einen *durchgehenden Zusammenhang in 20,1–10.11a.14b–18* annehmen[27]. V. 3 und 9 hätten die Pluralformen ursprünglich Petrus und MM umfaßt. Letztere sei dann vom LJ verdrängt worden. Dann muß freilich die – im Vergleich mit den Synoptikern – verspätete Engelerscheinung literarkritisch herausoperiert werden[28].

---

[22] *R. Bultmann* (Anm. 6) 528f schreibt ihm V. 3–10.14–18 zu. Ebenso *S. Schulz* (Anm. 16) 242. Ähnlich *R. Mahoney*, Disciples 224ff: Er hat die Jüngerepisode in die Geschichte von den Frauen am Grab eingelegt, indem er Elemente daraus in V. 6f verwendete; das Ganze kombinierte er mit einer Erscheinung für MM.

[23] Z. B. von *R. Bultmann* (Anm. 6) 530f für V. 9.

[24] The Gospel according to John (New York 1970) 998–1004; ihm neigt *C. K. Barrett*, The Gospel according to St John (London ²1978) 560, zu. Ähnlich schon *P. Benoit* (Anm. 2) und *G. Ghiberti*, I racconti pasquali del capitolo 20 di Giovanni (Brescia 1972) 79–99.

[25] Das Evangelium nach Johannes (Gütersloh – Würzburg 1981) 608–611.

[26] Denn die Gestalt des LJ ist eine Zutat der „Kirchlichen Redaktion".

[27] *G. Hartmann*, Die Vorlage der Osterberichte in Joh 20, in: ZNW 55 (1964) 197–220; *R. T. Fortna*, The Gospel of Signs (Cambridge 1970) 134–144; *R. Schnackenburg*, Das Johannesevangelium III (Freiburg i. Br. 1975) 358ff; danach *J. Schmitt*, in: DBS X, 569ff.

[28] Eine Ausnahme macht *R. T. Fortna* (Anm. 27) 139.

Grundsätzlich ziehen wir es vor, Gemeinsamkeiten mit den Synoptikern darin zu begründen, daß sich schon dort wahrnehmbare *Tendenzen* in der vorjohanneischen Tradition verstärken. Teilweise treten sie erst in der apokryphen Evangelienliteratur voll in Erscheinung.

a) So hat man sich schon in der Lk vorliegenden Überlieferung nicht mehr damit begnügt, daß – als Zeugen ungeeignete – Frauen *das Wunder des leeren Grabes* zur Kenntnis nehmen; es *mußte durch Petrus offiziell bestätigt werden* (vgl. Lk 24,12.24). Der deutliche Trend, die Tatsache des leeren Grabes möglichst vielen zugänglich zu machen[29], spricht gegen die Historizität dieses Erzählzuges. In eins damit geht die *Absicherung gegen Mißdeutungen.* Eine mögliche natürliche Erklärung des Fehlens des Leichnams (vgl. V. 2.13.15) wird V. 5 ff zurückgewiesen. Wäre er eilig an einen anderen Ort gebracht worden, hätte man ihn nicht ausgewickelt und gar noch das Schweißtuch säuberlich zusammengelegt. In diesem Zusammenhang spielen das vorzeigbare Leintuch und die zurückgelassenen Binden eine Rolle[30]. V. 15 bildet vielleicht den Ansatzpunkt für die spätere jüdische Legende von Juda dem Gärtner, der den Leichnam Jesu verlegt haben soll[31]. Massiver ist die Diebstahlshypothese (vgl. Justin, dial. 108,2), gegen die dann Mt mit den Wächtern (Mt 27,62–66; 28,4.11–15) und das Petrusevangelium[32] angehen.

b) *MM und die übrigen Frauen* wurden nach Mk 16,1–8 am leeren Grab durch den Engel von der Wirklichkeit der Auferstehung überzeugt. Damit gab man sich bald nicht mehr zufrieden. Warum sollte ihnen nicht *auch eine Erscheinung des Auferstandenen,* wie sie Mk

---

[29] In einem koptischen Fragment (siehe *E. Revillout,* in: Patrologia Orientalis II,2 [Paris 1904] 170 ff) kommt sogar Pilatus mit den Großen der Juden, dem Sanhedrin und den Hohenpriestern zum Grab, sieht die Leintücher und sagt: „Wenn man den Leichnam fortgenommen hätte, so würde man auch die Binden genommen haben“.

[30] Das Hebräerevangelium läßt dann den auferstehenden Jesus selbst sein Leintuch dem Knecht des Priesters, der das Grab bewacht, übergeben. Vgl. *E. Hennecke / W. Schneemelcher,* Neutestamentliche Apokryphen I (Tübingen [4]1968) 108 Nr. 7. Siehe auch vorige Anm.

[31] So auch *R. H. Fuller,* Formation 137; *R. Mahoney,* Disciples 242 f. Dagegen sieht *H. v. Campenhausen,* Ablauf 31–35, diese hier schon im Hintergrund.

[32] Vgl. *E. Hennecke / W. Schneemelcher* (Anm. 30) 122 f Nr. 8–11.

16,7 den Jüngern verheißen wird, gewährt sein? Mt 28,9f (vgl. auch Mk 16,9) lokalisiert sie auf dem Weg zu den Jüngern und läßt Jesus den Auftrag des Engels wiederholen. In der Epistula Apostolorum[33] ersetzt die Christuserscheinung am Grab die Angelophanie. Nach gnostischen Evangelien[34] empfängt MM Offenbarungen des Auferstandenen. Joh 20,14–18 wird man zwischen diesen Entwicklungsstufen ansiedeln müssen. Er kann aber schwerlich eine frühe Überlieferung von einer Vision MMs verbürgen.

c) Wenn V. 5ff die Befürchtungen MMs V. 2.13.15 zerstreut, liegt es nahe, daß die Grabinspektion des Petrus schon in der Quelle mit der Mariaerzählung verbunden war[35]. Die jetzige Abfolge macht aber ziemliche Schwierigkeiten (s. unter 1). Lk 24,9ff werden die Jünger erst nach der Osterverkündigung am Grab benachrichtigt. So wird auch V. 2ff nicht die ursprüngliche Fortsetzung von V. 1 gebildet haben. Vielmehr könnte der Evangelist eine *Umstellung*[36] vorgenommen haben. Demnach folgte der Lauf des Petrus zum Grab einmal einer den Synoptikern ähnlichen, besonders mit Lk verwandten Grabesgeschichte mit Engelserscheinung und -botschaft. Petrus sah an den Binden, daß eine Verlegung des Leichnams (V. 13) nicht in Frage kommt, blieb aber unverständig. In V. 9 mit seiner an Lk 24,7.26f.44ff erinnernden Thematik könnte so ein alter Kern stekken[37]. An die Notiz von Petri Rückkehr (V. 10 ursprünglich im Singular) schließt V. 19ff gut an, eine Szene, die wieder Lk 24,36ff ihr Pendant hat[38]. V. 2 wäre ein redaktionelles Bindeglied, das V. 13 vorwegnimmt[39]. Nach unserer Ansicht haben wir es also weder mit zwei konkurrierenden Geschichten zu tun, noch ist es notwendig, in V. 3–10 nach Spuren MMs zu suchen.

---

[33] Vgl. *E. Hennecke / W. Schneemelcher* (Anm. 30) 130 Nr. 9f.

[34] Vgl. *F. Bovon* (Anm. 4) 52–62.

[35] So die Anm. 27 genannten Autoren, z.B. *R. Schnackenburg* 359. Auch *J. E. Alsup,* Appearance Stories, kommt in seiner sonst wenig ertragreichen Diskussion 95–102 zu diesem Ergebnis.

[36] So auch ohne nähere Begründung schon *Ph. Seidensticker,* Auferstehung 119.

[37] Bloßes Staunen ist die Reaktion des Petrus nach Lk 24,12. *P. Benoit* (Anm. 2) 143 und die Anm. 27 genannten Autoren möchten V. 9 in der Vorlage im Anschluß daran lesen. Ebenso *B. Lindars,* The Gospel of John (London 1972) 602. Doch die lukanische Wendung und die Verbindung mit der Rückkehr (= Joh 20,10) mahnen zur Vorsicht.

[38] Darauf macht *J. Becker* (Anm. 25) 609 aufmerksam.

[39] So bereits *J. Wellhausen* (Anm. 21) 91; *R. Bultmann* (Anm. 6) 528; *Th. Lorenzen,* Der Lieblingsjünger im Johannesevangelium (Stuttgart 1971) 30f. V. 13 klingt das

Es ist bisher zu wenig beachtet worden, daß der Evangelist derartige Umstellungen – gemessen an der markinischen Fassung – *in der Passionsgeschichte noch öfter* ins Werk setzt.

12,7 steht die christologische Aussage vor V. 8 (anders Mk 14,6–8)[40].

Durch die Voranstellung von 12,12f vor V. 14f (16) (vgl. Mk 11,1–10) macht Joh aus der vorgegebenen Huldigung der Begleiter eine feierliche Einholung des Triumphators Jesus.

18,17 zieht er gegenüber Mk 14,66–68 die erste Verleugnung vor. Die fragende Türhüterin steht dabei im Zusammenhang mit der Einfügung des „andern Jüngers" V. 15f.

18,29–32 geht die Anklage der Frage nach dem Königtum V. 33–38 voran, was logischer, aber deshalb im Vergleich mit Mk 15,2f nicht ursprünglicher ist[41].

19,1–3 finden Geißelung und Verspottung vor der Verurteilung V. 16 statt (anders Mk 15,15–19) und werden so zu einem Trick des Pilatus, Jesus freizubekommen.

19,19–22 erwähnt die Kreuzesinschrift vor der Kleiderverteilung V. 23f (anders Mk 15,24b.26), um die Kreuzigung als Erhöhung zu deuten. So wird V. 23 ein Temporalsatz notwendig, der auf die Kreuzigung zurückkommt.

19,25–27 führt der Evangelist die Jesus Nahestehenden vor dem Essigtrank und dem Tod V. 28–30 ein (anders Mk 15,36f.40f). So kann der Gekreuzigte noch mit ihnen sprechen. Wieder ist der LJ dabei!

Besonders aufschlußreich sind die beiden Fälle, bei denen die Umstellung mit der Einarbeitung des LJ zusammengeht (18,15ff; 19,25ff). Das spricht dafür, daß auch an unserer Stelle beides das Werk des Evangelisten, nicht erst einer späteren Redaktion, ist[42]. Damit haben wir auch gleich den Grund für die Änderung der Sequenz gefunden: Der LJ sollte noch vor MM im Glauben auf die Be-

---

„meinen Herrn" persönlicher als das der Gemeindesprache entlehnte absolute ὁ κύριος des Evangelisten.

[40] *T. A. Mohr,* Markus- und Johannespassion 140 erkennt die Absicht des Evangelisten nicht.

[41] Gegen *T. A. Mohr,* Markus- und Johannespassion 285–290.

[42] V. 3 hebt wie 15,15 singularisch an, obwohl dann noch der LJ hinzukommt; das

deutung des leeren Grabes kommen. Wahrscheinlich hängt die Voranstellung von V. 3–10 aber auch damit zusammen, daß die Engelszene V. 12f um eine Christophanie für MM (V. 14–18) erweitert wurde. Hätte der Evangelist die Jünger erst auf die Kunde davon zum Grab eilen lassen, wäre die Geschichte stark abgefallen. Die Frage, wo der Leichnam verblieben ist, war ja für den Leser jetzt eindeutig beantwortet. Der Glaube des LJ wäre auch nichts Besonderes mehr gewesen.

d) Das bringt uns zur Überlieferungsgeschichte von V. 11–18. V. 11a klingt vor allem an 18,16a an. Auch dort nimmt der Evangelist nach der Einschleusung des LJ den Faden wieder auf[43]. So wird die Inszenierung auf ihn zurückgehen[44]. Weil er von vornherein V. 14ff im Auge hat, läßt er MM gar nicht erst ins Grab hineingelangen. Auch die typisch johanneische Konstruktion des Temporalsatzes V. 11bα kann redaktioneller Übergang sein; im folgenden ist nur das Weinen wichtig. Erst jetzt darf MM ins Grab hineinspähen (redaktionell nach V. 5?). V. 12f können deshalb nicht späterer Zusatz sein, weil der Leser sie zum Verständnis der weiteren Folgerung V. 15 benötigt[45]. Wegen dieses Zusammenhangs möchte man gern auch in V. 14ff die gleiche Tradition wie V. 12f annehmen. Doch die Funktionslosigkeit der Engel, die erneute Frage V. 15a (= V. 13a) und stilistische Merkmale[46] deuten auf eine redaktionelle Naht. So sieht es eher danach aus, daß *der Evangelist eine Auskunft der Engel (C') weggebrochen hat*[47]*, um eine Erscheinung des Auferstandenen aus einer auch Mt 28,9f greifbaren Tradition anzufügen.* Das Nicht-Er-

---

könnte auf einen traditionellen Rest hindeuten. Doch ist das Phänomen häufiger: vgl. *F. Neirynck*, Jean et les Synoptiques (Leuven 1979) 81f.

[43] Deshalb kann man nicht mit *G. Hartmann* (Anm. 27) 204f und anderen in V. 11 die traditionelle Weiterführung der Marien-Petrus-Geschichte erblicken. Richtig *F. Neirynck* (Anm. 8) 178.

[44] Die Annahme *R. Mahoneys*, Disciples 219, in der Quelle seien die Frauen ins Grab hineingegangen (s. V. 6), ist ansprechend.

[45] Richtig z.B. *F. Neirynck* (Anm. 8) 172.

[46] Zu ταῦτα εἰποῦσα vgl. 7,9; 9,6; 11,11.28.43; 13,21; 18,1.22.38; 20,20.22; 21,19. Das Überleitungsverfahren „sich umwendend und sehend" ist schon 1,38 (vgl. aber auch 21,20 zur Einführung des LJ) gebraucht. Dort auch die an V. 15a gemahnende Frage „Was sucht ihr?". Zum redaktionellen Charakter vgl. *R. T. Fortna* (Anm. 27) 182. M. E. ist auch 18,4.7 die Frage „Wen sucht ihr?" johanneisch.

[47] Eine ähnliche Vermutung bei *R. Bultmann* (Anm. 6) 529; *F. Schnider / W. Stenger*, Ostergeschichten 102ff, und *R. Mahoney*, Disciples 225.

kennen, vielleicht auch die Verwechslung mit dem Gärtner, wird ihr zugehören[48], kaum aber der törichte Satz V. 15b. Offensichtlich hat Joh die Szene im Sinn seiner Mißverständnistechnik überformt[49]. Sie leitet gewöhnlich eine Selbstenthüllung ein, zu der der Evangelist nun V. 16f ausgestaltet hat. Traditionell sind darin der Austausch der Anreden V. 16 (ohne die Übersetzung ins Griechische) und der Befehl V. 17c. Das Verbot des Anfassens könnte zwar wegen Mt 28,9b vorgegeben sein, macht aber jetzt auch das allzu menschliche Wollen MMs offenkundig. Statt V. 17ab konnte die Vorlage analog zu religionsgeschichtlichen Parallelen[50] Jesus bereits seine Auferstehung oder auch seinen Aufstieg zu Gott mitteilen lassen. Der Inhalt des Botenauftrags V. 17c dürfte dagegen mit den meisten Exegeten[51] aufs Konto des Evangelisten zu setzen sein. Was MM ursprünglich den Jüngern sagen sollte, kann man nur erahnen. Sicher nicht „Ich habe den Herrn gesehen" (V. 18)[52]. Vielleicht sollte sie ihnen wie Mt 28,10 eine Erscheinung Jesu in Galiläa ankündigen[53]. Diese Überlieferung, die ja auch aus anderen Gründen in Spannung steht zu den in Jerusalem zentrierten Jüngerperikopen (V. 19ff), hätte sich in Kap. 21 fortgesetzt. Es ignoriert ja bekannt-

---

[48] *J. Becker* (Anm. 25) 615 vergleicht Lk 24,13–35; Joh 21. Ähnlich *J. E. Alsup,* Appearance Stories 207–210.

[49] So *R. Brown,* (Anm. 24) 1004; *B. Lindars* (Anm. 37) 605; *C. K. Barrett* (Anm. 24) 564; *F. Neirynck* (Anm. 8) 168.

[50] Es handelt sich um eine „Erscheinung auf dem Wege zur Entrückung" – vgl. *G. Lohfink,* Die Himmelfahrt Jesu (StANT 26) (München 1971) 35, der dies aber 115f nicht für Joh 20,17 auswertet – wie bei Dionysius von Halikarnaß, Antiquitates II 63,4. Dort begegnet der verschwundene Romulus dem Proculus vor Rom und trägt ihm auf, den Römern zu melden, daß ihn sein Schutzgott von Geburt an zu den Römern führt. Aber auch bei Visionen, die die schon erfolgte Entrückung bestätigen, finden sich ähnliche Botschaften (vgl. Plutarch, Romulus 27,2). Nach der Gedenkinschrift CIL VI,3 Nr. 21521 erscheint M. Lucceius seinem Onkel in leuchtender Gestalt und teilt ihm mit, er sei in den Himmel aufgenommen. Er möge auch der Mutter berichten, daß ihn Venus dahin getragen habe. Ähnlich sagt Herakles bei Seneca, Hercules Oetaeus 1942f der klagenden Mutter: „Hör auf! Schon hat meine Tugend mir zu den Sternen und den Göttern selbst den Weg gebahnt". Vgl. auch die Parodie bei Lukian, Peregrinos 39: „Ich verließ die Erde, ich gehe aber in den Olymp".

[51] Gegen *G. Richter* (Anm. 19) 266–280, dem *T. A. Mohr,* Markus- und Johannespassion 399, zustimmt. Aber die „Brüder" mit den leiblichen gleichzusetzen, verwehrt V. 18.

[52] Gegen *R. Schnackenburg* (Anm. 27) 360. Aber die Botschaft steckt doch erst in V. 18fin.

[53] So schon *M. Dibelius,* Botschaft und Geschichte I (Tübingen 1953) 233, in einem 1918 zuerst veröffentlichten Aufsatz.

lich in seiner Urgestalt die Erscheinungen in Jerusalem (V. 19–29). Das sogenannte Nachtragskapitel wäre nur traditionsgeschichtlich, nicht aber vom Verfasser her heterogen[54]. Möglicherweise biegt auch die Ausführung V. 18 am Ende deshalb ins bloße Referat um, weil der Evangelist nicht nur die Rede abkürzen, sondern nun mit den Erscheinungen in Jerusalem fortfahren wollte.

Wir denken uns also die vorjohanneische Abfolge so: A C C' B. Dazu kommt aus einem anderen (Joh 21 weiterzuverfolgenden?) Überlieferungsstrang D. Es ist also wohl auch nichts mit einer Tradition von der Entdeckung des leeren Grabes ohne Engelsverkündigung, wie sie manche[55] bei Joh aufspüren.

5. *Akzente der johanneischen Bearbeitung*

Haben wir so die Entstehung unseres Stückes einigermaßen plausibel gemacht, so können wir uns jetzt den Passagen zuwenden, in denen der Evangelist am stärksten eingegriffen hat.

a) Der Glaube des Lieblingsjüngers (V. 8)

Die kurze Notiz Lk 24,12 war wohl schon in der Vorlage erzählerisch ausgebreitet worden. Diese lautete etwa:

Petrus ging hinaus und lief zum Grab; er blickte hinein und sieht die Binden liegen und das Schweißtuch, das auf seinem Haupt war, nicht bei den Binden liegen, sondern abseits eingerollt an einem eigenen Ort. Er verstand aber immer noch nicht die Schrift, daß er von den Toten erstehen müsse, und kehrte nach Hause zurück.

Obwohl nach unserer Voraussetzung die Engel schon die Deutung des leeren Grabes gegeben haben, muß Petrus den Befund noch amtlich aufnehmen und sicherstellen, daß der Leichnam nicht weggebracht wurde. Wenn er noch immer nicht zur Einsicht in die

[54] So auch *A. Kragerud,* Der Lieblingsjünger im Johannesevangelium (Oslo 1959) 15ff. Natürlich müßte diese Behauptung noch ausführlicher untermauert werden. Vorerst genüge der Hinweis, daß dem Evangelisten auch 16,32 eine Tradition bekannt sein muß, wonach die Jünger in ihre Heimat versprengt wurden.

[55] Siehe die in der Einleitung genannten Autoren.

schriftgemäße Notwendigkeit der Auferstehung kommt, wiegt diese objektive Feststellung um so schwerer[56]. Das leere Grab an sich weckt nicht den Osterglauben, ohne deswegen für ihn unerheblich zu sein.

Doch dem Evangelisten war das zu wenig. Im LJ[57] schmuggelt er an der Seite des Petrus 13,23ff eine Gestalt in die Passionsgeschichte, die bei der letzten Jüngerunterweisung, auf dem Weg zum Kreuz und bei den Osterereignissen (18,15f für das Verhör beim Hohenpriester? 19,26f.35; 20,3–10; 21,7.20–24) Authentie garantieren soll. Zugleich soll er den idealen Jesusnachfolger verkörpern. Neben der allgemein anerkannten Autorität des Petrus steht er für den ursprünglicheren Zugang der johanneischen Gemeinde zum Jesusgeschehen. Diese Konkurrenz spiegelt sich im Wettlauf der beiden Jünger zum Grab[58]. Der LJ sieht, wenn auch nur von außen, zuerst die Tücher. Über die Inspektion des Petrus hinaus notiert V. 8 ausdrücklich, daß er zum Glauben kam. Wenn der Tote von seinen Binden befreit ist, heißt das, daß er lebt (vgl. 11,44)! Das leere Grab mit den Binden ist für den LJ schon ein vollwertiges Zeugnis der Auferweckung Jesu; er bedarf keines angelus interpres. Der begründende V. 9 soll nicht die Unvollkommenheit dieses Glaubens hervorheben[59], sondern seine Unabhängigkeit vom Schriftverständnis[60]. Die-

---

[56] Die Ostergeschichten betonen immer wieder den Unglauben der Jünger, um sie dadurch gegen den Vorwurf der Leichtgläubigkeit in Schutz zu nehmen. Vgl. *L. Brun,* Auferstehung 26.

[57] Aus der Fülle der Literatur vgl. nur *A. Kragerud* (Anm. 54); *Th. Lorenzen* (Anm. 39); *R. Schnackenburg* (Anm. 27) 449–464; *H. Thyen,* Entwicklungen innerhalb der johanneischen Theologie und Kirche im Spiegel von Joh. 21 und der Lieblingsjüngertexte des Evangeliums, in: L'Évangile de Jean (hrsg. v. M. de Jonge) (Leuven 1977) 259–299. Mit ihm bin ich der Meinung, daß der Verfasser des Evangeliums am Schluß (21,24) seine Identität mit dem LJ suggeriert.

[58] Er läßt sich nicht als literarisches Mittel abtun: gegen *E. L. Bode,* Easter Morning 77. Daß der Evangelist den LJ anfangs nicht ins Grab hineingehen läßt, mag zwar daher rühren, daß er das Eintreten des Petrus vorfand und V. 8 eine Klimax bilden sollte. Damit ist aber immer noch nicht das Vorweglaufen des LJ verständlich gemacht.

[59] So z.B. *I. de la Potterie* (Anm. 1) 30f; er stützt sich auf den ingressiven Aorist. Man pflegt dann den Glauben des LJ auf die Stufe des Zeichenglaubens zu stellen, den der Evangelist 4,48 und anderswo kritisiert. Doch dann müßte ein δὲ statt γὰρ stehen.

[60] So – auf der Linie der vermuteten Tradition – *W. Bauer,* Das Johannesevangelium (Tübingen [3]1933) 229; *H. Grass,* Ostergeschehen 56; *S. Schulz* (Anm. 16) 242; *C. K. Barrett* (Anm. 24) 564; *P. Hoffmann,* Art. Auferstehung 506. Hier ist der Glaube des Petrus nicht unbedingt impliziert.

Anders, wenn man den Vers plusquamperfektisch auffassen dürfte: „denn zuvor hatses wird nach dem 4. Evangelisten erst nach der Verherrlichung Jesu – sie ist nach V. 17b noch nicht abgeschlossen – möglich[61]. Dennoch findet der LJ die richtige Deutung dessen, was er sieht. Er ist in der beneidenswerten Lage, sehen zu können. Solches Sehen ist in der konstitutiven Phase der nachösterlichen Gemeinde für die Genese des Glaubens genauso unabdingbar wie die Werke und Zeichen Jesu während seines irdischen Wandels[62]. So wird er zum Rückhalt derer, die nicht sehen und doch – wie er – glauben (vgl. 20,29b)[63].

Daß die Bestandsaufnahme am Grab allein schon den Auferstehungsglauben auslöst, möchte man natürlich lieber einem späteren Redaktor anlasten. Aber nach unserer Erkenntnis hat bereits der Evangelist diesen Akzent gesetzt, indem er die Grabesvisite in Begleitung des LJ nach vorn zog. Damit ist ein gefährliches Gefälle angebahnt: Das leere Grab wird zu *dem* Beweis für die Auferstehung Jesu. Die Notwendigkeit glaubender Interpretation vergißt man. Dieser Schritt ist um so verhängnisvoller, als es sich V. 3–10 um eine literarische Fiktion handelt.

b) Jesu Offenbarung für Maria Magdalene (V. 14–18)

Wenn MM mit der Jüngergeschichte eigentlich nichts zu tun hat und sie bisher nicht wie Petrus und der LJ „sehen" konnte, darf man sie nicht tadeln, daß sie in ihrem Fehlschluß V. 2 verharrt und dem entschwundenen Leichnam Jesu nachtrauert (vgl. 16,20). Erst der Auf-

---

ten sie noch nicht die Schrift verstanden ..." So *R. Bultmann* (Anm. 6) 530f; *G. Hartmann* (Anm. 27) 201 f. Grammatikalisch scheint das nicht unmöglich: Vgl. *R. Kühner / B. Gerth*, Grammatik der Griechischen Sprache (Nachdruck Darmstadt 1966) § 383,4; neuerdings *K. Zelzer*, ΟΥΔΕΠΩ ΓΑΡ ΗΙΔΕΙΣΑΝ – „denn bisher hatten sie nicht verstanden", in: WSt 14 (1980) 56–74. In diesem Fall müßte man den Vers dem Evangelisten zuerkennen, der hier seiner Theorie von der österlichen Schrifterkenntnis (s. Anm. 61) Ausdruck verleiht.

[61] Vgl. 2,22; 12,16; ferner 7,39b.

[62] Vgl. u.a. *F. Hahn*, Sehen und Glauben im Johannesevangelium, in: Neues Testament und Geschichte. FS O. Cullmann (hrsg. v. H. Baltensweiler u. B. Reicke) (Zürich – Tübingen 1972) 125–141.

[63] Man darf aber den LJ und die künftigen Gläubigen nicht so stark parallelisieren wie *M. Dibelius* (Anm. 53) 232 und andere; dagegen zu Recht *R. Brown* (Anm. 24) 1005.

erstandene, der ihr in alltäglicher, mißdeutbarer Gestalt entgegentritt, kann ihr Gewißheit geben. Eindrucksvoll ist, wie allein die Anrede „Maria“[64] das Wiedererkennen bewirkt. MM antwortet mit dem Titel, der dem Irdischen galt (vgl. 1,38): „Rabbuni“. Der vertraute Herr und Meister lebt! Und doch gehört er nicht mehr dieser Welt an. Deshalb wehrt Jesus die Berührung MMs, zu der vielleicht schon die Wendung auf ihn hin V. 16b ansetzt[65], ab. Damit will der Evangelist kaum allzu handgreifliche Ostergeschichten, wie er sie dann V. 20a.25ff selbst übernimmt, kritisieren[66]. Der Erweis der Wirklichkeit der Auferstehung meint ja noch nicht irdische Verfügbarkeit des Auferstandenen. V. 17b gibt die Begründung: Jesus ist im Begriff, zum Vater aufzusteigen. Diese Bewegung muß sich erst noch vollenden. Deshalb entzieht sich Jesus menschlichem Festhalten-Wollen. Es ist sonst für den Evangelisten bezeichnend, daß er die überlieferte Aussage von der Erhöhung und Verherrlichung des Gekreuzigten schon auf die Stunde des Todes Jesu anwendet und ihn als Heimgang zum Vater faßt[67]. In dieser zugespitzten Schau, die erst von Ostern her möglich wird, kann die Auferweckung eigentlich nicht mehr als eigener Akt thematisiert werden. An unserer Stelle[68] jedoch schimmert die hergebrachte Anschauung durch. Sie kommt dem Evangelisten gelegen, um die Richtung der im Tod Jesu beginnenden Bewegung zu veranschaulichen[69].

Der Aufstieg zum Vater bringt nicht nur Jesus an den Ort, von dem er ausging (vgl. 3,13; 6,62); er geht vielmehr hin, um den Seinen einen Platz zu bereiten (vgl. 14,2). Der Vater, den er in besonderer Weise „seinen Vater“ nennen kann, weil er immer schon bei ihm

---

[64] Wie Lk 24,30f.35 (vgl. Joh 21,12) die Geste des Brotbrechens. Die meisten Ausleger verweisen auf Joh 10,3f, eine Stelle, die aber mehr johanneische Prädestinationsgedanken äußert; vgl. *J. Becker* (Anm. 25) 617.

[65] So *R. Bultmann* (Anm. 6) 532 mit Anm. 1.

[66] Gegen *R. Bultmann* (Anm. 6) 533 vgl. etwa *H. Gass,* Ostergeschehen 61ff.

[67] Vgl. *W. Thüsing,* Die Erhöhung und Verherrlichung Jesu im Johannesevangelium (Münster ²1970); *E. Ruckstuhl,* in: ders. / J. Pfammatter, Auferstehung 133–164; *A. Vögtle,* Osterglauben 17–24, bes. 18.

[68] Sie kann ja (vgl. Anm. 50) durchaus einen Haftpunkt in einem Wort Jesu an MM gehabt haben; vgl. *E. Haenchen* (Anm. 21) 57. Sie soll aber kaum einen Ausgleich zur Erlaubnis für Thomas V. 27 schaffen (auch gegen *P. Hoffmann,* Art. Auferstehung 507).

[69] *R. Brown* (Anm. 24) 1013 spricht von „dramatization“. Vgl. auch *X. Léon-Dufour,* Résurrection 232.

war, wird jetzt auch ihr Vater[70], sein Gott auch ihr Gott[71]. So macht Joh die soteriologische Dimension des Ostergeschehens sichtbar. Jegliche Gemeinschaft mit Jesus läuft von nun an über Gott. Aber Jesus hat durch die Vollendung seines Werkes erst Gemeinschaft mit Gott vermittelt. Von ihrem anfänglichen Sinn her ist die Auferweckung der Abschluß der Geschichte Jesu, bei dem Gott in Aktion tritt. Auch nach dem 4. Evangelium kommt der Weg des göttlichen Gesandten erst in der Herrlichkeit des Vaters zum Ziel. Wenn auch 10,18 dem Sohn Gottes die Fähigkeit zuschreibt, sich selbst das Leben wieder zu nehmen, so bleibt dieses Leben doch die Gabe Gottes, den Jesus 20,17f in sympathischerweise gar „meinen Gott" (20,28 sagt das von Jesus!) nennt.

Unser Text mag manchen enttäuschen, der nach alten, vom Glauben der Urkirche noch nicht anverwandelten Traditionen sucht wie die am Anfang erwähnten Forscher. Es bewahrheitet sich auch hier, was *A. Vögtle* schon immer einprägsam an den Osterperikopen dargetan hat[72]: Die Evangelien verweben mit der historischen Berichterstattung untrennbar die theologische Sinndeutung des Geschehenen und flechten in unserem Fall im Interesse der Verkündigung belehrende und apologetische Züge ein. Doch am Ende der Erzählung, wo der Evangelist das traditionelle Auferstehungsbekenntnis (V. 9) in seine eigene Kategorie des Aufstiegs zum Vater umsetzt (V. 17), öffnet sich ein Ausblick darauf, wie das Ostergeheimnis auch für unser Verhältnis zu Gott bedeutungsvoll werden kann.

---

[70] „Euer Vater" begegnet zwar sonst nie im Evangelium; vgl. aber „Kinder Gottes" 1,12f und 8,42. *W. Grundmann,* Zur Rede Jesu vom Vater im Johannes-Evangelium, in: ZNW 52 (1961) 213–230, arbeitet die Parallelität im Verhältnis Vater–Sohn und Jesus–Jünger heraus.

[71] *R. Brown* (Anm. 24) 1016 führt für formelhafte Sprache Rut 1,16 an.

[72] Vgl. Werden und Wesen der Evangelien, in: Diskussion über die Bibel (hrsg. v. L. Klein) (Mainz 1963) 47–84, hier 79; *ders.,* Was heißt „Auslegung der Schrift"?, in: W. Joest / F. Mußner / L. Scheffczyk / A. Vögtle / U. Wilckens, Was heißt Auslegung der Heiligen Schrift? (Regensburg 1966) 29–83.

VII

„Komm und sieh" – Wege zum österlichen Glauben im Johannesevangelium *

Von P. Johannes M. Nützel, Münster

Wie kommen Menschen zum Glauben, und wie können wir ihnen dabei helfen? Diese Frage beschäftigt Religionspsychologen und Pastoraltheologen, Seelsorger und Religionslehrer in einer Zeit, in der kaum jemand einfach selbstverständlich in den Glauben hineinwächst. Deutlicher als früheren Jahrhunderten wird uns heute bewußt, daß Verkündigung – mit ihrem Pendant, dem Hören der christlichen Botschaft – sehr oft nicht zu einem Glauben führt, auf den das Leben zu bauen wäre. Da der Verkündigende immer zugleich auch Hörer der Botschaft ist, macht er diese Erfahrung nicht nur bei anderen, sondern nicht selten (zumindest partiell) auch an sich selbst.

Der uns in diesem Sammelband beschäftigende Osterglaube ist nicht nur ein Teilausschnitt christlichen Glaubens. Die Auferwekkung Jesu ist nicht eine Glaubenswahrheit neben anderen. Vielmehr ist sie eine Wirklichkeit, die eine Schlüsselstellung innerhalb des Christusgeschehens einnimmt. Die den Christen geschenkte Einsicht in die vergangene, gegenwärtige und zukünftige Bedeutung Jesu setzt die Auferstehung/Auferweckung Jesu voraus. Christlicher Glaube ist österlicher Glaube, oder er ist nicht christlicher Glaube im Vollsinn des Wortes[1]. Wenn im folgenden von „Glauben" gesprochen wird, so ist – wenn nicht der Zusammenhang etwas anderes deutlich macht – die Vollgestalt christlichen Glaubens ge-

---

* Nach Erscheinen meines in Anm. 2 genannten Artikels hat mich Anton Vögtle ermutigt, in der dort eingeschlagenen Richtung weiterzusuchen. Ihm sei deshalb aus Anlaß seines 75. Geburtstages dieser Beitrag in Dankbarkeit gewidmet.

[1] Damit soll einem Glauben, der zur Anerkennung der Auferstehung Jesu (noch) nicht fähig ist, nicht jeder Wert abgesprochen werden. Wenn ein solcher Glaube „unterwegs bleibt", offen bleibt für die Führung durch den Auferstandenen, kann er sehr wohl Ausgangspunkt für den Osterglauben sein. Vgl. unten V.

meint, die aus der Gewißheit von Jesu lebendiger Gegenwart lebt. Nun war das fraglose Übernehmen des Glaubens auch in früheren Zeiten nicht immer und überall der Normalfall. Ganz sicher stellte sich die Frage nach der Möglichkeit des Glaubens und nach dem Weg zum Glauben auch im ersten Jahrhundert, zur Zeit der Entstehung des Neuen Testamentes. Es ist deshalb angebracht, der Frage nachzugehen, wie im Neuen Testament die Möglichkeit gesehen wird, zum Glauben an Jesus, den lebenden und mächtigen Herrn, zu finden. Der vorliegende Beitrag beschränkt sich darauf herauszuarbeiten, ob und wie im Johannesevangelium Wege zum Glauben gewiesen werden[2].

Nun läßt sich zu diesem Thema natürlich auf Joh 6,44 verweisen: „Niemand kann zu mir kommen, wenn nicht der Vater, der mich gesandt hat, ihn zu mir führt", oder auf 6,65: „Niemand kann zu mir kommen, wenn es ihm nicht von Vater gegeben ist." 10,29 heißt es, der Vater habe Jesus „seine Schafe" gegeben. So ist von vorneherein klar, daß unsere Frage in der Sicht des Johannesevangeliums eine im eigentlichen Sinn theo-logische Antwort erfordert und sich keineswegs nur im Sinne psychologischer oder pädagogischer Hilfestellungen abhandeln läßt. Wir müssen deshalb präziser danach fragen, wie im Johannesevangelium die *menschliche* Seite des Vorganges gesehen wird, durch den Gott einen Menschen zu Christus führt. Es wird deutlich werden, daß damit nicht eine Psychologie des Glaubens angezielt wird. Eine solche ist im Sinne des Johannesevangeliums zwar möglicherweise notwendig, aber keineswegs hinreichend.

---

[2] Zur gleichen Fragestellung in bezug auf das Lukasevangelium vgl. *Joh. M. Nützel,* Vom Hören zum Glauben. Der Weg zum Osterglauben in der Sicht des Lukas, in: Praesentia Christi 37–49. Um zu erkennen, ob die – wie wir sehen werden – ähnlichen Ergebnisse für Lukas und Johannes sich in die vorausliegende Überlieferung zurückverfolgen lassen, muß natürlich die von den Evangelisten ausgewertete Überlieferung herausgeschält werden. Dieser Schritt soll hier nicht ausführlich durchgeführt werden; gelegentlich werden jedoch Beobachtungen genannt, die dafür auswertbar sind. Wir beschäftigen uns auf diesen wenigen Seiten in erster Linie mit der Erzählebene des Johannesevangeliums.

I. Glaube und Gegenwart Christi im Johannesevangelium

1. Der Christusglaube und das Zeugnis des Evangelisten

Die Zielsetzung des Johannesevangeliums hängt sehr eng mit dem Glauben zusammen: 20,31 umschreibt der Evangelist seine Absicht so: „Diese“ – gemeint sind die im Evangelium beschriebenen Zeichen – „sind aufgeschrieben, damit ihr glaubt, daß Jesus der Messias ist, der Sohn Gottes, und damit ihr durch den Glauben das Leben habt in seinem Namen“. Der Evangelist macht also am Schluß seines Evangeliums[3] selbst deutlich, welches sein Anliegen ist. Nun hat Joh 1,6f über Johannes den Täufer gesagt: „Es trat ein Mensch auf, der von Gott gesandt war; sein Name war Johannes. Er kam als Zeuge, um Zeugnis abzulegen für das Licht, damit alle durch ihn zum Glauben kommen“. So ist das Evangelium an Anfang und Ende umrahmt von Aussagen, die verdeutlichen, worauf es hinzielt: auf das Wecken von Glauben[4].

In Joh 1,6f wird zugleich eine Verbindung von „Glauben“ und „Zeugnis“ gezogen. Dieser Zusammenhang durchzieht das ganze Evangelium: πιστεύειν m. Dat. ist im Johannesevangelium verstanden als Antwort auf ein Zeugnis: des Vaters (5,24), der Schrift (2,22), des Mose (5,46), der Schriften des Mose (5,47), der Werke Jesu (10,38), seiner Worte (2,22; 4,50; 5,47b; 10,37f; 14,11). Glauben ist im Verständnis des Johannesevangeliums „auf Zeugen und Zeugnisse gestellt“[5], ist Reaktion auf das Zeugnis. Glauben führt aber seinerseits, wie wir noch sehen werden[6], wiederum zum Zeugnis, das sich häufig im christologischen Bekenntnis äußert.

Der Evangelist reiht sich mit seiner Darstellung also ein in die Zielsetzung, die von Gott ausgeht und das Wirken des Mose, des Täufers und Jesu prägt: zum Glauben zu führen. Der Evangelist will

---

[3] Kap. 21 ist bekanntlich ein Nachtrag.

[4] Das Wort „glauben“ (πιστεύειν) spielt im Johannesevangelium eine besondere Rolle: Das Wort wird im Johannesevangelium 98mal, dazu in dem mit dem Evangelium eng verwandten 1 Joh 9mal gebraucht, während es im Vergleich dazu Mt nur 11mal, Mk nur 14mal und Lk gar nur 9mal verwenden. Lediglich in den paulinischen Briefen nimmt das Wort mit 54 Vorkommen eine ähnlich zentrale Stellung ein.

[5] *R. Schnackenburg,* Johannes I 512.

[6] Siehe unten I, 3 und II, 2.

mit seiner Darstellung das Zeugnis für Jesus weiterführen und so Glauben wecken.

Eine weitere enge Beziehung besteht zwischen „glauben", „sehen" und „erkennen"[7].

An dieser Stelle sei auf eine Eigenschaft des „Glaubens" im johanneischen Sinn ausdrücklich hingewiesen. „Glauben" ist für Johannes nicht etwas, was man entweder tut oder nicht tut. Zwar kennt das Johannesevangelium eine scharfe Gegenüberstellung solcher, die glauben, und solcher, die nicht glauben. Andererseits aber wird auch deutlich, daß im Rahmen einer grundsätzlichen Zugehörigkeit zu Jesus im Glauben eine Entwicklung möglich und notwendig ist, eine Entwicklung, die von einem vorsichtigen Ausschauhalten über immer neue Erkenntnis zur innigen Gemeinschaft mit Christus, der Quelle des Lebens, dem Sohn Gottes, führt.

2. Die Glaubensproblematik der johanneischen Gemeinden

Es ist Kl. Wengst[8] in einer m. E. im ganzen überzeugenden Weise gelungen nachzuweisen, daß im Johannesevangelium die historische Situation der Gemeinden, für die das Evangelium geschrieben ist, deutlich erkennbar ist. Der Evangelist beschreibt das öffentliche Leben Jesu auf einem Hintergrund, welcher nicht der Zeit und Situation Jesu, sondern derjenigen der Empfängergemeinden des Evangeliums entspricht. Darin drückt sich sehr unmittelbar die Relevanz des erzählten Jesus-Geschehens für die angesprochenen Christen aus[9].

Wengst skizziert uns das Bild von Gemeinden in der Gaulanitis, in Batanäa und der Trachonitis, also in den südlichen Landesteilen des Restreiches von Agrippa II., und zwar in den 80er Jahren des 1. Jahr-

---

[7] Siehe unten I, 4.

[8] Bedrängte Gemeinde und verherrlichter Christus. Der historische Ort des Johannesevangeliums als Schlüssel zu seiner Interpretation (Biblisch-Theologische Studien 5) (Neukirchen-Vluyn ²1983).

[9] Man könnte dieses Verfahren damit vergleichen, wie in der Malerei der beginnenden Neuzeit Szenen aus dem Leben Jesu in eine Umgebung gemalt werden, die in Landschaft, Architektur, Kleidung und Gerätschaften der Zeit und der Gegend des Malers entspricht. Auch dies kommt nicht in erster Linie aus historischer Unkenntnis, sondern bringt die bleibende Bedeutsamkeit der vergangenen Begebenheit für die jeweilige Gegenwart des Künstlers zum Ausdruck.

hunderts, wobei manches sogar auf die erste Hälfte dieses Jahrzehnts weist. Die johanneischen Gemeinden standen unter großem Druck, da Synagogenausschluß in dem betreffenden Gebiet zugleich wirtschaftlichen und sozialen Boykott bedeutete. Zu der äußeren Erschwerung des Lebens kam innere Verunsicherung der Gemeinden. Von jüdischer Seite wurden Fakten aus dem Leben Jesu als Belege dafür angeführt, daß Jesus eben nicht der verheißene Messias sein konnte[10].

In diese Situation hinein spricht das Johannesevangelium: Der Evangelist setzt den Angriffen von jüdischer Seite eine andere Deutung der ins Feld geführten Fakten entgegen und versucht so, seinen Lesern klarzumachen, daß jene keineswegs gegen Jesus sprechen. Indem er seine Leser in dieser Weise in ihrem Glauben bestärkt, gibt er ihnen auch Hilfestellung für das Ertragen der äußeren Bedrükkung. Er macht seinen Lesern klar, daß ihre Bedrängnis ihre Wurzeln in dem Gegensatz zwischen Gott und der gottfeindlichen „Welt" hat und deshalb gerade Anzeichen der Zugehörigkeit zu Christus ist.

Wengst macht in dieser Weise begreiflich, daß das Evangelium so sehr auf die Festigung, auf die Stärkung des Glaubens hinarbeitet, und zwar Christen gegenüber, die ja längst zu Jesus gefunden haben.

An dieser Stelle drängt sich allerdings die Frage auf, ob Wengst die Schwierigkeiten der johanneischen Gemeinden nicht zu ausschließlich als von außen in die Gemeinde hineingetragen sieht. An mehreren Stellen im Johannesevangelium findet sich nämlich eine Auseinandersetzung damit, wie Menschen überhaupt zum Glauben kommen. Dies deutet doch darauf hin, daß nicht nur von außen her angefochtene, bereits im entschiedenen Glauben stehende Christen angesprochen sind, sondern auch solche, deren Problem darin besteht, überhaupt zum festen Glauben zu finden.

Bedenken wir, daß zur Zeit der Entstehung des Johannesevangeliums für die johanneischen Gemeinden kein Augenzeuge des Jesusgeschehens mehr greifbar war, dessen Autorität und Integrität die Jesusbotschaft fraglos zuverlässig machte. Der Gründer der johanneischen Schule und ihr erstes Haupt, der sich vermutlich hinter dem „Jünger, den Jesus lieb hatte" verbirgt, war nach vorherrschen-

---

[10] AaO. 62–73.

der Ansicht zur Zeit der Abfassung des Evangeliums bereits nicht mehr am Leben. Die bedeutet aber für diejenigen, denen die Christusbotschaft verkündet wird, daß sie von solchen hören, die selbst wieder gehört haben von solchen, die gehört haben, ... bis man schließlich an den Anfang der Überlieferungskette gelangt, zu solchen also, die eigene Erfahrungen mit Jesus – dem irdischen wie dem erhöhten – gemacht haben. Wir sehen die vom Johannesevangelium angesprochenen Christen also teilweise in einer Situation, die der unseren nicht unähnlich ist, wenn auch die Überlieferungskette von Jesus bis auf uns wesentlich länger ist. Wir werden noch sehen, daß dies Letztere nicht allzu entscheidend ist.

Fassen wir zusammen: Das Johannesevangelium setzt sich nicht nur mit der Situation derer auseinander, die ihres Glaubens schon gewiß sind und nun von außen her unter Druck stehen, sondern es wendet sich auch an die, die erst noch auf dem Weg zum Glauben sind. Um eine Antwort auf unsere Frage nach Möglichkeiten und Wegen zur ruhigen Gewißheit österlichen Glaubens zu finden, werden wir deshalb einige Abschnitte des Johannesevangeliums untersuchen, in denen Wege zum Glauben dargestellt werden.

3. Äußerungen des Glaubens

Daß ein Mensch zum Glauben gefunden hat, kann in der Erzählung auf verschiedene Weise signalisiert sein:
- die erzählte(n) Person(en) spricht/sprechen davon, daß sie glaubt/glauben (z.B. 4,42; 11,27)
- der Erzähler konstatiert in bezug auf eine oder mehrere der erzählten Personen, daß sie glaubt/glauben (z.B. 4,41; 2,11; 4,50.53; 20,8)
- der Glaube einer oder mehrerer erzählten Person(en) wird aus ihren „Äußerungen“[11] indirekt erkennbar, wobei diese Äußerungen verbal oder nicht verbal sein können.

Während zu den ersten beiden Punkten zunächst nichts gesagt werden muß, ist erst noch Klarheit zu gewinnen darüber, welche verbalen oder nicht-verbalen Äußerungen denn als „Indikatoren“ für den

[11] „Äußerung“ hier verstanden als etwas, was äußerlich wahrnehmbarer Ausdruck einer inneren Situation oder eines inneren Geschehens ist, und zwar im Rahmen der erzählten Konstellation.

Glauben anzusehen sind. Gehen wir aus von 20,28 f: Da beantwortet der Auferstandene die Akklamation des Thomas „Mein Herr und mein Gott“ mit der Bemerkung: „Weil du mich gesehen hast, bist du zum Glauben gekommen“. Ähnlich beantwortet Jesus 1,50 das Bekenntnis des Nathanael: „Weil ich dir gesagt habe ... glaubst du?“. 11,27 gibt Martha dem Inhalt ihres Glaubens die Form eines Bekenntnisses in der zweiten Person: „Ich bin zum Glauben gekommen, daß du Christus bist, der Sohn Gottes, der in diese Welt gekommen ist.“ 20,31 formuliert der Evangelist den gleichen Glaubensinhalt in der dritten Person: „Diese sind aufgeschrieben, damit ihr glaubt, daß Jesus der Christus ist, der Sohn Gottes ...“. Wir dürfen somit die Akklamation und das christologische Bekenntnis – in der zweiten oder der dritten Person, mit oder ohne ausdrückliche Einleitung „Ich glaube“ o. ä. formuliert – als verbale Äußerung von Glauben verstehen.

Einen wichtigen Hinweis gibt auch 20,24 f. Hier reagiert Thomas auf die Versicherung der anderen Jünger „Wir haben den Herrn gesehen“ mit einem abwehrenden „Wenn ich nicht ... so werde ich nicht glauben“. Die Äußerung der übrigen Jünger ist also weit mehr als eine bloße Mitteilung, sie wird als Glauben forderndes Bekenntnis verstanden. Es ist somit auch angebracht, sie als Äußerung des Glaubens zu werten. Dies ist u. a. im Hinblick auf 20,18 wichtig, wo durch das Bekenntnis „ich habe den Herrn gesehen“ klar signalisiert wird, daß Maria Magdalena zum Glauben gefunden hat[12].

Als nicht-verbale Anzeichen von Glauben ergeben sich z. B. aus 1,38 f das „Bleiben bei Jesus“ als Folge des „Sehens, wo Jesus wohnt“, und aus 1,43 das „Nachfolgen“ als Reaktion auf Jesu Ruf.

Diese Aufzählung will nicht exklusiv verstanden sein. Manches äußere Verhalten mag im Sinne des Evangelisten transparent sein auf dahinterstehenden Glauben. Vor allem ist auch damit zu rechnen, daß der Glaube der einen oder anderen der im Evangelium genannten Personen einfach als selbstverständlich vorausgesetzt wird. Nur so ist wohl zu erklären, daß 1,41 f von Simon keinerlei Reaktion

---

[12] Vgl. *I. de la Potterie,* Foi pascale 28. Anders z. B. *Ph. Seidensticker,* Die Auferstehung Jesu 121: Maria Magdalena hat „nicht die für die Kirche bedeutsame Ostererscheinung erlebt, da Christus ihr nicht in seiner österlichen Vollmacht erscheint, die nur der Kirche gilt“. – Die vorher registrierte Akklamation „Rabbuni“ enthält kein adäquates Bekenntnis und kann kaum Glauben im Sinn des Evangeliums ausdrücken.

auf Jesu Wort erzählt wird, wie er ja in diesen Versen überhaupt nicht aktiv in Erscheinung tritt [13]. Dennoch wird Simon Petrus sicher zu denen gerechnet, die ihren Glauben dadurch zum Ausdruck bringen, daß sie sich Jesus anschließen. Dies ist eben selbstverständliche Voraussetzung.

4. Der „Gegenstand“ des Glaubens

Für Johannes hängt „Glauben“ sehr eng mit der Person Jesu zusammen. So wird beispielsweise „glauben an“ (πιστεύειν εἰς) fast ausschließlich mit Jesus verbunden[14]. R. Schnackenburg spricht von „einer personalen Bindung an Jesus Christus, einer ‚Selbstübergabe‘ an ihn“ und konstatiert: „Glauben heißt, die Selbstoffenbarung Jesu bejahen und sich an diesen alleinigen Heilsmittler binden, um so ewiges Leben zu besitzen.“ [15] Auch an den 13 Stellen, an denen „glauben“ mit einem Daß-Satz konstruiert wird, wird deutlich, daß „Glauben“ im Johannesevangelium ganz wesentlich mit der Person Jesu zu tun hat [16]. Es handelt sich dabei fast immer um christologische Bekenntnisse[17].

Eine Reihe weiterer Begriffe ist im Johannesevangelium eng mit dem „Glauben“ verknüpft; sie können für „glauben“ (πιστεύειν) eintreten: „(Jesus, sein Zeugnis, seine Worte) annehmen“, „kommen zu (Jesus)“, „(auf die Stimme, die Worte Jesu) hören“, „sehen“, „erkennen“, „schauen“, „nachfolgen“ [18]. Alle diese Begriffe verlangen Jesus als ein Gegenüber.

Die starke Ausrichtung des Glaubensbegriffes auf die Person Jesu setzt voraus, daß Jesus nicht der Vergangenheit angehört. Worte Jesu können als in der Vergangenheit gesprochene, aber nach wie vor gültige, überliefert werden; die Person Jesu aber kann nicht Ge-

---

[13] Er tritt sprachlich nur als Akkusativobjekt in Erscheinung: Andreas trifft ihn und führt ihn zu Jesus.

[14] 35 von 36 Vorkommen. Einzige Ausnahme 14,1: „glaubt an Gott“. *R. Schnackenburg* (Johannes I 510) erklärt die Ausnahme aus der Abschiedssituation.

[15] Ebd.

[16] Auflistung bei *R. Schnackenburg,* Johannes I 510.

[17] Einzige Ausnahme 4,21; doch auch dort ist der Inhalt des „Glaubens“ mit Jesus in Verbindung gesetzt.

[18] Zusammengestellt bei *R. Schnackenburg,* Johannes I 513–516.

genstand des Glaubens sein, wenn sie vergangen oder fern ist. Tatsächlich geht das Johannesevangelium durchgehend von der Gegenwart des lebenden Jesus Christus in der Kirche aus. Dies läßt sich anhand mehrerer Themenbereiche („Bleiben in ...“, Wirken des Parakleten, Worte Jesu, Sakramente) im Evangelium aufzeigen[19].

II. Die Jüngerberufungen Joh 1,35–51

1. Handlungsstrukturen

In dem Teil des 1. Kapitels, der die Gewinnung der ersten Anhänger durch Jesus erzählt, kehrt folgendes Handlungsschema immer wieder:

- Christologisches Bekenntnis
- Der das Bekenntnis ablegt, veranlaßt den Angesprochenen, sich selbst zu überzeugen
- Der Angesprochene geht zu Jesus
- Jesus gewinnt ihn für sich.

Wir finden dieses Handlungsschema insgesamt dreimal in unseren Abschnitt:

- Johannes der Täufer legt ein Bekenntnis ab, daraufhin folgen zwei seiner Jünger Jesus; Jesus gewinnt sie für sich
- Andreas legt ein Bekenntnis zu Jesus ab und führt Simon zu Jesus; Jesus gewinnt Simon für sich
- Philippus legt ein Bekenntnis ab und veranlaßt so Nathanael, mit zu Jesus zu kommen; Jesus gewinnt Nathanael für sich.

Für unsere Fragestellung ist es von sekundärer Bedeutung, in welcher Weise Philippus in der dem Evangelisten vorliegenden Überlieferung gewonnen wurde[20]. Sicher ist im heutigen Zusammenhang,

---

[19] Herausgearbeitet von *R. Schnackenburg,* Die bleibende Präsenz Jesu Christi nach Johannes, in: Praesentia Christi 50–63.

[20] Der Abschnitt muß als Komposition des Evangelisten angesehen werden. Dabei sind wahrscheinlich vom Evangelisten vorgefundene Berufungsgeschichten in einen Rahmen gestellt worden, der für das Grundverständnis von Jüngernachfolge im Sinn des Johannesevangeliums sehr aufschlußreich ist. Vgl. *F. Hahn,* Jüngerberufung 177.

daß die Berufung durch Jesus und die Berufung durch das Bekenntnis der bereits an Christus Glaubenden auf eine Stufe gestellt werden soll. Gerade deshalb muß ja eine „direkte“ Berufung durch Jesus erzählt werden, eine Berufung, die von der Souveränität des Herrn gekennzeichnet ist[21].

Das Erzählschema der Jüngergewinnungs-Geschichten ist für unser Problem sehr aussagekräftig: Das Bekenntnis solcher, die sich Jesus angeschlossen haben, veranlaßt andere, sich der persönlichen Begegnung mit Jesus zu stellen. Sie werden von Jesus selbst gewonnen. Das „Kommt und seht!“ bzw. „Komm und sieh!“ von V. 39 bzw. 46 bildet einen Kernsatz des Erzählkomplexes.

2. Eintritt in die Jüngerschaft und Weg zum Glauben

Es ist wohl mittlerweile allgemein anerkannt, daß die Darstellung der Jünger im Johannesevangelium nicht ausschließlich, ja vielleicht nicht einmal in erster Linie, in die Vergangenheit auf die historische Nachfolge Jesu blickt; vielmehr wird in der Darstellung der Jünger Jesu die nachösterliche Existenz der Christen aufgezeigt. Nachfolgen, Jünger sein, bedeutet an einer ganzen Reihe von Stellen[22] fast das gleiche wie „an Jesus glauben“ (im Vollsinn).[23] [24]

Beachtenswert ist in diesem Zusammenhang die Bedeutung des „Kommens“ der vom Christuszeugnis Angesprochenen zu Jesus. Das Mitgehen ist der erste Schritt zum Glauben (vgl. 8,12 mit 12,36;

---

[21] Vgl. *H.-J. Klauck,* Gemeinde ohne Amt? Erfahrungen mit der Kirche in den johanneischen Schriften, in: BZ 29 (1985) 193–220, v.a. 204: „Wer so erzählt, weiß darum, daß es Christsein nur noch als vermitteltes gibt.“ Dies spricht gegen die Annahme von *F. Hahn,* Jüngerberufung 178, der Evangelist habe für V. 43 „offensichtlich eine vorgegebene Tradition in geprägter Form übernommen“, trotz des fehlenden Schlusses (der „Vollzugsmeldung“). Vgl. auch *J. Becker,* Johannes 102f.

[22] Vgl. 4,1; 6,60.66; 7,3; 8,31; 9,28; 19,38.

[23] *R. Schnackenburg,* Johannes I 516.

[24] Dieses Verständnis der Erzählungen gilt sicher nicht ausschließlich auf der Überlieferungs-Ebene des Evangeliums. Denn die Struktur der Jüngergewinnungs-Geschichten enthält eben auch schon vor der Einfügung in das Johannesevangelium das Element „christologisches Bekenntnis“. Und genau dieses Element verweist auch darauf, daß auch schon in der Tradition vor dem Johannesevangelium diese Erzählungen den Anschluß der Jünger an Jesus als Bild des Weges zum Glauben im nachösterlichen Vollsinn verstanden.

10,4f.27)[25]. „Dem Bild vom ‚Kommen' Jesu zu den Menschen entspricht ... das andere, daß die Glaubenden ‚zu ihm kommen'. Auch ἔρχεσθαι πρός kann zu einem Synonym für πιστεύειν werden, besonders deutlich in Kap. 6."[26] „Vielleicht darf man das ‚Kommen' der ersten Jünger zu Jesus (1,40 47) oder auch anderer Menschen (vgl. 3.2 26; 4,30) in diesem Lichte tiefer als ein bloßes äußeres Sich-Nahen verstehen."[27]

Ebenso wie das „Kommen" hat auch das „Sehen" und vor allem das „Erkennen" einen deutlichen Bezug zum Glauben (vgl. Joh 6,40; 12,45). „Man muß sich immer vergegenwärtigen, daß ‚Erkennen' im biblischen Bereich ein Gemeinschaft stiftender und die Gemeinschaft vertiefender Akt ist. Darum kann gewiß das ‚Glauben' zum ‚Erkennen' wachsen; nicht zufällig dürfte dieses häufiger in der Abschiedsrede Kap. 14 und im Hohepriesterlichen Gebet Kap. 17 vorkommen. Aber insofern schon das Glauben Gemeinschaft mit dem Offenbarer und Lebensspender bewirkt, wohnt ihm auch schon ein solches ‚Erkennen' inne. Beide Begriffe ergänzen sich: Das Glauben öffnet sich für ein immer tieferes Verstehen, eine engere Verbundenheit mit der ‚erkannten' Person, eine größere Liebe zu ihr; das ‚Erkennen' wird (wenigstens im irdischen Bereich) an den Glauben gebunden und damit vor einem mystischen oder gnostischen Mißverständnis bewahrt."[28]

Anschluß an Jesus als Bild nachösterlicher Zugehörigkeit zu Christus entspricht dem johanneischen Verständnis des Glaubens als einer personalen Kategorie. „Glauben heißt, die Selbstoffenbarung Jesu bejahen und sich an diesen alleinigen Heilsmittler binden, um so ewiges Leben zu besitzen (3,36 u.ö.)."[29] Freilich darf dies nicht individualisierend mißverstanden werden: „So personal Joh die Glaubensbeziehung zu Jesus sieht, vergißt er doch nicht, daß sich die Glaubenden um Jesus zu einer Gemeinschaft zusammenscharen, ja daß diese Glaubensgemeinschaft von Gott intendiert und prädestiniert ist."[30]

---

[25] Vgl. *R. Schnackenburg,* Johannes I 309.
[26] *R. Schnackenburg,* Johannes I 514.
[27] *R. Schnackenburg,* ebd.
[28] *R. Schnackenburg,* ebd. 515.
[29] *R. Schnackenburg,* ebd. 510.
[30] *R. Schnackenburg,* ebd. 514.

Ein bereits genannter Zug des johanneischen Glaubensbegriffes wird in unseren Erzählungen sichtbar: die starke Hinordnung des Glaubens auf das Bekennen. „Der Evangelist legt auf die von ihm berichteten Bekenntnisse einzelner Menschen ... oder von Gruppen ... Wert, wählt und variiert sorgfältig die Würdenamen und will damit Vorbilder schaffen, da sich der Glaube an Jesus im Bekenntnis kundtun soll.“ [31] Wir dürfen das christologische Bekenntnis im Verlauf der Erzählung als „Glaubensindikator“ verstehn.

3. Folgerung für unsere Fragestellung

Im Verständnis des Evangelisten führt der Weg zum Glauben über die eigene persönliche Begegnung mit Jesus. Das Bekenntnis der Gläubigen kann und soll andere dazu veranlassen, sich zu Jesus zu begeben, sich auf ihn einzulassen; die Gewinnung für den eigentlichen Glauben im Vollsinn ist Sache Jesu. „Nur durch ‚Kommen und Sehen‘ wird Glaube geweckt.“ [32] Das Hören christlichen Zeugnisses *und* eigene Erfahrung mit Jesus begründen den Glauben in der nachösterlichen Situation. Wie solche eigene Erfahrung mit dem in der Gemeinde wirkend anwesenden und die Lebensquelle der Christen bildenden Christus konkret geschehen kann, muß an späterer Stelle noch bedacht werden[33].

III. Jesus und die Leute von Sychar Joh 4,5–42

1. Handlungsstruktur[34]

Der Abschnitt gruppiert um ein Zentralthema eine ganze Reihe von einzeln angesprochenen Teilthemen. Das Zentralthema ist die Selbstoffenbarung Jesu, der auf seiten der Angeredeten der Weg

---

[31] *R. Schnackenburg,* ebd. 515f.

[32] *J. Becker,* Johannes 103.

[33] Siehe unten V.

[34] Die Frage, inwieweit der Evangelist sich in diesem Abschnitt auf Überlieferung stützt, und wie deren Umfang und Form zu bestimmen wäre, ist nicht einheitlich be-

zum Glauben und im Glauben entspricht. Weiter werden angesprochen: das „lebendige Wasser“, das Jesus (und nur er) spendet (V. 10–14); Anbetung „in Geist und Wahrheit“ (V. 20–24); die Missionsarbeit (V. 35–38)[35].

Wir erhalten folgenden Handlungsablauf:

- Begegnung und Gespräch Jesu mit einer samaritanischen Frau (V. 5–26)
  - Erwähnung der erfolgten Rückkehr der Jünger und ihrer Verwunderung (V. 27)
- Die Frau läuft in den Ort und bewegt durch ihre (als Frage formulierte) Aussage über Jesus andere, zu Jesus zu gehen: „Kommt, seht!“ Sie laufen hinaus zu Jesus (V. 28–30)
  - Währenddessen Gespräch Jesu mit seinen Jüngern über die (eschatologische) Ernte (V. 31–38)
- Samaritaner glauben auf das Wort der Frau hin. Sie bitten Jesus, bei ihnen zu bleiben. Jesus bleibt zwei Tage (V. 39–40)
- Durch das Wort Jesu werden viele gewonnen (V. 41)
- Sie bekennen gegenüber der Frau, daß sie jetzt aus eigener Anschauung glauben (V. 42).

Hier sind zwei Erzählkomplexe ineinandergefügt. Im einen sind Jesus und Leute aus Samaria die handelnden Personen, im anderen (im Schema durch Einrücken abgehobenen) Jesus und seine Jünger. Das Gespräch Jesu mit seinen Jüngern macht das Geschehen um die Samaritaner durchsichtig auf die spätere Mission hin, gibt uns also das Recht, es im Blick auf den nachösterlichen Weg zum Glauben hin zu lesen. Wir beschränken uns im folgenden auf die „Samaritaner-Handlung“. „Dabei ergeben sich 3 Szenen mit wechselnden Gesprächspartnern, wobei am Schluß einer Szene

---

antwortet worden. Nach *J. Becker* (Johannes 165–167, mit Korrekturen auf S. 166f gegenüber S. 165) hat der Evangelist folgende Handlungsstruktur vorgefunden:
- Begegnung Jesu mit einer Frau
- Jesus führt sie zum (ansatzweisen) Glauben
- die Frau bezeugt (wenigstens als Frage) ihren (ansatzhaften) Glauben
- die von der Frau Angesprochenen gehen zu Jesus
- Jesus gewinnt sie für den Glauben.

Die Grundstruktur dieses Handlungsablaufes hat der Evangelist (wenn auch mit Selbstoffenbarungs-Reden Jesu aufgefüllt) beibehalten. Die spätere Überarbeitung – vermutlich ist ihr V. 9c zuzuschreiben (*J. Becker*, Johannes 166) – hat die Handlungsstruktur nicht verändert.

[35] Vgl. *R. Schnackenburg*, Johannes I 457.

immer ein Bekenntnis steht (4,19: Prophet; 4,29: Christus; 4,42: Retter der Welt). Diese Orientierung an Hoheitstiteln in Bekenntnissen erinnert stark an 1,35–50, zumal auch dort Jesu übernatürliches Wissen Anlaß solchen Bekennens ist (wie 1,47–50 so auch 4,17–19).“ [36]

2. Der Weg zum Glauben

Zwei Wege zum Glauben stehen in unserem Abschnitt nebeneinander: Der eine besteht darin, daß die samaritanische Frau von Jesus direkt angesprochen wird und so für ihn gewonnen wird; der andere führt vom Hören eines Christusbekenntnisses über die eigene Begegnung mit Jesus zum Glauben.

Dabei wird der Sachverhalt allerdings etwas verundeutlicht dadurch, daß das eine Wort „glauben“ in verschiedenem Sinn verwendet wird. Zum einen heißt es in V. 39, daß „viele aus jener Stadt zum Glauben an Ihn kamen durch das Wort der Frau“. Zum anderen kommen „viel mehr“ aufgrund von Jesu eigenem Wort zum Glauben (V. 41). Diese beiden Wege zum Glauben werden V. 42 gegeneinandergestellt: Der Glaube aufgrund des Fremdzeugnisses wird ersetzt durch den Glauben aufgrund eigenen Augen- und Ohrenzeugnisses. Zwischen diesen beiden Glaubensweisen liegt vermittelnd das „Bleiben“ Jesu bei den Samaritanern aufgrund ihrer Bitte (V. 40).

Die inhaltliche Verwandtschaft von 4,5–42 mit 1,35–51 liegt auf der Hand. Wieder werden zwei Wege zum Glauben als gleichwertig nebeneinandergestellt. Ja, die indirekt, durch die Frau, für den Glauben Gewonnenen legen ihr Bekenntnis ohne Fragezeichen ab: „Er ist wirklich der Retter der Welt“ (4,42). Die Frau dagegen ist in ihrem Bekenntnis nicht so eindeutig. Zwar bekennt sie: „Herr, ich sehe, daß du ein Prophet bist!“, aber ihren Mitbewohnern sagt sie nur in der Frageform: „Ist er vielleicht der Messias?“. Dadurch ist jedenfalls klar, daß der Glaube der Frau nicht als wertvoller, als größer und stärker hingestellt werden soll. Ob man umgekehrt schließen soll, daß sie einen minderen Glauben aufbringt, obwohl Jesus sich ihr in solch eindeutiger Weise geoffenbart hat, ist nicht so sicher; verwendet der Evangelist in V. 29 ja doch ein Stück seiner Vor-

[36] *J. Becker,* Johannes 165f.

lage. Die Frageform für das Bekenntnis ist also von ihm nicht notwendig allzu stark gewichtet.

Wie in Joh 1,35–51 spricht sich der Glaube auch in unserem Abschnitt mit Hilfe von Hoheitstiteln aus: Prophet – Messias – Retter der Welt. Und wie dort spielt das „Kommen und Sehen" eine unabdingbare Rolle. Zunächst „kommt" Jesus nach Sychar, dann „kommt" die Frau zum Brunnen und wird von Jesus ins Gespräch gezogen. Die Leute aus Sychar „kommen" zu Jesus hinaus und bitten ihn, bei ihnen zu „bleiben". Auch darin wird ein Stichwort aus 1,39 aufgegriffen, allerdings sind es dort die jungen Männer, die bei Jesus „bleiben", während es nach 4,40 Jesus ist, der bei den Samaritanern „bleibt". Wie in 1,35–51 wird ein Mensch durch souveräne direkte Bemühung Jesu für den Glauben gewonnen, eine Reihe anderer aber werden indirekt durch das Zeugnis von anderen zu Jesus gebracht und so von ihm gewonnen.

3. Folgerung für unsere Fragestellung

Sich wiederholende Erzählstrukturen können auf verschiedenen Ursachen beruhen. Sie können z. B. davon herrühren, daß sich in längerer Erzähltradition ähnliche Stoffe in geprägte Formen „kristallisieren", wie dies etwa bei der Wunderüberlieferung geschehen ist. Für die von uns behandelten Abschnitte des Johannesevangeliums trifft dies insofern zu, als sich in der vom Evangelisten benutzten Überlieferung die Handlungsstruktur

- Christusbekenntnis
- dadurch Anregung zu eigener Begegnung mit Jesus
- Gewinnung für den Glauben durch Jesus selbst
- dadurch Bereitschaft zum Christusbekenntnis

bereits mehrfach findet. Nun bildet sich eine geprägte Form natürlich nicht willkürlich, sondern die Prägung dient der Gewährleistung einer möglichst klaren und lückenlosen Darstellung aller für das Verständnis wesentlichen Elemente. Ein Handlungsschema wie das von uns festgestellte weist also darauf hin, daß für die Überlieferungsträger gerade die aufgewiesenen Grundelemente wichtig waren.

Mehrfach wiederkehrende Handlungsstrukturen in einem längeren Erzählzusammenhang dienen aber auch dazu, dem Leser oder

Zuhörer in einprägsamer Weise etwas besonders Wichtiges nahezubringen. Wiederholung gleicher oder sehr ähnlicher Strukturen hat pädagogischen Effekt. Der Leser oder Zuhörer, der ja zu denen gehört, die in nachösterlicher Situation nicht von Jesus direkt angesprochen wurden, sondern aufgrund der kirchlichen Glaubensverkündigung bzw. aufgrund des persönlichen Lebenszeugnisses von Christen zum Christusglauben kamen, kann sich in doppelter Weise angesprochen fühlen: Einerseits wird er animiert, sich vom Wort der Verkündigung oder vom Lebenszeugnis von Mitchristen zur eigenen Begegnung mit dem erhöhten Herrn hinzuwenden, der durch seinen Heiligen Geist, den Geist der Wahrheit, in den Gemeinden wirksam ist; andererseits aber wird er auf seine Bereitschaft zum „Weitersagen" des Christusglaubens hin angesprochen.

IV. Wege zum Glauben nach Joh 20[37]

1. Die Struktur des Kapitels

Das 20. Kapitel des Evangeliums ist dem Thema „Glauben" gewidmet[38]. Es wird gewöhnlich in vier erzählende Perikopen und den summarischen Schluß des Evangeliums eingeteilt: V. 1–10 (Maria aus Magdala und zwei Jünger am Grab); V. 11–18 (Maria Magdalena begegnet dem Auferstandenen); V. 19–25 (Erscheinung des Auferstandenen vor den Jüngern); V. 26–29 (Erscheinung des Auferstandenen vor Thomas und den Jüngern); V. 30f (Schluß des Evangeliums). Sieht man von den beiden letzten Versen ab, die sich sicher nicht nur auf die in Kap. 20 erzählten Begebenheiten beziehen, so bleiben für die Erzählung der Ereignisse nach Ostern vier Perikopen[39], die untereinander verknüpft sind durch die Stichworte

[37] Im Unterschied zum Beitrag von *D. Zeller* in diesem Band untersuchen wir Joh 20 synchron.

[38] *L. Dupont* u.a., Recherche 495 f, stellen Berührungen zwischen Joh 1,35–51 und Joh 20 zusammen.

[39] Der Ausdruck „Perikope" ist dabei allerdings mit Vorbehalt zu gebrauchen: Die genannten Komplexe sind keineswegs so eindeutig umschrieben, wie wir gleich sehen werden.

„Sehen“ und „Glauben“ und durch Bekenntnisse zu Jesus als dem „Herrn“ bzw. „Herrn und Gott“.

Die genannte Aufteilung ist nicht ganz unumstritten. Es stellt sich nämlich die Frage, ob man die Verse 24f zur nachfolgenden Thomasgeschichte oder zur vorausgehenden Erzählung von der Erscheinung des Herrn vor den Jüngern in Abwesenheit von Thomas ziehen soll. Tatsächlich ist durch die Zeitangabe „Und nach acht Tagen ...“ in V. 26 ein deutliches Gliederungssignal gegeben, ebenso wie in V. 19 durch „Als es Abend geworden war an jenem Tag, dem ersten Tag der Woche ...“. Auf der anderen Seite sind die Verse 24f durch den Personenkreis (Jünger einschließlich Thomas) mit V. 26–29 verknüpft und von V. 19–22 (Jünger ohne Thomas) abgesetzt. Man wird also konstatieren müssen, daß die beiden Verse eine gewisse „Gelenkfunktion“ zwischen den beiden Erscheinungserzählungen wahrnehmen. Wir dürfen festhalten, daß die beiden Abschnitte V. 19–23 und V. 26–29 durch sie eng verknüpft sind.

Auch im ersten Teil des Kapitels ist die Gliederung nicht ganz einfach. Der Neueinsatz in V. 1 ist deutlich: Nicht nur die Zeit, auch der Personen-„Kreis“ hat gegenüber 19,38–42 gewechselt. V. 11 dagegen ist zeitlich überhaupt nicht vom Vorhergehenden abgesetzt; das „aber“ (δὲ) mag ein – allerdings schwaches – Gliederungssignal darstellen. Von größerem Gewicht ist, daß der Kreis der genannten Personen wechselt; selbstverständlich ist dadurch ein „Szenenwechsel“ signalisiert. Halten wir fest, daß hier der zeitliche Neuansatz keine Rolle spielt.

Nun bildet V. 11 im Gang der Erzählung nicht einen eigentlichen Neuanfang, sondern er nimmt den Erzählfaden wieder auf, der Maria Magdalena zur „Heldin“ hat. Die Verse 2–10 sind in die Magdalena-Erzählung eingebettet. Es erscheint gerechtfertigt anzunehmen, daß der Erzähler voraussetzt, sie sei mit Petrus und dem „Jünger, den Jesus lieb hatte“ wieder zum Grab zurückgekehrt. V. 1 stellt jedenfalls die Exposition sowohl für V. 2–10 als auch für V. 11–18 dar. Die im allgemeinen annehmbare Gliederung in vier Abschnitte von 20,1–29 muß somit insofern etwas modifiziert werden, als die ersten beiden und die letzten beiden Perikopen jeweils enger zusammengebunden sind. Dabei ist diese Zusammengehörigkeit von V. 1–10 und V. 11–18 besonders stark durch die Klammer, die der durchgehende, von Maria Magdalena als zentraler Figur bestimmte, Handlungsfaden um die Erzählkomplexe legt, und durch die Einheit der Zeit und des Ortes[40].

2. Sehen, glauben und bekennen

Bereits in I,2 haben wir deutlich gemacht, daß das Bekenntnis, den Herrn gesehen zu haben, ebenso wie die direkte Akklamation des Thomas „Mein Herr und mein Gott“ als Indikatoren des Glaubens anzusehen sind. Sehen wir uns jetzt unter diesem Aspekt Joh 20 an!

Auffällig ist die sang- und klanglose Rückkehr von Petrus und dem Lieblingsjünger, der ja nach V. 8 „zu glauben begonnen hat“, nach Hause[41]. Mit einem δὲ wird in V. 11 diesem Weggehen das Bleiben von Maria Magdalena beim Grab entgegengestellt. Sie läßt den von ihr wie von den beiden Jüngern festgestellten Befund nicht auf sich beruhen, sondern sucht Jesus, freilich als Toten, nicht als Lebenden[42]. Der auferstandene Herr selbst führt sie weiter und macht deutlich, daß sie und alle, die ihn suchen, ihn von nun an in einer neuen Weise finden müssen: dort, wo der Vater ist. Die Erzählung läßt verstehen, inwiefern das Sehen des Auferstandenen den Glauben an ihn nicht überflüssig macht; was im Glauben über ihn anzunehmen ist, geht weit über das leiblich wahrnehmbare Sehen hinaus. Daß Maria Magdalena dies gelernt hat, zeigt ihre Botschaft an die Jünger, die zugleich als Indikator ihres eigenen Glaubens zu werten ist.

---

[40] *I. de la Potterie,* Foi pascale 28, weist im Anschluß an *D. Mollat,* Foi pascale 317, auf folgenden Chiasmus in bezug auf die prägenden Motive des Kapitels hin:

A. (V. 8)	… er sah und begann zu glauben	A′. (V. 29)	… Weil du mich gesehen hast, hast du geglaubt. Selig sind, die nicht sehen und doch glauben
B. (V. 18)	… ich habe den Herrn gesehen	B′. (V. 25a)	… wir haben den Herrn gesehen
		(V. 25c)	… wenn ich nicht sehe … und lege … und lege … werde ich nicht glauben

[41] *I. de la Potterie* verweist hier auf Joh 16,32 und folgert die Rückkehr der beiden Jünger in die vorösterliche Situation (aaO. 32)

[42] *I. de la Potterie,* aaO. 33, spricht von „une sorte d'obstination de Marie“ und bemerkt: „elle ne voulait pas le quitter (sc. le tombeau), manifestant ainsi son attachement à Jésus“.

Allerdings bleibt auch das Bekenntnis von Maria Magdalena, das sich auf die eigene Begegnung mit dem Auferstandenen stützt, zunächst wirkungslos. Dies bedeutet noch nicht, daß hier eine Reaktion der Glaubensverweigerung von seiten der Jünger vorläge; auch auf eine solche weist nichts hin, wenn man nicht die in V. 19 erwähnte Furcht der Jünger vor den Juden als Unglaube interpretieren wollte, was aber wegen V. 26 nicht gut möglich ist.

Vielmehr zeigt das Fehlen der Reaktion, daß die Erzählung in V. 1.11–18 ganz auf den Weg von Maria Magdalena vom Auffinden des leeren Grabes Jesu über die Begegnung mit dem auferstandenen Herrn zum Bekenntnis als Äußerung des Glaubens konzentriert ist. Dieser Weg wird dargestellt im Kontrast zu Petrus und dem „Lieblingsjünger". Vom „Lieblingsjünger" wird zwar, anders als von Petrus, ebenfalls „Glaube" konstatiert, doch zeigt sich keinerlei Äußerung desselben vor V. 25. Nicht leicht zu verstehen ist, daß der Anfang des „Glaubens" des „Lieblingsjüngers" in V. 9 in eine (negative) Beziehung gebracht wird[43] mit dem mangelnden Verständnis der Schriften. Am wahrscheinlichsten ist diese Beziehung wohl so zu verstehen, daß wegen des Nicht-Verstehens der Schriften weitere Anstöße nötig (freilich bei Petrus nicht hinreichend) waren, damit die Jünger auf den Weg des Glaubens gebracht wurden[44].

In der Erzählung von der Erscheinung des Auferstandenen vor den versammelten Jüngern (V. 19–23) ist klar, daß die Jünger in der eigenen Begegnung mit Jesus zum Glauben finden. Ihr Bekenntnis in V. 25 läßt kein anderes Verständnis zu. Entsprechendes gilt von der Thomas-Geschichte (V. 24–29), die wir aus besonderem Grund noch eigens behandeln werden.

Der Zusammenhang von „Glauben" und „Sehen" liegt in allen vier Einzelabschnitten des Kapitels auf der Hand. Deutlich ist, daß Glaubensindikatoren nur dort, aber dort auch immer, genannt sind, wo ein Sehen des Auferstandenen selbst erzählt ist[45]. Das Zeugnis,

---

[43] So wird man das γάρ in V. 9 doch wohl verstehen müssen.

[44] Eine Betonung, daß die Jünger trotz ihrer Beobachtungen die Schriften noch nicht verstanden, kann nicht vorliegen; sonst müßte δέ stehen, nicht γάρ. Vgl. *D. Zeller* in diesem Band S. 158 Anm. 59.

[45] *I. de la Potterie,* Foi pascale 31, zählt als Voraussetzungen für den vollen Osterglauben auf: die Offenheit für die heiligen Schriften, das Sehen des Auferstandenen und den Empfang des heiligen Geistes. Der Geistempfang ist für den Evangelisten selbst-

den Herrn gesehen zu haben, wie das christologische Bekenntnis beruhen auf der eigenen Begegnung mit dem erstandenen Herrn. Diesem Sachverhalt wird man wohl am besten gerecht, wenn man in Betracht zieht, daß „Glauben" eine variable, des Wachstums und der Reife fähige Größe darstellt. Das „Sehen von etwas" mag einen Beginn darstellen auf dem Weg zur Vollgestalt des Glaubens; diese aber wird erst erreicht im „Sehen des Auferstandenen"[46].

3. Nicht sehen, und doch glauben? – Die Thomasgeschichte

In unserem Zusammenhang ist natürlich besonders V. 29 c zu bedenken. Thomas hat den Auferstandenen gesehen und hat zum höchstmöglichen Bekenntnis gefunden. Seinem Glauben wird der Glaube derer gegenübergestellt, die nicht sehen. Dies ist nicht leicht zu verstehen. Während das „Komm und sieh!" im Hintergrund der unter II und III behandelten Texte aus dem Johannesevangelium stand, scheint die Thomasgeschichte gerade das Sehen-Wollen abzuwehren. Soll hier die Gemeinschaft mit Jesus aufgrund eigener Erfahrung mit ihm auf die vorösterliche Situation beschränkt werden, als der Vergangenheit angehörig deklariert werden? Oder soll hier gesagt sein, daß es möglich ist, allein aufgrund des Wortes der Verkündigung[47] zum gleich tiefen Glauben zu gelangen, wie er einigen wenigen Vertrauten am Ostertag (oder kurz danach) durch das Sehen des Auferstandenen geschenkt wurde? Oder ist zwischen βλέπειν bzw. θεωρεῖν im Sinn physischer Wahrnehmung und ὁράω im Sinn einer nur im Glauben erfaßbaren Wahrnehmung zu unterscheiden, so daß hier nur vom Verzicht auf sinnlich wahrnehmbares Sehen die Rede wäre[48]? Oder wird man die Mehrdeutigkeit von „Glauben" und „Se-

verständlich Voraussetzung in der nachösterlichen Situation; im Verlauf der Erzählung scheint diese aber nicht in dieser Weise auf.

[46] Zum Gebrauch der Zeitformen der Verben des Sehens in Joh 20 vgl. *I. de la Potterie,* Foi pascale 28 f. – *R. Schnackenburg,* Johannes III 368, besteht allerdings darauf, daß dem Zusammenhang nach in V. 8 der volle Glaube gemeint sei (so auch *D. Zeller* in diesem Band S. 158 f). „Pourquoi?" fragt *I. de la Potterie,* aaO. 47 Anm. 16, mit Recht dagegen. Es hat sich ja auch in anderem Zusammenhang (etwa in 4,41 f) ergeben, daß „Glauben" keine feste Größe ist, sondern einen Fortschritt zuläßt, ja fordert!

[47] Hier ist an 17,20 zu erinnern: Jesus betet beim Abschiedsmahl für die, die aufgrund des Wortes der Jünger an Ihn glauben, also für kommende Generationen von Christen.

[48] Zum johanneischen „Sehen" vgl. z. B. *C. Traets,* Voir Jesus 224–247.

hen" unter Verzicht auf diese terminologische Unterscheidung aufgrund des Gesamtzusammenhanges des Evangeliums konstatieren müssen? Bleiben wir noch ein wenig bei der Thomas-Geschichte, um mehr Klarheit zu gewinnen.

a) Eine Eigenschöpfung des Evangelisten

Eine beachtliche Reihe von Gründen sprechen dafür, daß die Geschichte von der Begegnung des Thomas mit dem auferstandenen Jesus vom Evangelisten selbst formuliert wurde, um das Ziel seines Werkes, wie es 20,31 formuliert ist, zu erläutern. Ist dies richtig, so ist die Perikope im Rahmen unserer Fragestellung natürlich von besonderem Gewicht. Als Gründe für eine Abfassung durch den Evangelisten werden angeführt:

- Die Erzählung steht in Spannung zu der vorhergehenden Erzählung von der Erscheinung Jesu vor den Jüngern 20,19–23; dort ist kaum an die Abwesenheit eines Jüngers gedacht.
- Die Thomasszene ist aus der vorangehenden Jüngerszene entwikkelt.
- Der Stil verrät die Hand des Evangelisten.
- Das in der Perikope zutage tretende Interesse an der Christologie und am Glauben der angesprochenen Gemeinden entspricht der durchgehenden Absicht des Evangelisten[49].

Wir gehen im folgenden von der Annahme aus, daß in der Thomasgeschichte ein besonderes Interesse des Evangelisten (nicht nur am christologischen Bekenntnis des Thomas, sondern auch) an der Frage nach dem Werden des Glaubens im einzelnen Menschen seinen Ausdruck findet.

b) Die Handlungsstruktur

Nach einer Exposition (V. 24), die nach der vorher erzählten Erscheinungsgeschichte eine Begründung für den folgenden Vers liefern muß, legen die in der vorhergehenden Szene als anwesend vorausgesetzten Jünger ein Bekenntnis dazu ab, daß Jesus lebe: „Wir haben den Herrn gesehen" (V. 25). Thomas besteht auf der Möglichkeit, sich selbst von der Richtigkeit der von den anderen Jüngern gemachten Aussage überzeugen zu können (V. 25). Dabei geht er in seinen Ansprüchen allerdings über das den übrigen Jün-

[49] Vgl. die Zusammenstellung bei *R. Schnackenburg,* Johannes III 390f.

gern Geschenkte hinaus: Er will nicht nur sehen, sondern sogar betasten[50]. Die Konzentration seiner Forderungen auf die Wundmale zielt auf die Identität des Auferstandenen mit dem Gekreuzigten. Damit ist eine Situation skizziert, in die hinein die folgende Erscheinung des Auferstandenen erfolgt.

Die Erscheinungsgeschichte beginnt mit einer Schilderung der Lage, die recht genau V. 19 entspricht: Eine Zeitangabe, die Feststellung, die Türen seien verschlossen gewesen, das Auftreten Jesu, sein In-die-Mitte-Treten, und schließlich der Gruß „Friede sei mit euch!" sind genau entsprechende Elemente von V. 19 und V. 26. Nun aber geht die Thomasgeschichte eigene Wege, und eben darin wird ihre eigene Zielsetzung sichtbar. Der Auferstandene geht ein auf die Forderungen des Thomas nach Sehen und Betasten der Wundmale. Damit verbindet er eine Mahnung, nicht ungläubig, sondern gläubig zu sein (V. 27). Die Reaktion Thomas' bildet ein Christusbekenntnis, das als Gipfelpunkt aller im Johannesevangelium vorkommenden Bekenntnisse gelten muß (V. 28). Im abschließenden V. 29 endlich bestätigt einerseits der auferstandene Herr den Glauben des Thomas, andererseits aber preist er in einem Makarismus diejenigen, die im Gegensatz zu Thomas glauben, ohne gesehen zu haben.

Im Gegensatz zu den Abschnitten 1,35–51 und 4,5–42 ist in der Thomasperikope die Reaktion auf das gehörte Christusbekenntnis nicht eine Initiative Thomas', sich zu überzeugen, oder (der Unverfügbarkeit des Auferstandenen gemäßer) der Ausdruck einer Hoffnung, den Auferstandenen selbst zu sehen. Vielmehr stellt Thomas Bedingungen für sein Glauben. Diese Differenz wird bei der Auswertung für unsere Problemstellung zu beachten sein.

c) Sehen wollen

Wird von den übrigen Jüngern das Sehen „des Herrn" gerade als Fundament ihres Bekenntnisses ausgesagt, so spielt das Sehen für Thomas eine nicht ganz so eindeutige Rolle. Einerseits muß auch von ihm gesagt werden, daß er glaubt, weil er den Auferstandenen gesehen hat. Andererseits aber will der Evangelist den Glauben auf das bloße Hören der Osterbotschaft hin anregen. „Selig, die nicht se-

[50] Vgl. *D. Mollat,* Foi pascale 327 f.

hen und doch glauben" – man sollte dieses Wort nicht in erster Linie als Tadel an Thomas hören, sondern als Mahnung und zugleich Verheißung („Selig!") an die Adresse der Leser des Evangeliums. Daß dem Thomas trotz seiner Vorbedingungen eine Erscheinung des Auferstandenen gewährt wird, will der Evangelist wahrscheinlich dahingehend verstanden wissen, daß die Osterbotschaft eben auf dem klaren Augenzeugnis der historischen Jünger Jesu beruht – und dazu zählt natürlich auch Thomas. Deswegen muß er, genau wie die anderen aus dem Kreis derer, die Jesus nachfolgten, Augenzeuge werden[51]. Doch dies eben gilt nicht für diejenigen, denen von den Augenzeugen die Osterbotschaft verkündet wird. Für diese ist das Sehen-Wollen als Vorbedingung für den Glauben Anmaßung, wie überhaupt irgendwelche Anspruchshaltung dem Auferstandenen gegenüber – von wem auch immer – unangemessen ist.

Im Kontrast zu den früher behandelten Abschnitten aus Kap. 1 und Kap. 4 erscheint in Kap. 20 das Sehen-Wollen des Hörers der Osterbotschaft als eine negativ zu bewertende Einstellung. Dies ist wohl nur zu verstehen, wenn das Sehen (wie bei Thomas) als Erhalten eines massiven Beweises verstanden wird. Mit dem „Selig, die nicht sehen und doch glauben!" ist ein anderes „Sehen" angesprochen als in dem „Komm und sieh!". Und welche Art von Glauben ist in der Thomas-Geschichte angemahnt? Im Vergleich mit Kap. 4 unterscheiden sich die Leute aus Sychar von Thomas dadurch, daß sie auf das Wort der Frau hin glauben, allerdings im Sinn eines anfanghaften Glaubens, der die eigene Erfahrung mit Jesus nicht überflüssig macht, vielmehr geradezu dazu auffordert. Thomas erfährt den Tadel durch den Auferstandenen, weil er den ersten Schritt nicht getan hat, nämlich auf das Wort der übrigen Jünger hin selbst nach dem Auferstandenen auszuschauen. Die Thomas-Perikope steht deshalb zwar im Kontrast, nicht aber im Widerspruch zu den vorher behandelten Abschnitten.

4. Wege zum Glauben in Joh 20

Im 20. Kapitel des Johannesevangeliums werden uns verschiedene Wege gewiesen, wie Menschen zum Osterglauben – und das heißt: zum christlichen Glauben überhaupt – finden können.

---

[51] Vgl. *I. de la Potterie,* aaO. 41.

Hier ist zunächst einmal der – wenn auch noch keineswegs vollendete – Glaube zu nennen, den der „Lieblingsjünger" (und er allein) aus der Wahrnehmung äußerer Fakten gewinnt[52]. Das leere Grab, die Leinenbinden und das getrennt davon liegende Schweißtuch sind wohl zu den „Zeichen" zu rechnen, von denen V. 30 spricht[53]. Zum Glauben aufgrund von Zeichen ist z. B. 2,23; 3,2; 6,2 vs. 6,26 zu vergleichen. Die Zeichen stellen einen der möglichen Zugänge zum Glauben dar.

Weiter ist der Umgang mit den Heiligen Schriften[54] zu nennen. V. 9 macht deutlich, daß der Zugang zum Geschehen um Tod und Auferstehung Jesu durch die Schriften möglich ist, allerdings erst, wenn der Paraklet gesandt ist, der alles verstehen läßt[55].

Ausdrücklich eingeschärft wird das Glauben aufgrund des Bekenntnisses anderer. Thomas hat sich dem Zeugnis seiner Mitjünger verweigert: „Wir haben den Herrn gesehen". Von da her muß der Aufruf von V. 28 zum „Glauben, ohne zu sehen" verstanden werden. Glauben, ohne zu sehen, heißt glauben auf das Wort der Zeugen hin.

Schließlich ist als der überzeugendste und nicht mehr zu überbietende Weg zum Glauben die eigene Begegnung mit dem Auferstandenen zu nennen. In allen Erzählungen, die eine solche zum Inhalt haben, bleibt kein Zweifel daran, daß es sich dabei um ein freies Geschenk des Herrn handelt[56]. Die eigene Begegnung mit dem erstandenen Christus, und nur sie, führt zur bekennenden Akklamation und/oder zum Zeugnis: „Ich habe den Herrn gesehen".

---

[52] Dieser anfanghafte Osterglaube ist wohl von *B. F. Westcott,* The Gospel according to St. John (London ³1958) 290, als ein Sich-Öffnen für das Mysterium beschrieben. So im Anschluß an Westcott auch *D. Mollat,* Foi pascale 319, und *I. de la Potterie,* Foi pascale 31.

[53] Vgl. *D. Mollat,* Foi pascale 319. In dem Aufbruch des Lieblingsjüngers zum Glauben aufgrund der Zeichen liegt auch ein Ansatzpunkt für die Ermunterung des Lesers in V. 30f, ebenfalls aufgrund der Zeichen zu glauben. Vgl. *L. Dupont* u. a., Recherche 488.

[54] Hier ist natürlich von den Schriften des Alten Bundes die Rede.

[55] Zur Rolle des Parakleten im Johannesevangelium vgl. etwa *R. Schnackenburg,* Johannes III 156–173

[56] Vgl. *D. Mollat,* Foi pascale 321. *L. Dupont* u. a., Recherche 491, betonen, daß Jesus sich Maria Magdalena entzieht, sich den Jüngern jedoch darbietet. In jedem Fall ist er es, der frei die Glaubenserkenntnis schenkt.

V. *Versuch einer Auswertung*

1. Christusbegegnung im Sinn des Johannesevangeliums

Der vierte Evangelist ermuntert seine Leser (bzw. Hörer), die Botschaft des Glaubens auf die Verkündigung hin anzunehmen. Doch macht er auch deutlich, daß ein Glaube, der sich ausschließlich auf die aus der Vergangenheit überkommene Botschaft stützt, nichts Fertiges ist. Die eigene Begegnung mit Christus muß dazukommen[57]. Nur durch den Herrn persönlich wird nach Johannes der Glaube seine Tragfähigkeit finden. Die persönliche Begegnung mit Ihm führt zu einer neuen Art von „Sehen", zu einer Christuserkenntnis, die nicht unter die Abwehr der Thomas-Perikope fällt. Diese Art von Erkenntnis entsteht im Vollzug des Glaubens, stellt also keine anmaßende Bedingung für den Glauben dar. Offengeblieben ist bisher die Frage, wie eine solche persönliche Begegnung mit Christus in der nachösterlichen Situation – und wir dürfen sagen: in unserer heutigen Situation – denn geschehen kann. Hier sind weitere Untersuchungen am Johannesevangelium und den Johannesbriefen notwendig. Andeutungsweise möchte ich die Vermutung äußern, daß in den johanneischen Gemeinden das „Fruchtbringen" als Äußerung der Christusgemeinschaft (vgl. 15,1–8) sehr intensiv erfahren wurde, also die Kraft und Freiheit zu christlichem Lebensvollzug (vgl. 15,1–17) auch unter erschwerten Lebensbedingungen. Auch die Rolle der Sakramente im johanneischen Christentum wäre unter dem Aspekt der Erfahrung der Gegenwart Christi zu bedenken[58].

Hingewiesen sei auf einen Punkt, der in der Geschichte von Jesus und den Leuten aus Sychar zutage tritt: Die Menschen bitten Jesus, bei ihnen zu bleiben, nachdem sie durch das Bekenntnis der Frau und durch eine erste Bekanntschaft mit Jesus angerührt sind. Nachdem wir erkannt haben, daß der Weg dieser Menschen zum Glauben Modellcharakter hat, dürfen wir auch vermuten, daß auch dieser Erzählzug typische Bedeutung hat: Die den Glauben festigende und

---

[57] „L'apparition à Marie de Magdale, aux disciples, à Thomas sont l'image normative d'une expérience que tout croyant est appelé à faire" (*D. Mollat,* Foi pascale 329).

[58] Zu den Sakramenten im Johannesevangelium vgl. etwa *J. Becker,* Johannes 224–227 (Literatur!).

vertiefende Begegnung mit Christus, das „Bleiben" Christi, will erbeten - und das heißt: erbetet - sein.

2. Blick über das Johannesevangelium hinaus

Da unsere Fragestellung letztlich nicht auf das Verstehen des Johannesevangeliums, sondern auf Möglichkeiten und Wege der Glaubensgewinnung zielt, sei hier ein Blick über das johanneische Schrifttum hinaus erlaubt. Dabei zeigt sich, daß auf die Frage nach heutigen Möglichkeiten der Christusbegegnung viele verschiedene Antworten möglich sind. So lenkt Lukas in seinem Evangelium den Blick vor allem auf die Eucharistiefeier der Gemeinde als Ort der Erfahrung der Gegenwart Jesu Christi, aber auch auf den Umgang mit den Heiligen Schriften des Alten Bundes und die Beschäftigung mit dem Leben und Wirken Jesu. Es ist anzunehmen, daß sich aus anderen neutestamentlichen Schriften weitere Orte möglicher Christusbegegnung ergeben. Doch dürfen solche Möglichkeiten nicht ausschließlich verstanden werden. Der lebendige Herr läßt sich nicht festlegen. Er gibt sich dem zu erkennen, dem er sich zu erkennen geben will. Doch haben sich im Lauf der Geschichte einige bevorzugte Möglichkeiten der Christusbegegnung herausgestellt: die Sakramente, das Gebet, der Dienst an Menschen, die Gemeinschaft gläubiger Christen ... Die Erfahrung der Jahrhunderte kann hier wichtige Hinweise geben und wäre erneut ernst zu nehmen. In jedem Fall ist natürlich zu beachten, daß das, was wir hier als „Christusbegegnung" bezeichnen, das die Unsicherheit überwindende, die Unruhe zum Schweigen bringende, ruhige Gewißheit schenkende Erfahren der Gegenwart des lebenden und mächtigen, bergenden und anfordernden Herrn[59], keine alltägliche Erfahrung darstellt. Sie kann nur erwartet, erhofft, erbetet werden.

Deutlicher als im Johannesevangelium ist bei Lukas die Notwendigkeit der Einbindung eigener Christuserfahrung in die Gemeinschaft der Glaubenden[60]. Wo dort die Kontrolle und Bestätigung des

---

[59] Ausdrücklich sei darauf aufmerksam gemacht, daß nicht an visionäre o.ä. Erfahrungen gedacht ist. Zu der Frage, was „den Herrn sehen" in der Kirche heißen könnte, vgl. die Anfrage von *I. de la Potterie* und die Antwort von *D. Mollat,* in: Resurrexit 334–336.

[60] Vgl. dazu *Joh. M. Nützel,* aaO. (Anm. 2) 42.47f.

eigenen Erlebens durch das Zeugnis der Apostel betont ist, sieht Johannes wohl den Parakleten als Schutz gegen Subjektivismus und Individualismus.

3. Folgerungen für die Pastoral

Unsere Fragestellung lautete: Wie kommen Menschen zum Glauben an Christus, und zwar zu einem Glauben, auf dem sie ihr Leben aufbauen können, und wie können wir ihnen dazu helfen?

Wir haben aus unseren Untersuchungen zum Johannesevangelium einen Gesichtspunkt gewonnen, der eine Anfrage an unsere Pastoral darstellt. Denn es ergab sich, daß Hinführung zum Glauben Anregung zur Suche nach eigener Christusbegegnung zum Inhalt haben muß. Unsere Verkündigung soll Menschen auf den Weg des Glaubens bringen, der mit der Annahme der Verkündigung erst beginnt. Es wird Aufgabe pastoraler Sorge sein, wenn auch sicher nicht die einzige[61], nach Möglichkeiten der Christusbegegnung für den Einzelnen und für die Gemeinde zu suchen, wobei die geistliche Erfahrung der Vergangenheit wichtige Hinweise geben kann.

Gleichzeitig aber haben unsere Überlegungen die Grenzen unserer Pastoral gezeigt. Wir können nicht Menschen zur Vollgestalt christlichen Glaubens bringen. Das ist allein Sache Jesu Christi selbst. Wohl aber können und sollen wir Menschen unruhig machen und sie ermutigen: „Komm und sieh!" So könnte das Ergebnis unserer Untersuchung manchen Seelsorger entlasten, dem der Mißerfolg seiner Bemühungen als vermeintliches eigenes Versagen auf der Seele liegt. Pastorales Bemühen wird dann Glauben fördern können, wenn es Wege aufzeigen kann, wie wir heute der lebendigen Gegenwart Jesu Christi inne werden können. Wege kann hierzu nur der zeigen, der selbst solche Wege kennt, der eigene geistliche Erfahrung besitzt. Es scheint, daß uns dies heute besonders nottut. Wir sprechen im Zusammenhang mit dem Glauben (natürlich mit Recht!) viel über Wahrheiten, über Sachverhalte, über Aufgaben, die uns gestellt sind; der Charakter des Glaubens als personale Bin-

---

[61] Selbstverständlich darf die Zurüstung der Glaubenden für ihren Dienst an Kirche und Welt nicht vergessen werden. Aber eben: *der Glaubenden!*

dung an die Person Jesu Christi und durch ihn an den „Gott und Vater Jesu Christi“ tritt oft in den Hintergrund.

Zum Schluß sei noch einmal eingegangen auf die Problematik, die sich daraus ergibt, daß unser Glaube auf einer langen Überlieferungskette aufbaut. Wir verstehen jetzt, warum die Länge der Überlieferungskette nicht entscheidend ist für die Möglichkeit, sich durch die Verkündigung ansprechen zu lassen. Die persönliche Begegnung der Gläubigen mit dem lebenden, in seiner Kirche gegenwärtigen Jesus, dem Christus und Sohn Gottes, hat durch all die Jahrhunderte hindurch immer wieder das uns überkommene Zeugnis der Urkirche bestätigt. Dadurch lebt die christliche Botschaft ohne Realitätsverlust in der Kirche weiter, und sie wird weiterleben, solange Christen sich der Begegnung mit Christus stellen.

Verzeichnis der abgekürzt zitierten Literatur

Alsup, J. E., The Post-Resurrection Appearance Stories of the Gospel Tradition (Stuttgart 1975)

Bartsch, H.-W., Das Auferstehungszeugnis. Sein historisches und sein theologisches Problem (ThF 41) (Hamburg 1965)

–, Der Ursprung des Osterglaubens, in: ThZ 31 (1975) 16–31

–, Inhalt und Funktion des urchristlichen Osterglaubens, in: ANRW II 25,1 (Berlin 1982) 794–843

Becker, J., Auferstehung der Toten im Urchristentum (SBS 82) (Stuttgart 1976)

–, Das Gottesbild Jesu und die älteste Auslegung von Ostern, in: Jesus Christus in Historie und Theologie. FS H. Conzelmann (hrsg. v. G. Strecker) (Tübingen 1975) 105–126

–, Das Evangelium nach Johannes (ÖTK 4,1.2) (Gütersloh/Würzburg 1979.1981)

Berger, K., Die Auferstehung des Propheten und die Erhöhung des Menschensohnes. Traditionsgeschichtliche Untersuchungen zur Deutung des Geschickes Jesu in frühchristlichen Texten (StUNT 13) (Göttingen 1976)

Bode, E. L., The First Easter Morning. The Gospel Accounts of the Women's Visit to the Tomb of Jesus (An Bib 45) (Rom 1970)

Bron, B., Das Wunder. Das theologische Wunderverständnis im Horizont des neuzeitlichen Natur- und Geschichtsbegriffs (GTA 2) (Göttingen 1975)

Brun, L., Die Auferstehung Christi in der urchristlichen Überlieferung (Oslo – Gießen 1925)

Campenhausen, H. v., Der Ablauf der Osterereignisse und das leere Grab (Heidelberg [3]1966)

Conzelmann, H., Die Mitte der Zeit. Studien zur Theologie des Lukas (BHTh 17) (Tübingen [5]1964)

Craig, W. L., The Bodily Resurrection of Jesus, in: Gospel Perspectives. Studies of History and Tradition in the Four Gospels I (hrsg. v. R. T. France u. D. Wenham) (Sheffield 1980) 47–74

–, The Empty Tomb of Jesus, in: Gospel Perspectives. Studies of History and Tradition in the Four Gospels II (hrsg. v. T. R. France u. D. Wenham) (Sheffield 1981) 173–200.

–, The Historicity of the Empty Tomb of Jesus, in: NTS 31 (1985) 39–67

de la Potterie, I., Genèse de la Foi pascale d'après Jn. 20, in: NTS 30 (1984) 26–49

Delling, G., Die bleibende Bedeutsamkeit der Verkündigung des Anfangs im Urchristentum, in: ThLZ 95 (1970) 801–809

Demke, Ch., Jesus Christus – auferstanden von den Toten, in: Die Frage nach Jesus Christus im ökumenischen Kontext (hrsg. v. H. Kirchner) (Berlin 1980) 82–91

Dupont, J., Les disciples d'Emmaüs (Lc 24,13–35), in: La Pâque du Christ 167–195

Dupont, L. – Lash, Chr. – Levesque, G., Recherche sur la structure de Jean 20, in: Bib 54 (1973) 482–498
Fiedler, P., Auferstehungsbotschaft und Christusbekenntnis, in: Funkkolleg Religion. Studienbegleitbrief 5 (Weinheim/Basel 1984) 45–81
Finegan, J., Die Überlieferung der Leidens- und Auferstehungsgeschichte Jesu (BZNW 15) (Gießen 1934)
Friedrich, G., Die Auferweckung Jesu, eine Tat Gottes oder ein Interpretament der Jünger?, in: KuD 17 (1971) 153–187
–, Die Bedeutung der Auferweckung Jesu nach den Aussagen des Neuen Testaments, in: ThZ 27 (1971) 305–324
–, Die Verkündigung des Todes Jesu im Neuen Testament (Neukirchen 1982)
Fuller, R. H., The Formation of the Resurrection Narratives (London 1972)
Giesen, H., Osterglaube und historischer Jesus. Zur Frage nach dem Woher und dem Inhalt des Auferstehungsglaubens, in: ders., Glaube und Handeln. Beiträge zur Exegese und Theologie des Neuen Testaments, Bd. 2 (Frankfurt 1983) 113–126
Grass, H., Ostergeschehen und Osterberichte (Göttingen [4]1970)
Hahn, F., Die Jüngerberufung Joh 1,35–51, in: Neues Testament und Kirche. FS R. Schnackenburg (hrsg. v. J. Gnilka) (Freiburg i. Br. 1974) 172–190
Hasenfratz, H. P., Die Rede von der Auferstehung Jesu Christi (Bonn 1975)
Hoffmann, P., Art. Auferstehung, in: TRE 4 (1979) 450–467 (Auferstehung der Toten I/3.NT); 478–513 (Auferstehung Jesu Christi II/1.NT)
–, Der garstige breite Graben. – Zu den Anfängen der historisch-kritischen Osterdiskussion, in: Zeit und Stunde. FS A. Goergen (hrsg. v. H. Kern u. a.) (München 1985) 79–106
Kegel, G., Auferstehung Jesu – Auferstehung der Toten. Eine traditionsgeschichtliche Untersuchung zum Neuen Testament (Gütersloh 1970)
Kellermann, U., Auferstanden in den Himmel. 2 Makkabäer 7 und die Auferstehung der Martyrer (SBS 95) (Stuttgart 1979)
Kessler, H., Sucht den Lebenden nicht bei den Toten. Die Auferstehung Jesu Christi in biblischer, fundamentaltheologischer und systematischer Sicht (Düsseldorf 1985)
Kremer, J., Entstehung und Inhalt des Osterglaubens, in: ThRv 72 (1976) 1–14
–, Die Osterevangelien – Geschichten um Geschichte (Stuttgart [2]1981)
Léon-Dufour, X., Résurrection de Jésus et message pascal (Paris 1971)
Lohfink, G., Der Ablauf der Osterereignisse und die Anfänge der Urgemeinde, in: ThQ 160 (1980) 162–176
Lona, H. E., Auferweckungsaussage und Osterglaube, in: Erfahrung als Weg. Beiträge zur Theologie und religiösen Praxis (hrsg. v. H. E. Lona u. O. Wahl) (Donauwörth 1981) 57–73
Mahoney, R., Two Disciples at the Tomb. The Background and Message of John 20,1–10 (Bern – Frankfurt 1974)
Merklein, H., Jesu Botschaft von der Gottesherrschaft (SBS 111) (Stuttgart 1983)
Mohr, T. A., Markus- und Johannespassion. Redaktions- und traditionsgeschichtliche Untersuchungen der Markinischen und Johanneischen Passionstradition (AThANT 70) (Zürich 1982)
Mollat, D., La foi pascale selon le chapitre de l'Évangile de saint Jean (Essai de théologie biblique), in: Resurrexit 316–339
Nickelsburg, G. W. E., Resurrection, Immortality, and Eternal Life in Intertestamental Judaism (HThS 26) (Cambridge 1972)
Nötscher, F., Altorientalischer und alttestamentlicher Auferstehungsglauben (Würzburg 1926)

La Pâque du Christ, Mystère de salut. FS F.-X. Durrwell (hrsg. v. M. Benzerath u.a.) (Paris 1982) 1970)
Pesch, R., Jesu ureigene Taten? Ein Beitrag zur Wunderfrage (QD 52) (Freiburg i.Br.
–, Zur Entstehung des Glaubens an die Auferstehung Jesu, in: ThQ 153 (1973) 201–228 (= Entstehung I)
–, Zur Entstehung des Glaubens an die Auferstehung Jesu, in: FZPhTh 30 (1983) 73–98 (= Entstehung II)
Praesentia Christi. FS J. Betz (hrsg. v. L. Lies) (Düsseldorf 1984)
Resurrexit. Actes du Symposium international sur la Resurréction de Jésus (hrsg. v. E. Dhanis) (Citta Vaticana 1974)
Riebl, M., Auferstehung Jesu in der Stunde seines Todes? Zur Botschaft von Mt 27,51b–53 (Stuttgart 1978)
Rigaux, B., Dieu l'a ressuscité. Exégèse et théologie biblique (Gembloux 1973).
Ritt, H., Die Frauen und die Osterbotschaft. Synopse der Grabesgeschichten (Mk 16,1–8; Mt 27,62 – 28,15; Lk 24,1–12; Joh 20,1–18), in: Die Frau im Urchristentum (hrsg. v. G. Dautzenberg u.a.) (QD 95) (Freiburg i.Br. 1983) 117–133
Ruckstuhl, E., – Pfammatter, J., Die Auferstehung Jesu Christi. Heilsgeschichtliche Tatsache und Brennpunkt des Glaubens (Luzern/München 1968)
Ruppert, L., Jesus als der leidende Gerechte? Der Weg Jesu im Lichte eines alt- und zwischentestamentlichen Motivs (SBS 59) (Stuttgart 1972)
Schillebeeckx, E., Christus und die Christen. Die Geschichte einer neuen Lebenspraxis (Freiburg i.Br. 1977)
Schlier, H., Über die Auferstehung Jesu Christi (Einsiedeln 1968)
Schmitt, A., Entrückung – Aufnahme – Himmelfahrt. Untersuchungen zu einem Vorstellungsbereich im Alten Testament (Stuttgart 1973)
–, Zum Thema ‚Entrückung' im Alten Testament, in: BZ 26 (1982) 34–49
Schmitt, J., Résurrection de Jésus dans le Kérygme, la Tradition, la Catéchèse, in: DBS X 487–582
Schnackenburg, R., Zur Aussageweise „Jesus ist (von den Toten) auferstanden", in: BZ 13 (1969) 1–17
–, Das Johannesevangelium (HThK IV, 1–4) (Freiburg i.Br. usw.) 1. Tl (^{4}1978); 2. Tl (^{3}1980); 3 Tl (^{4}1982); Ergänzungsband 1984
Schnider, F. – Stenger, W., Die Ostergeschichten der Evangelien (München 1970)
Schrage, W., Das Verständnis des Todes Jesu Christi im Neuen Testament, in: Das Kreuz Jesu Christi als Grund des Heils (Gütersloh 1967) 49 bis 89
Schubert, P., The Structure and Significance of Luke 24, in: Neutestamentliche Studien für R. Bultmann (BZNW 21) (Berlin ^{2}1957) 165–186
Schweizer, E., Auferstehung – Wirklichkeit oder Illusion?, in: EvTh 41 (1981) 2–19
Seidensticker, Ph., Die Auferstehung Jesu in der Botschaft der Evangelisten (SBS 26) (Stuttgart ^{2}1968)
Senior, D., The Death of Jesus and the Resurrection of the Holy Ones (Mt 27: 51–53), in: CBQ 38 (1976) 312–329
Stemberger, G., Der Leib der Auferstehung (AnBib 56) (Rom 1972)
–, Das Problem der Auferstehung im Alten Testament, in: Kairos 14 (1972) 273–290
–, Art. Auferstehung, in: TRE 4 (1979) 443–450 (I/2. Judentum)
Stuhlmacher, P., Das Bekenntnis zur Auferweckung Jesu von den Toten und die Biblische Theologie, in: ders., Schriftauslegung auf dem Weg zur biblischen Theologie (Göttingen 1975) 128–166
–, Exegese und Erfahrung, in: Verifikationen. FS G. Ebeling (hrsg. v. E. Jüngel u.a.) (Tübingen 1982) 67–89

Suhl, A., Die Wunder Jesu. Ereignis und Überlieferung, in: ders. (Hrsg.), Der Wunderbegriff im Neuen Testament (WdF CCXCV) (Darmstadt 1980) 464–509
Thüsing, W., Erhöhungsvorstellung und Parusieerwartung in der ältesten nachösterlichen Christologie (SBS 42) (Stuttgart 1969)
Traets, C., Voire Jésus et le Père en lui selon l'évangile de Saint Jean (AnGr 159) (Rom 1967)
Troeltsch, E., Über historische und dogmatische Methode in der Theologie, in: Gesammelte Schriften II (Tübingen 1913) 729–753
van Iersel, B., Auferstehung Jesu. Information oder Interpretation?, in: Conc 6 (1970) 696–702
Verweyen, H., Die Ostererscheinungen in fundamentaltheologischer Sicht, in: ZKTh 103 (1981) 426–445
–, Christologische Brennpunkte (Essen [2]1985)
Vögtle, A., Was heißt „Auslegung der Schrift"?, in: W. Joest u.a., Was heißt Auslegung der Heiligen Schrift? (Regensburg 1966) 29–83
–, Christologie im Spannungsverhältnis von Altem und Neuem Testament in: Entdekkungen im Alten Testament, oder: Die vergessene Wurzel (hrsg. v. Th. Sartory) (München 1970) 157–166.
–, Das Neue Testament und die Zukunft des Kosmos (Düsseldorf 1970)
–, Jesus von Nazareth, in: Ökumenische Kirchengeschichte Bd I (Mainz/München [3]1980) 3–24
–, Das Evangelium und die Evangelien. Beiträge zur Evangelienforschung (Düsseldorf 1971)
–, „Theo-logie" und „Eschato-logie" in der Verkündigung Jesu?, in: Neues Testament und Kirche. FS R. Schnackenburg (Freiburg i.Br. 1974) 371–398
–, Wie kam es zum Osterglauben?, in: A. Vögtle/R. Pesch, Wie kam es zum Osterglauben? (Düsseldorf 1975) 9–131
–, Der verkündigende und verkündigte Jesus „Christus", in: Wer ist Jesus Christus? (hrsg. v. J. Sauer) (Freiburg i.Br. 1977) 27–91
–, Hat Jesus sich als Heilsmittler geoffenbart?, in: BiKi 34 (1979) 4–11
–, „Erhöht zur Rechten Gottes", in: Orien 45 (1981) 78–80
–, Was Ostern bedeutet. Meditation zu Matthäus 28,16–20 (Freiburg i.Br. [4]1983)
Walter, N., „Historischer Jesus" und Osterglaube, in: ThLZ 101 (1976) 321–338
Wanke, J., Die Emmauserzählung. Eine redaktionsgeschichtliche Untersuchung zu Lk 24,13–35 (EThSt 31) (Leipzig 1974)
Weiser, A., Was die Bibel Wunder nennt (Stuttgart o.J.)
Wilckens, U., Die Überlieferungsgeschichte der Auferstehung Jesu, in: W. Marxsen u.a., Die Bedeutung der Auferstehungsbotschaft für den Glauben an Jesus Christus (Gütersloh 1966) 41–63
–, Auferstehung. Das biblische Auferstehungszeugnis historisch untersucht und erklärt (Stuttgart 1970)
Winden, H.-W., Wie kam und wie kommt es zum Osterglauben? Darstellung, Beurteilung und Weiterführung der durch Rudolf Pesch ausgelösten Diskussion (Disputationes Theologicae 12) (Frankfurt a.M. 1982)

BIBLIOGRAPHIE ANTON VÖGTLE

(Stand Oktober 1985)

I. MONOGRAPHIEN

1. Die Tugend- und Lasterkataloge im Neuen Testament. Exegetisch, religions- und formgeschichtlich untersucht (NTA 16) (Münster 1936).
2. Das öffentliche Wirken Jesu auf dem Hintergrund der Qumranbewegung (Freiburger Universitätsreden Heft 27) (Freiburg i. Br. 1958).
3. Das Neue Testament und die neuere katholische Exegese (I) (Freiburg i. Br. 1966; [3]1967) Lizenzausgabe Leipzig 1968.
   Il nuovo Testamento nella recente esegesi cattolica (Torino 1969).
4. Das Neue Testament und die Zukunft des Kosmos (KBANT) (Düsseldorf 1970).
5. Messias und Gottessohn. Herkunft und Sinn der matthäischen Geburts- und Kindheitsgeschichte (Düsseldorf 1971).
6. Das Evangelium und die Evangelien. Beiträge zur Evangelienforschung (KBANT) (Düsseldorf 1971).
7. Wie kam es zum Osterglauben?, in: A. Vögtle/R. Pesch, Wie kam es zum Osterglauben? (Düsseldorf 1975) 9–131.
8. Was Ostern bedeutet. Meditation zu Mattäus 28,16–20 (Freiburg i. Br. 1976, [5]1985) = ¿ Qué significa Pascua? Meditación sobre Mt 28,16–20, in: G. Lohfink u. a., Pascua y el Hombre Nuevo (Santander 1983) 59–141.
9. Was Weihnachten bedeutet. Meditation zu Lukas 2,1–20 (Freiburg i. Br. 1977; [5]1981).
10. Das Buch mit den sieben Siegeln. Die Offenbarung des Johannes in Auswahl gedeutet (Freiburg i. Br. 1981; [2]1985).
11. Was ist Frieden? Orientierungshilfen aus dem Neuen Testament (Freiburg i. Br. 1983; [3]1984).
12. Offenbarungsgeschehen und Wirkungsgeschichte. Neutestamentliche Beiträge (Freiburg i. Br. 1985).

II. BEITRÄGE IN SAMMELWERKEN UND FESTSCHRIFTEN

1. Der Spruch vom Jonaszeichen, in: Synoptische Studien. FS A. Wikenhauser (München 1953) 230–277; jetzt in: Das Evangelium und die Evangelien 103–136.

2. Die Entmythologisierung des Neuen Testaments als Forderung einer zeitgemäßen Theologie und Verkündigung, in: Die geistige Situation unserer Zeit in den Einzelwissenschaften (Freiburger Dies Universitatis, Bd. 4) (Freiburg i. Br. 1955/56) 9–46.
3. Rivelazione e Mito, in: Problemi e Orientamenti di Teologia Dommatica (Milano 1957) 827–960 = Revelación y mito (Barcelona 1965).
4. Jesus und die Kirche, in: Begegnung der Christen. FS O. Karrer (Frankfurt 1959; [2]1960) 54–81 (= ThJb 7 [1964] 121–144).
5. Ekklesiologische Auftragsworte des Auferstandenen, in: Sacra Pagina (Miscellanea Biblica Congressus Internationalis Catholici de Re Biblica) II (Paris / Gembloux 1959) 260–294; jetzt in: Das Evangelium und die Evangelien 243–252.
6. Der Einzelne und die Gemeinschaft in der Stufenfolge der Christusoffenbarung, in: Sentire Ecclesiam. FS H. Rahner (Freiburg i. Br. 1961) 50–91.
7. Zeit und Zeitüberlegenheit im biblischen Verständnis, in: Zeit und Zeitlichkeit (Freiburger Dies Universitatis, Bd. 8) (Freiburg i. Br. 1960/61) 99–116, erweitert in: Weltverständnis im Glauben (hrsg. v. J. B. Metz) (Mainz 1965) 224–253; jetzt in: Das Evangelium und die Evangelien 273–295.
8. Josias zeugte den Jechonias und seine Brüder (Mt 1, 11), in: Lex tua Veritas. FS H. Junker (Trier 1961) 307–313.
9. Fortschritt und Problematik der neutestamentlichen Wissenschaft, in: Exegese und Dogmatik (hrsg. v. H. Vorgrimler) (Mainz 1962) 53–68 = Exegese en Dogmatiek (Bilthoven 1963) 55–70.
10. Das christologische und ekklesiologische Anliegen von Mt 28, 18–20, in: Studia Evangelica II (TU 87) (Berlin 1964) 266–294; jetzt in: Das Evangelium und die Evangelien 253–272.
11. „Der Menschensohn" und die paulinische Christologie, in: Studiorum Paulinorum Congressus Internat. Cath. I (Rom 1963) 199–218.
12. Werden und Wesen der Evangelien, in: Diskussion um die Bibel (hrsg. v. L. Klein) (Mainz 1963/64) 47–84.
13. Exegetische Erwägungen über das Wissen und Selbstbewußtsein Jesu, in: Gott in Welt I. FS K. Rahner (Freiburg i. Br. 1964) 608–667; jetzt in: Das Evangelium und die Evangelien 296–344.
14. Bibelwissenschaft und Ökumene – Möglichkeiten und Grenzen der gemeinsamen Methode, in: Neue Grenzen, Ökumenisches Christentum (hrsg. v. K. v. Bismarck) (Stuttgart/Berlin 1966) 45–56.
15. Jesu Wundertaten vor dem Hintergrund ihrer Zeit, in: Kontexte 3 (1966) 83–90.
16. Hermeneutische Grundfragen der neutestamentlichen Exegese, in: Verstehen und Auslegen (Freiburger Dies Universitatis, Bd. 14) (Freiburg i. Br. 1967) 23–41.
17. Die hermeneutische Relevanz des geschichtlichen Charakters der Christusoffenbarung, in: ETL 43 (1967) 470–487; jetzt in: Das Evangelium und die Evangelien 16–30 (französisch in: K. Barth u. a., Comprendre Bultmann [Paris 1970] 32–55).
18. Die Offenbarung in sich, in: Die Kirche und das Wort Gottes. Eine Ein-

führung in die dogmatische Konstitution „Dei Verbum" (hrsg. v. W. Sandfuchs) (Würzburg 1967) 27–44.
19. Nicht jede Form einer „Entmythologisierung" des NT ist schriftwidrig, in: Warum glauben? (hrsg. v. W. Kern u. a.) (Würzburg [3]1967) 209–220.
20. „Aufgefahren gen Himmel", in: Das Glaubensbekenntnis. Aspekte für ein neues Verständnis (hrsg. v. G. Bein) (Stuttgart/Berlin 1967/68) 41–45.
21. Die Teilnahme am Hohepriestertum Christi nach der Apokalypse, in: El Sacerdocio de Cristo (Madrid 1969) 119–129.
22. Was heißt „Auslegung der Schrift"?, in: Was heißt Auslegung der Heiligen Schrift? (Regensburg 1966) 29–83.
23. Die Zukunft des Kosmos in der Sicht des Neuen Testaments, in: Die Vorausschau in den Wissenschaften (Freiburger Dies Universitatis, Bd. 16) (Freiburg i. Br. 1969) 7–24.
24. „Hochverehrter Theophilos!", in: Tätigkeit im rechten Sinne. FS H. Rombach (Freiburg 1969) 29–45; jetzt unter dem Titel: „Was hatte die Widmung des lukanischen Doppelwerkes an Theophilos zu bedeuten?", in: Das Evangelium und die Evangelien 31–42.
25. Historisch-objektivierende und existentiale Interpretation. Zum Problem ihrer Zuordnung in der neutestamentlichen Exegese, in: Gegenwart und Tradition. Strukturen des Denkens. FS B. Lakebrink (Freiburg i. Br. 1970) 217–225; jetzt in: Das Evangelium und die Evangelien 9–15.
26. Die Weihnachtsgeschichte im Licht des Alten Testaments, in: Entdekkungen im Alten Testament oder: Die vergessene Wurzel (hrsg. v. Th. Sartory) (Experiment Christentum 8) (München 1970) 149–156.
27. Christologie im Spannungsverhältnis von Altem und Neuem Testament, ebd. 157–166.
28. Geschichte des Urchristentums. 1. Kapitel: Jesus von Nazareth. 2. Kapitel: Die Urgemeinde, in: Ökumenische Kirchengeschichte (hrsg. v. R. Kottje u. B. Moeller) Bd. I. Alte Kirche und Ostkirche (Mainz/München 1970; [3]1980) 3–36.
29. Röm 8,12–22: Eine schöpfungstheologische oder anthropologisch-soteriologische Aussage?, in: Mélanges Bibliques en hommage au B. Rigaux (Gembloux 1970) 351–366.
30. Mythos und Botschaft in Apokalypse 12, in: Tradition und Glaube. Das frühe Christentum in seiner Umwelt. FS K. G. Kuhn (Göttingen 1971) 395–415.
31. Die Einladung zum großen Gastmahl und zum königlichen Hochzeitsmahl. Ein Paradigma für den Wandel des geschichtlichen Verständnishorizonts, in: Das Evangelium und die Evangelien 171–218.
32. Wunder und Wort in urchristlicher Glaubenswerbung (Mt 11,2–5/Lk 7,18–23), in: Das Evangelium und die Evangelien 219–242.
33. Die matthäische Kindheitsgeschichte, in: L'Evangile selon Matthieu (hrsg. v. M. Didier) (BETL 29) (Gembloux 1972) 153–183.
34. Die sogenannte Taufperikope Mk 1,9–11. Zur Problematik der Herkunft und des ursprünglichen Sinns, in: EKK Vorarbeiten 4 (Zürich 1972) 105–139; jetzt mit „Nachtrag" unter dem Titel „Herkunft und ur-

sprünglicher Sinn der Taufperikope Mk 1,9–11", in: Offenbarungsgeschehen 70–108.
35. Die Schriftwerdung der apostolischen Paradosis nach 2 Petr 1,12–15, in: Neues Testament und Geschichte, FS O. Cullmann (Zürich 1972) 297–305; jetzt in: Offenbarungsgeschehen 297–304.
36. Die griechische Sprache und ihre Bedeutung für die Geschichte des Urchristentums, in: Veröffentlichungen der Kath. Akademie der Erzdiözese Freiburg 29 (Karlsruhe 1973) 77–93.
37. Zum Problem der Herkunft von „Mt 16,17–19", in: Orientierung an Jesus. FS J. Schmid (Freiburg i. Br. 1973) 372–393; jetzt mit „Nachtrag" in: Offenbarungsgeschehen 109–140.
38. „Theo-logie" und „Eschato-logie" in der Verkündigung Jesu?, in: Neues Testament und Kirche. FS R. Schnackenburg (Freiburg i. Br. 1974) 371–398; jetzt in: Offenbarungsgeschehen 11–33.
39. Das Vaterunser – ein Gebet für Juden und Christen?, in: Das Vaterunser. Gemeinsames im Beten von Juden und Christen (hrsg. v. M. Brocke u. a.) (Freiburg i. Br. 1974; [2]1980) 165–195.
40. Der „eschatologische" Bezug der Wir-Bitten des Vaterunsers, in: Jesus und Paulus. FS W. G. Kümmel (Göttingen 1975) 344–362; jetzt mit „Nachtrag" in: Offenbarungsgeschehen 34–49.
41. Der Gott der Apokalypse. Wie redet die christliche Apokalypse von Gott?, in: La notion biblique de Dieu (hrsg. v. J. Coppens) (BETL 41) (Gembloux 1976) 377–398.
42. Röm 13,11–14 und die „Nah"-Erwartung, in: Rechtfertigung. FS E. Käsemann (Tübingen 1976) 557–573; jetzt in: Offenbarungsgeschehen 191–204.
43. Todesankündigungen und Todesverständnis Jesu, in: Der Tod Jesu. Deutungen im Neuen Testament (hrsg. v. K. Kertelge) (QD 74) (Freiburg i. Br. 1976; [2]1982) 51–113.
44. Exegetische Reflexionen zur Apostolizität des Amtes und der Amtssukzession, in: Die Kirche des Anfangs. FS H. Schürmann (Freiburg i. Br. 1977) 529–582; jetzt mit Nachtrag „Kanonisierung und episkopales Lehramt" in: Offenbarungsgeschehen 221–279.
45. Der verkündigende und verkündigte Jesus „Christus", in: Wer ist Jesus Christus? (hrsg. v. J. Sauer) (Freiburg i. Br. 1977; [2]1978) 27–91.
46. Paraklese und Eschatologie nach Röm 13,11–14, in: Dimensions de la vie chrétienne (Rm 12–13) (hrsg. v. L. de Lorenzi) (Rom 1979) 179–194 (220); jetzt in: Offenbarungsgeschehen 205–217.
47. Petrus und Paulus nach dem Zweiten Petrusbrief, in: Kontinuität und Einheit. FS F. Mußner (Freiburg i. Br. 1981) 223–239; jetzt in: Offenbarungsgeschehen 280–294.
48. Bezeugt die Logienquelle die authentische Redeweise Jesu vom „Menschensohn"?, in: Logia. Mémorial J. Coppens (BETL 59) (Leuven 1982) 77–99; jetzt in: Offenbarungsgeschehen 50–69.
49. Das markinische Verständnis der Tempelworte, in: Die Mitte des Neuen Testaments. FS E. Schweizer (Göttingen 1983) 362–383; jetzt in: Offenbarungsgeschehen 168–188.
50. „Keine Prophetie der Schrift ist Sache eigenwilliger Auslegung" (2 Petr

1,20b), in: Dynamik im Wort. FS zum 50jährigen Bestehen des Kath. Bibelwerks in Deutschland (1933–1983) (Stuttgart 1983) 257–285; jetzt in: Offenbarungsgeschehen 305–328.
51. Katholische Exegese des Neuen Testaments seit dem Zweiten Vatikanischen Konzil, in: 50 Jahre Kath. Bibelwerk in Deutschland (Stuttgart o.J.) 87–103.
52. Neutestamentliche Wissenschaft – Gegenwärtige Tendenzen und Probleme aus römisch-katholischer Sicht, in: Schriftauslegung als theologische Aufklärung. Aspekte gegenwärtiger Fragestellungen in der neutestamentlichen Wissenschaft (hrsg. v. O. Merk) (Gütersloh 1984) 52–74.
53. „Dann sah ich einen neuen Himmel und eine neue Erde ...“ (Apk 21,1). Zur kosmischen Dimension neutestamentlicher Eschatologie, in: Glaube und Eschatologie. FS W. G. Kümmel (Tübingen 1985) 303–333.
54. Grundfragen der Diskussion um das heilsmittlerische Todesverständnis Jesu, in: Offenbarungsgeschehen 141–167.

III. BEITRÄGE IN ZEITSCHRIFTEN

1. Woher stammt das Schema der Hauptsünden?, in: ThQ 122 (1941) 217–237.
2. Apokalyptik im germanischen Zwielicht, in: ThGl 33 (1941) 203–210.
3. Die Adam-Christus-Typologie und „Der Menschensohn“, in: TrThZ 60 (1951) 309–328.
4. Das Gleichnis vom ungetreuen Verwalter, in: ORPB 53 (1952) 263–270. 286–299.
5. Der Petrus der Verheißung und Erfüllung. Zum Petrus-Buch von Oscar Cullmann, in: MThZ 5 (1954) 2–47.
6. Rudolf Bultmanns Existenztheologie in katholischer Sicht, in: BZ NF 1 (1957) 136–151.
7. Messiasbekenntnis und Petrusverheißung. Zur Komposition Mt 16,13–23 par, in: BZ NF 1 (1957) 252–272; 2 (1958) 85–103; jetzt in: Das Evangelium und die Evangelien 137–170.
8. Chirbet Qumran und die Anfänge des Christentums, in: ORPB 59 (1958) 89–95.120–132.150–161.
9. Grundfragen zweier neuer Jesusbücher, in: ThRv 54 (1958) 97–104.
10. „Die Wahrheit“ als geoffenbarte Wirklichkeit und wirkende Gotteskraft, in: ORPB 62 (1961) 1–8.
11. Jesu Wunder einst und heute, in: BiLe 2 (1961) 234–254.
12. Grundlegende Erkenntnisse der neutestamentlichen Wissenschaft, in: ORPB 63 (1962) 2–11.33–42.65–72.97–111.
13. Die Bedeutung der Evangelienforschung für Unterricht und Verkündigung, ebd. 129–142.198–213.228–237.289–306.321–326.
14. Die historische und theologische Tragweite der Evangelienforschung, in: ZKTh 86 (1964) 385–417.
15. Der Dienst des Wortes, in: ORPB 64 (1963) 362–383.
16. Der Prediger und die heutige Exegese, in: ThG 6 (1963) 187–196.
17. Die Genealogie Mt 1,2–16 und die matthäische Kindheitsgeschichte, in:

BZ NF 8 (1964) 45–58.239–262; 9 (1965) 32–49; jetzt in: Das Evangelium und die Evangelien 57–101.
18. Das Schicksal des Messiaskindes. Zur Auslegung und Theologie von Mt 2, in: BiLe 6 (1965) 246–279 (Nachdruck in: ThJb [1968] 126–159).
19. Der gekreuzigte Christus (Biblische Theologie), in: Am Tisch des Wortes 2 (1965) 50–61.
20. τῷ ἀγγέλῳ ... τῆς ἐκκλησίας (Apoc 2,1 ff), in: ORPB 67 (1966) 323–337.
21. „Er ist auferstanden, er ist nicht hier". Homilie zum Evangelium des Ostersonntags, in: BiLe 7 (1966) 69–73.
22. Die Geburt des Erlösers. Aus einem Weihnachtszyklus, ebd. 235–242.
23. „Paulus an die Seelsorger". Zu Studium und Meditation eines lesenswerten Buches, in: BiLe 8 (1967) 71–81.
24. Offenbarung und Geschichte im Neuen Testament. Ein Beitrag zur biblischen Hermeneutik, in: Conc 3 (1967) 18–23.
25. Mt 1,25 und die „Virginitas B. M. Virginis post partum", in: ThQ 147 (1967) 28–39.
26. Das Neue Testament und die Zukunft des Kosmos. Hebr. 12,26f. und das Endschicksal des Kosmos, in: BiLe 10 (1969) 239–254.
27. Offene Fragen zur lukanischen Geburts- und Kindheitsgeschichte, in: BiLe 11 (1970) 51–67; jetzt in: Das Evangelium und die Evangelien 43–56.
28. Kirche und Schriftprinzip nach dem Neuen Testament, in: BiLe 12 (1971) 153–162.260–281.
29. Wie kam es zur Artikulierung des Osterglaubens?, in: BiLe 14 (1973) 231–244; 15 (1974) 16–32.101–120.174–193.
30. Kirche und Amt im Werden, in: MThZ 28 (1977) 158–179.
31. Hat sich Jesus als Heilsmittler geoffenbart?, in: BiKi 34 (1979) 4–11.
32. Das Zwiegespräch der Liebe zwischen Gott und den Menschen, in: WiWei 44 (1981) 143–153.
33. „Erhöht zur Rechten Gottes", in: Orien 45 (1981) 78–80.

IV. ARTIKEL IN LEXIKA

1. RAC, Stichworte: Acedia – Achtlasterlehre – Affekt.
2. LThK ²1957ff., Stichworte: Almosen – Apolytrosis – Arbeit – Binden und Lösen – Blut – Entmythologisierung – Genealogie(n) – Gemeinderegeln – Jesus Christus (historisch) – Jonas – Kindheitsgeschichte Jesu – Lasterkataloge – Leidenschaft – Lösegeld – Menschensohn – Petrus – Petriner – Pauliner – Sünde – Sühne – Trunkenheit – Tugendkataloge – Unzucht – Urgemeinde, Urchristentum, Urkirche – Wunder – Zwölf.
3. Bibeltheol. Wörterbuch (hrsg. v. J. B. Bauer) (Graz/Wien/Köln ³1967) Art. „Jesus Christus".
4. Sacramentum Mundi, Stichworte: Äon – Biblische Hermeneutik – Biblische Theologie (NT).
5. Ökumene-Lexikon (Frankfurt 1983) Art. „Vaterunser".

V. (MIT-)HERAUSGEBER

1. Bibel und Leben.
2. Internationale Zeitschriftenschau für Bibelwissenschaft und Grenzgebiete.
3. Freiburger Rundbrief.
4. Herders Theologischer Kommentar zum Neuen Testament.
5. Jerusalemer Bibel.
   Neue Jerusalemer Bibel.